DE GEDACHTE AAN JOU

Rosie Alison

De gedachte aan jou

Vertaald door Boukje Verheij

2011
DE BEZIGE BIJ
AMSTERDAM

Cargo is een imprint van uitgeverij De Bezige Bij, Amsterdam

Copyright © 2009 Rosie Alison
Copyright Nederlandse vertaling © 2011 Boukje Verheij
Oorspronkelijke titel *The Very Thought of You*
Oorspronkelijke uitgever Alma Books, Londen
Omslagontwerp Studio Jan de Boer
Omslagillustratie Hollandse Hoogte/Arcangel Images Ltd.
Foto auteur Catherine Shakespeare-Lane
Vormgeving binnenwerk Peter Verwey, Heemstede
Druk Koninklijke Wöhrmann, Zutphen
ISBN 978 90 234 5773 2
NUR 302

www.uitgeverijcargo.nl

Voor mijn dochter Lucy

En heeft het leven je
niettemin gegeven wat je wilde?
Jawel.
Wat wilde je dan?
Mezelf geliefd noemen, mezelf
geliefd op aarde voelen.

– Raymond Carver, 'Laat fragment'

INHOUD

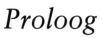

Proloog

Mei 1964

Mijn liefste,
Van de talloze mensen die we in ons leven ontmoeten, is
het vreemd dat zovelen van ons in de ban blijven van één
persoon in het bijzonder. Als we dat gezicht eenmaal heb-
ben gezien, treedt er spontaan een ongeneeslijk hartzeer in.
Alle wonderen van deze wereld komen tot uiting in die ene
persoon, en daarna is er geen weg meer terug, want dit soort
liefde kent geen einde, althans niet tot aan de dood.

Uit *Baxter's* Gids voor de historische landhuizen van Engeland *(2007)*

Wie vanuit York naar het noorden reist, komt eerst door een vallei met vlak boerenland, voordat de weg dramatisch stijgt naar het uitgestrekte plateau van de North Yorkshire Moors. Dit is een van de wildste en mooiste streken van Engeland, waar het hoge, golvende heidelandschap aan alle kanten tot aan de horizon lijkt te reiken, voordat het verzinkt in weelderige, bosrijke valleien.

Deze heidevelden zijn eenzaam en verlaten, met hier en daar wat vredige schapen en half overgroeide paden. Het is een open landschap van vele wisselende stemmingen. In februari heeft het iets weg van een maanlandschap en nodigt het uit tot innerlijke reflectie. Maar eind augustus barst deze wildernis uit in volle bloei en vlamt er een paarse gloed over de heidevelden, als een vuur dat is aangewakkerd door de wind. Deze zee van levendige kleuren mengt zich met de eiken en essen van de lagergelegen dalen, waar de zachte kalksteen doorstroomd wordt door talloze riviertjes en geheime bronnen.

Het is gewijde grond, opgeluisterd door vele middeleeuwse kloosters, nu stuk voor stuk pittoreske ruïnes, die open en bloot onder de hemel liggen. Enkele van de bekendere abdijen in deze streek zijn Rievaulx, Byland, Jervaulx, Whitby en Fountains, en hun aanwezigheid getuigt van de vruchtbare belofte van het land. De eerste kloosterlingen die zich hier vestigden, kapten de bossen in deze valleien voor landbouwgrond en lieten een lappendeken van velden achter, afgebakend door een mijlenlang netwerk van stenen muurtjes.

Bijna twee eeuwen later, lang nadat de kloosters waren opgeheven, lieten de hogere standen verschillende prachtige landhuizen bouwen in de valleien die aan die heidevelden grensden. Hovingham Hall, Duncombe Park en Castle Howard, bijvoorbeeld. Er werden bomen gekapt voor het uitzicht, er werd land geëffend voor gazons en de loop van riviertjes werd veranderd om decoratieve meertjes te vormen. Dat alles om de natuurlijke patronen van het landschap beter uit te laten komen en te benadrukken, zoals het gebruik was in de achttiende eeuw.

Een van de mooiste van die huizen, hoewel niet noodzakelijkerwijs het grootste, is Ashton Park. Dit afgelegen huis staat aan de rand van de hei, hooggelegen boven het steile dal van de rivier de Rye, in dramatische afzondering midden in het grote park waardoor het wordt omgeven. Het huis en zijn tuinen zijn al sinds enige jaren geopend voor het publiek. Aan de rand van een afgelegen dorpje staat de versierde smeedijzeren toegangspoort, met daarnaast het gebouwtje waar bezoekers een kaartje kunnen kopen. Daarachter loopt een witte oprijlaan door het park over steil oplopend terrein, waar hier en daar wat schapen grazen of een eenzame boom staat. Het is een vredig park, stil en sereen, onder weidse luchten.

Als de weg naar links afbuigt, ziet de bezoeker eindelijk het grote huis zelf: een Palladiaans gebouw, opgetrokken uit honinggele steen en in evenwicht gehouden door twee gebogen vleugels aan weerszijden. Boven op de hekken van het voorhof verheffen zich twee stenen sculpturen op hun achterpoten: een leeuw en een eenhoorn die elkaar grimmig aanstaren alsof ze onder een eed van geheimhouding staan.

Het huis heeft door zijn eenzame grandeur iets droefgeestigs, een indruk die alleen maar wordt versterkt bij het betreden van de indrukwekkende, maar lege Marmeren Hal, waar her en der beelden op sokkels staan. Zware rode touwen

markeren het beginpunt van een rondleiding door de woon-
vertrekken, die als toneeldecors zijn ingericht en de bezoeker
zich doen afvragen hoe het huis heeft kunnen verworden tot
zo'n misleidende namaakversie van zijn verleden.

De brochure bij de rondleiding vertelt ons dat er, toen de
laatste Ashton in 1979 overleed, alleen nog maar een verre
nicht was, die in Zuid-Afrika woonde. Mevrouw Sandra de
Groot, echtgenote van een bekende fabrikant, lijkt zo te zijn
afgeschrikt door haar erfenis dat ze ermee instemde Ashton
Park over te dragen aan de National Trust in ruil voor kwijt-
schelding van de torenhoge successierechten. Maar niet voor-
dat het landgoed was ontdaan van zijn resterende landbouw-
grond en andere waardevolle activa. Er werden twee schil-
derijen van Rubens verkocht, evenals een Claude Lorraine,
een Salvator Rosa en een paar Constables. Kort erna orga-
niseerden haar advocaten een complete uitverkoop van de
inboedel: een overvloed aan Ashton-schatten die in de loop
van driehonderd jaar waren verzameld, allemaal liefdeloos
beschreven in een witte inventaris met een nietje erdoorheen.

'Een tweetal fauteuils met verguld houtsnijwerk uit de tijd
van George IV, licht beschadigd; één rozenhouten, met koper
ingelegde ontbijttafel in regencystijl; één negentiende-eeuws
goudbronzen pièce de milieu...'

Antiekhandelaren uit alle windstreken halen nog steeds her-
inneringen op aan de Ashton-veiling van 1980, de afscheids-
ceremonie van een in verval geraakt huis. Het schijnt dat er
op de oprijlaan nog dagenlang een file van verhuiswagens
stond.

Mevrouw De Groot was kennelijk niet gespeend van fami-
liezin, want ze heeft een aantal toonkasten aan de National
Trust gedoneerd, evenals de huisbibliotheek en vele familie-
portretten en -documenten. Als saillant detail vermeldt de
brochure dat 'de prachtige gelakte sigarettenkokers van wij-

len Elizabeth Ashton aan het Victoria en Albert Museum zijn geschonken'.

Volgens de verslagen was Ashton Park voor de restauratie een bouwval, maar de curatoren wisten de hand te leggen op een groot aantal familierelicten en memorabilia, en de muren hangen nu vol foto's van de zonen van de Ashtons in Eton en in Oxford, in cricketteams en in uniform. Hun gezichten stralen onvergankelijkheid uit. Beneden hangen foto's van de bedienden: de butler en zijn personeel gezamenlijk op de bordestrap. Hun blikken zijn vastgelegd in die merkwaardige spanne van trage tijd die zo kenmerkend is voor de camera's van vroeger.

Achter de zitkamer en voorbij de biljartzaal bevindt zich een kleine studeerkamer waar een archief van oorlogsevacués is tentoongesteld. Het schijnt dat er in 1939 een kostschool voor geëvacueerde kinderen werd gevestigd in Ashton Park. Een ontroerend album laat foto's zien van glimlachende kinderen, van groot tot klein, in korte broeken en grijze uniformjasjes. Handgeschreven brieven uit latere jaren beschrijven hun prettige en verdrietige ervaringen uit die periode.

In de laatste gang hangt maar één foto: een elegant trouwportret van de laatste erfgenaam van de Ashtons, uit 1929. Thomas Ashton is met zijn naar achteren gekamde haar typisch zo'n ondoorgrondelijk knappe vooroorlogse man, en zijn vrouw Elizabeth is met haar ravenzwarte haar een klassieke schoonheid à la Vivien Leigh. Op hun gezichten staat nog geen enkel vermoeden te lezen van toekomstige tegenspoed, geen enkel voorgevoel dat hun huis op een dag in een museum zal veranderen.

Op feestdagen en tijdens vakanties trekt Ashton Park grote aantallen dagjesmensen. In een museumwinkeltje worden potjes marmelade en prullaria verkocht en de tuinen bieden de wandelaar picknickplekken, paadjes door het bos en dubieuze middeleeuwse spektakelstukken op het zuidelijke gazon. En toch zullen bezoekers soms ietwat terneergeslagen wegrijden *van Ashton Park, als gevolg van de doodse sfeer die er hangt.*

Die melancholie kan onmogelijk worden geweten aan de vervallen staat van het landgoed. Er zitten geen gaten in het dak, de gazons worden keurig gemaaid en het decoratieve meertje ziet er haast onnatuurlijk helder uit. Maar de donkere ramen staren uitdrukkingsloos naar buiten, wat een spookachtig effect geeft. Achter de toonzalen bevinden zich afgesloten gangen en ongebruikte kamers die vol staan met verfpotten en roestige ladders. Verder is er nog het familie-kapelletje, maar dat wordt zelden bezocht: het ligt te ver uit de route om betrokken te worden bij de rondleiding door het huis.

Misschien is het de afwezigheid van de familie die Ashton Park tot zo'n trieste plek maakt. Het schijnt dat er aan het begin van de vorige eeuw drie zoons en een dochter waren, maar geen van hen heeft voor erfgenamen gezorgd. Door welke opeenstapeling van tegenslagen heeft deze ooit welvarende familie een einde genomen? De tekst in de brochure verklaart niet hoe of waarom de Ashtons zijn uitgestorven, maar de nieuwsgierige bezoeker vraagt het zich onvermijdelijk af.

Desondanks is het nog steeds mogelijk om midden op het verzonken gazon te staan en de sfeer te proeven van het huis in zijn hoogtijdagen, zelfs te midden van alle wegwijzers en afvalbakken. Je kunt je voorstellen hoe het voor anderen – in vroeger tijden, in de juiste weersomstandigheden – een weergaloze aanblik heeft opgeleverd van een Engels parklandschap.

Er staat één boom die in het bijzonder de aandacht trekt: een schitterende alleenstaande beuk op een gazon naast de rozentuin. Op een bankje onder die boom heeft het dienstdoend personeel onlangs een bejaarde vrouw aangetroffen die daar na sluitingstijd nog zat. Bij nadere inspectie bleek ze overleden te zijn, vredig ingeslapen met een verbleekte liefdesbrief tussen haar vingers geklemd.

Evacuatie

1939

Londen, 31 augustus 1939

Er scheen een halfslachtig middagzonnetje toen Anna Sands en haar moeder Roberta in Kensington Street uit de bus stapten. Winkelende mensen stroomden voorbij, beladen met tassen, en in Anna's beleving sprankelde de brede straat van de kleuren. Achter de menigte zag ze de colonne winkels oprijzen, met hun bonte etalages waarin alle mogelijke waren stonden uitgestald: koffieblikken, fonkelende schalen en bekers, rollen lint, hoeden, jassen en handschoenen uit alle hoeken van het Britse Rijk.

Moeder en dochter begaven zich op weg over het brede trottoir, Anna met zwaaiende armen en telkens een pas vooruit. Maar ze bleef kruislings voor haar moeder langs lopen, alsof ze half en half overwoog zich om te draaien en haar hand vast te pakken. Want morgenochtend vroeg zou zij met duizenden andere kinderen uit Londen worden geëvacueerd. 'Voor het geval er Duitse luchtaanvallen komen,' had haar moeder luchtig gezegd, alsof dit voor alle gezinnen de normaalste zaak van de wereld was.

'Als de crisis eenmaal voorbij is, kun je meteen weer naar huis komen,' had ze uitgelegd. Anna verheugde zich op het buitenleven – die indruk wekte ze in elk geval als iemand ernaar vroeg. Er moest van alles worden gekocht voor de reis, maar Anna's naderende vertrek hing tussen hen in en gaf elk moment een ongewoon intieme lading.

Beiden waren in een uitbundige stemming – Roberta van de zenuwen en Anna van de opwinding – en puur voor de lol liepen ze eerst door de speelhal voordat ze naar Pontings gingen, de beroemde manufacturenwinkel met zijn gecannelleerde zuilen en balustrades van wit gietijzer.

Dit was Anna's favoriete winkel, een Grot der Wonderen tjokvol kleurige stoffen en garneersels, rollen zijde en lappen damask. Op de begane grond, achter de gedrapeerde boa's, zocht ze voor zichzelf een zakdoek uit, wit met paarse viooltjes.

'O, dank je wél,' zei ze en ze gaf haar moeder een kus.

Terwijl Roberta in de rij stond om af te rekenen, wierp Anna een blik omhoog naar het lichte atrium boven haar, waar de zon in bundels gekleurd licht door de gebrandschilderde bloemen naar binnen scheen. Anna's ogen dwaalden door de winkel, met zijn kilometers lint en manden vol glinsterende knopen van koper, zilver en parelmoer. Terwijl het droomlicht haar doorstroomde, verdwenen de geluiden in de winkel naar de achtergrond, totdat ze heel eventjes weg was van zichzelf.

'Je mag zelf je pakje dragen, schatje van me,' onderbrak haar moeder haar dagdroom. Anna was meteen klaarwakker en stond als eerste buiten, waar ze alweer plannen maakte voor de volgende aankopen. Bij Woolworth kochten ze een kartonnen koffertje en bagagelabels voor Anna's reis, waarna ze de straat overstaken om op zoek te gaan naar een paar schoenen.

Glimmende bruine veterlaarsjes kochten ze, bij Barkers. Ze roken nieuw en chic. Ze herinnerden Anna aan haar vader in zijn uniform, met zijn grote zwarte laarzen. Samen met haar moeder had ze hem een maand geleden uitgezwaaid, vlak na haar achtste verjaardag. Toen ze hem omhelsde om afscheid te nemen, had hij haar opgetild en in de rondte gezwierd. Soms stuurde hij haar brieven met grappige tekeningen, waarin hij zijn legeroefeningen beschreef. Ze maakte zich geen echte zorgen om hem, want iedereen wist dat Hitlers tanks bijna allemaal van bordpapier waren.

'Groot-Brittannië heeft het grootste rijk ter wereld, dus de oorlog zal niet lang duren,' verkondigde ze tegen de bebrilde dame die haar hielp met schoenen passen.

Toen stonden moeder en dochter weer buiten. Het was tijd voor de traktatie die Anna was beloofd: een grote ijscoupe. Ze had Amerikaanse films gezien waarin kinderen aan een buffet zaten met een hoog glas vol ijs. Dat was haar droom.

Roberta ging haar voor door het schitterende art-deco-interieur van het warenhuis Derry & Toms, over fluisterzachte blauwe tapijten, tot ze een liftenwand bereikten en een koele ruimte van koper en nikkel binnenstapten.

'Vijfde etage, dames en heren, wereldberoemde Daktuinen,' kondigde de in livrei gestoken liftboy aan. De tuinen waren een jaar ervoor met veel ophef geopend, maar ze hadden ze nog nooit bezocht: het was er te duur.

Maar dit was een bijzondere dag en ze stapten het blinkende zonlicht in, omringd door de daken van Kensington. Voor hen strekte zich een overvloed aan bloemen uit die hun stoutste dromen overtrof. Er was een Spaanse tuin, met een aardewerken Moorse toren en weelderige bougainvillea. Daarachter kwamen ze via een kronkelig terras in een watertuin met plompenbladen en glimpen van glinsterende karpers. De volgende bocht voerde hen onder elegante elizabethaanse rozenbogen door.

Ze kwamen uiteindelijk in het café terecht, waar tafeltjes onder gestreepte parasols stonden en vlakbij een fontein klaterde. Op de grote, langwerpige menukaart koos Anna met zorg haar ijs uit: vanille en chocola onder een laag slagroom, kersen en nootjes. Tot haar moeders opluchting leek ze niet teleurgesteld toen de torenhoge lekkernij werd geserveerd.

Een orkestje speelde bekende melodieën, die alle herrie van de straat beneden overstemden. Het onwerkelijke decor en de ongewone omstandigheden van hun bezoekje droegen alleen maar bij aan hun opgetogen plezier in elkaar.

'Heb je ooit in je leven in een tuin in de lucht gezeten?' vroeg Anna.

'Nog nooit,' lachte haar moeder, 'en ik zou het ook niet gewild hebben: niet zonder jou erbij.'

'Wanneer ik weer thuis ben, mogen we dan weer hiernaar-toe?'

'Natuurlijk, liefje.'

'En dan ook met papa erbij?'

'Absolúút,' zei Roberta en ze greep haar dochters hand vast.

Later, toen het ijs op was, de theekopjes leeg waren en de geheimen van de tuin allemaal verkend, gingen ze samen op weg naar huis. Hun uitgelaten stemming was opeens omge-slagen.

Pas toen ze de uitgang van het warenhuis naderden, werd Anna zich bewust van de enige schaduw die over haar dag dreigde te vallen: ze had geen zwempak.

Anna had in het bioscoopjournaal filmpjes over evacuaties gezien en daarin zag je altijd kinderen naar het westen afrei-zen, naar de kust van Devon of Cornwall. Ze wilde daar ook naartoe, maar was bang dat ze vandaag al zo veel hadden uitgegeven dat een zwempak net iets te veel gevraagd was.

'Maar hoe moet ik nou zwemmen?' flapte ze eruit.

Roberta stond even stil om te luisteren naar het hakkelende verzoek van haar kind en wist onmiddellijk dat ze deze mid-dag intact moest laten en niet alle hoop van haar dochter de bodem in mocht slaan. Dus daar gingen ze weer, terug naar de liften en omhoog naar de sportafdeling. Roberta gaf roe-keloos twee shilling uit aan een blauw gestreept zwempak en zag haar dochters gezichtje stralen van blijdschap. Ze was niet van plan geweest zoveel uit te geven, maar het zette de kroon op de middag. Toen gingen ze op weg naar het metro-station, verenigd in voldaanheid.

Terwijl Anna voor haar uit huppelde, genoot Roberta van haar dochter, in de wetenschap dat ze slim en vindingrijk was, met een fris gezicht waarop bij de minste aanleiding een glimlach verscheen. Het spleetje tussen haar voortanden gaf haar een vrijmoedige charme.

Ze daalden de stationstrap af, met Anna steeds voorop. Er

reed een trein binnen en toen de deuren opengingen, stroomden de passagiers langs hen heen. Plotseling, op dat halfvolle perron, voelde Roberta zich overlopen van liefde voor haar stroblonde kind.

'Anna...' zei ze en Anna draaide zich om, met stralende, heldere ogen. Op dat moment zag Roberta de volle wasdom van haar dochters ziel, die in acht jaar geleidelijk was ontloken. Ze strekte haar armen uit en omhelsde haar stevig. Heel even voelden ze elkaars hartslag.

'Ik hou van je, lief schatje van me,' zei Roberta en ze streelde haar dochters haar.

Anna tilde haar hoofd op en keek haar moeder recht aan.

De rest van haar leven zou ze zich altijd die broze dag herinneren, met zijn ontastbare licht en hun stille momenten van euforie.

Warschau, 1 september 1939

Op de ambassade van Warschau was sir Clifford Norton het grootste deel van de nacht op geweest. Nu keek hij naar een lichtblauwe, onbekommerde dageraad die geen enkele weet had van hun problemen. Hij besefte vaag dat de laatste zomer van het decennium voorbij was.

De hele nacht had het personeel ploegendiensten gedraaid. Iedereen was druk in de weer geweest met de laatste koortsachtige onderhandelingen om de oorlog af te wenden. Driftig tikkende typistes, rinkelende telefoons, gezanten die kwamen en gingen. Zelfs zijn vrouw had er gezeten, met haar kleine draagbare schrijfmachine om telegrammen te coderen en ontcijferen.

Danzig, Danzig, Danzig was het woord in elke brief en in elk rapport. Sinds Hitler de inlijving van Danzig bij het Reich had geëist, was de Poolse haven snel uitgegroeid van een stad tot een principe, bedacht Norton. Nu werden ze geconfronteerd met een diplomatieke impasse en de ambassade verkeerde in een staat van opperste paraatheid. Maar op dit vroege uur lag een deel van het personeel nog op veldbedden te slapen en zat Norton alleen in zijn kantoor te wachten op de volgende reeks telegrammen uit Londen.

Plotseling snakte hij naar de nieuwe dag en hij schoof zijn gordijnen helemaal open totdat hij het daglicht voelde binnenstromen, dat zich subtiel verspreidde en zijn bureaulamp overbodig maakte. Het heldere licht beurde hem op; er was nog steeds tijd voor ongegronde vreugde.

De onheilspellende onrust van deze laatste zomerweken was besmettelijk geweest. Warschau was in de greep van een bizarre *Totentanz*: de restaurants liepen over van ongerijmde vrolijkheid en de hotels zaten volgepakt met journalisten die een spervuur van telegrammen en geruchten de wereld in zonden. In de winkels waren geen suiker of kaarsen meer te krijgen en de Polen hadden hun zilver en kristal in tuinen en parken begraven.

Hij schrok op van het gerinkel van de telefoon op zijn bureau. Kwart voor zes 's ochtends. Het was de consul in Katowice.

'De Duitsers zijn binnengevallen. De tanks zijn om vijf uur de grens overgestoken.'

Het nieuws raakte Norton heel in de verte, alsof het een stuk geschiedenis was dat langs hem zou glijden als hij een stapje opzijzette. Hij voelde zich alsof hij in de derde persoon leefde. Hij legde de hoorn op de haak en spoorde zichzelf aan tot werktuiglijke actie: hij stuurde een telegram naar Londen en riep zijn employés bij elkaar.

In de ambassade kwamen en gingen mensen als in een droom. Nog maar een paar uur geleden hadden ze gedacht in onderhandeling te zijn over de prijs van vrede, maar Hitler had hen allemaal op het verkeerde been gezet.

Om zes uur hoorde Norton een vliegtuigmotor en hij liep het balkon van de ambassade op. Recht voor zich aan de heldere hemel zag hij een Duits gevechtsvliegtuig over de rivier de Wisła scheren. Er loeiden sirenes en er klonk een geratel van luchtafweergeschut. Hij was geschokt: de eerste luchtaanval op Warschau kwam sneller dan verwacht. De oorlog had hen al bereikt.

Londen, 1 september 1939

Anna lag op haar rug, zwevend in de stilte van de slaap. Roberta zat op het bed en streek het haar van haar dochter naar achteren totdat ze haar ogen opende.

Ze glimlachten allebei en Anna stak haar hand uit.

Er was nog heel veel te doen geweest voor de evacuatie. Ze hadden het nieuwe gasmasker al opgehaald, in een foedraal dat je over je schouder kon dragen. De avond ervoor had Roberta met zorg Anna's koffer gepakt, met drie stel schone kleren en haar toiletspullen. En haar zwempak, natuurlijk. Ook verraste ze haar dochter speciaal voor de gelegenheid met een boek. Ze had er een liefdevolle brief en een familiefoto in gestopt.

Roberta had het eten ingepakt in een aparte tas, omdat ze niet wilde dat Anna haar koffertje zou openen en alles er dan uit viel. Er zaten twee appels in, een blikje gecondenseerde melk, wat cornedbeef en een reep chocola. Er lag ook een bagagelabel klaar met Anna's naam en school erop, en haar leeftijd.

'Een label, om mijn nek?' vroeg Anna verbaasd. Het voelde raar, dat prikkerige touwtje op haar huid.

Anna had al besloten haar teddybeer niet mee te nemen, voor het geval iemand haar erom zou uitlachen. Dus zette ze Edward op haar kussen en gaf ze hem een afscheidszoen.

'Ik ben gauw weer terug,' beloofde ze hem.

Roberta was zo nerveus toen ze haar dochter haar ontbijt gaf, dat ze niet eens de gelegenheid had sentimenteel te worden. Maar ze lette er wel op dat ze liefdevol en niet ongeduldig was toen ze hun jassen aantrokken en hun huis in Fulham verlieten. Anna had geen tijd om achterom te kijken naar de groene voordeur en verdrietig te zijn.

Maar toen ze samen naar de school liepen, begonnen ze allebei de pijn van het vertrek te voelen. De naderende scheiding benam Roberta de adem. Het zou nog dagen duren voordat ze wist waar Anna naartoe was gestuurd. Ze had al angstvisioenen van een somber, smerig huis.

'Wat er ook gebeurt, zorg dat je altijd schone handen hebt,' zei ze.

Nu ze zo samen in het zonnetje liepen dat tussen de wolken door scheen, leek de oorlog ver weg en onvoorstelbaar. Roberta vroeg zich af hoe ze haar lieve dochter dit kon aandoen. Misschien zou de oorlog hen niet raken. Misschien zou hij niet eens komen. Zouden die Duitse vliegtuigen echt helemaal naar Londen komen vliegen?

Nadat haar man dienst had genomen, was haar eerste impuls geweest om samen met Anna de stad te verlaten. Maar ze hadden geen familie buiten Londen en ook geen geld om te verhuizen. Dus had ze net als andere moeders met pijn in het hart haar kind opgegeven voor het evacuatieprogramma. Alle ouders op Anna's school waren aangemoedigd om eraan mee te doen. Eerst had ze gedacht dat ze met Anna mee kon gaan, maar later kreeg ze te horen dat alleen moeders die borstvoeding gaven bij hun kinderen mochten blijven. Het is maar tijdelijk, hield Roberta zichzelf voor.

Anna maakte zich intussen helemaal geen zorgen. Ze ging ervan uit dat alle evacués naar de kust zouden gaan, dat het een soort vakantie zou worden. Ze was nog maar één keer eerder op een strand geweest, bij Margate, en ze verlangde ernaar weer over het natte zand te rennen. En nu had ze haar eigen zwempak, ingepakt en wel.

Ze verwachtte een avontuur. Ze had zo veel sprookjes gelezen dat ze ernaar verlangde de wereld zelf te verkennen. Net als Dick Whittington. De lange weg, een kind met een koffertje: het leek niet meer dan natuurlijk.

Haar schoenen waren gepoetst, haar sokken waren schoon.

Ze droeg haar uitrusting met trots. Ze was niet bang voor het afscheid; haar moeders gezicht voelde dichterbij dan haar eigen hartslag. Ze kon zich nog geen kloof tussen hen indenken.

Onder het toeziend oog van het victoriaanse bakstenen schoolgebouw sloten ze zich aan bij een geagiteerde menigte moeders, vaders en kinderen, die daar allemaal klaarstonden om afscheid te nemen. Kinderen huilden, sommige luidkeels. Ook moeders vergoten tranen. Er maakte zich een plotselinge droefheid van Roberta meester, hoewel Anna en zij te standvastig in hun onafhankelijkheid waren om in het openbaar hun gevoelens tentoon te spreiden. Toch wankelde Roberta's vastberadenheid. Ze ging op zoek naar een schoolhoofd om te vragen waar de kinderen naartoe zouden gaan.

'Ze gaan met de bus naar station St. Pancras.'

'Mogen we tot daar met hen mee?'

'Nee, het spijt me,' zei hij afwerend. 'U zult hier afscheid moeten nemen.'

Ze moesten lang wachten op het schoolplein en sommige kinderen gingen gapend op de grond zitten. Roberta en Anna stonden hand in hand naast elkaar, zonder verder veel te zeggen. Op een gegeven moment moesten de kinderen met hun klas in de rij gaan staan, waarbij onderwijzers namen op klemborden afvinkten. Roberta was er trots op dat Anna er zo leuk uitzag, zo stralend en fris.

Ze kon haar altijd weer naar huis laten komen.

Plotseling kwam de bus aanrijden. Hij kwam van een andere school in World's End. Voordat Roberta de kans had zich te bedenken en haar kind terug te halen, was Anna's klas al door de menigte naar voren gestuwd. Zonder een blik achterom te werpen, haastte Anna zich om een plekje in de bus te vinden. Ze zette haar bagage neer en realiseerde zich dat ze na al dat wachten nauwelijks afscheid had genomen van haar moeder. Ze duwde haar gezicht tegen het raam en keek naar beneden.

Daar stond ze, met haar glanzend bruine haar. Ze keek naar haar op met een glimlach die alleen voor haar bedoeld was en waarmee ze haar alle vreugde en goeds van de wereld wenste.

'Dag, mama!' riep Anna door het glas. Terwijl ze haar blik strak op haar moeder gericht hield, kromp haar hart plotseling ineen. Ze werd verteerd door de gloed van haar moeders ogen – totdat de bus optrok en wegreed. Anna's reis was begonnen.

Ze liet zich terugvallen in haar stoel. Er hing een zurige geur van verschaalde sigaretten in de bus, die haar misselijk maakte. Ze gaapte van de warmte; het was bedompt in de bus. Ze voelde zich vreemd en opgewonden, alsof ze met één voet in een wonderlijke nieuwe wereld stond, waar zomaar van alles kon gebeuren. Ze miste haar moeder nog niet, omdat ze nog zo diep in haar geworteld was – haar gezicht, haar stem, haar aanraking.

Maar Roberta voelde de scheiding acuut. Terwijl ze van de school naar huis terugliep, voelde ze zich slap, als een verwelkte plant. De bomen waar ze langkwam zagen er dor en vermoeid uit en de stoep onder haar voeten was gebarsten. De droogte van de late zomer was overal om haar heen en de straten leken onnatuurlijk leeg.

Had ze de juiste keus gemaakt?

4

Anna's schoolbus stopte eerst bij station Paddington en bleef daar een uur stilstaan, met de motor af. Een onbestendig zonnetje kwam en ging, en maakte de kinderen onrustig. Een deel van hen stapte daar uit, maar Anna niet.

Haar bus reed verder naar station St. Pancras – het fantastische, kleurrijke St. Pancras, een uitbundig geheel van exotisch metselwerk. Terwijl ze de bus uit stapte wierp ze een blik omhoog naar de rode gotische torenspitsen, die hoog in de lucht oprezen. Ze zagen eruit als de torens van een sprookjeskasteel, de eerste stap op weg naar een groot avontuur.

Binnen bracht de enorme gewelfde ruimte haar in vervoering. Er steeg stoom op uit de treinen. De locomotiefschoorstenen bliezen witte pluimen omhoog naar kolossale steunbogen. Achter de perrons werd de hemel omlijst als een gebrandschilderd raam in een kathedraal, een raam van eindeloos helderblauw.

Maar ze werd voortgestuwd en had geen tijd om stil te staan en rond te kijken. Het station was een kolkende massa van kinderen en ouders die alle kanten op stroomden. Het was moeilijk om niet in de verkeerde rij te belanden. Stationsberichten en mannen met luidsprekers droegen nog verder bij aan de chaos. Veel kinderen leken broertjes of zusjes te hebben, van wie sommige nog maar heel klein waren en naar de wc moesten. Anna voelde zich innerlijk sterk en had medelijden met andere kinderen die er minder goed aan toe leken te zijn. Angstvallig klemde ze haar bezittingen vast: het koffertje, de tas met eten en het gasmaskerfoedraal.

Ze verlangde naar de kust.

Er hing een grote klok boven de zee van verbijsterde kinderen, die de ochtend wegtikte. Geleidelijk nam Anna's opwinding af en verbleekte de betovering van de stalen kathedraal.

Ze stonden in een lange rij op het perron, wachtend tot er iets ging gebeuren. Sommigen waren erbij gaan zitten. Het perron was smerig en er hing een scherpe lucht die in haar neus brandde.

'Waar gaan we naartoe? Waarheen?' De fluistering van onbeantwoorde vragen gonsde de rijen langs. Tientallen vertrokken kindergezichtjes met smekende blikken.

Uiteindelijk werd haar groep naar een trein geleid. Mevrouw Martin, haar klassenonderwijzeres, vinkte haar af op een lijst toen ze met haar bagage aan boord stapte.

Ze had niemand om afscheid van te nemen, maar toen de trein in beweging kwam, sloot ze zich aan bij de groep voor het raam en wuifde ze naar alle vaders en moeders die hun blikken op de vertrekkende kinderen gericht hielden.

De trein reed langzaam door Noord-Londen, langs armoedige achtergevels, volkstuintjes en rokende fabrieken. Anna had het gevoel alsof ze in een film zat. De trein kreeg meer vaart, er flitsten meer plaatsen voorbij en nu gleden er velden langs haar raam.

Ze herinnerde zich opeens het boek dat ze van haar moeder had gekregen en maakte het pakje open. Tot haar vreugde vond ze *Het gele sprookjesboek*, met griezelige tekeningen van zeeslangen en wrattige heksen. Van haar moeders foto en brief kreeg ze tranen in haar ogen, maar ze was vastbesloten even dapper te zijn als een weeskind in een sprookje dat de wijde wereld in trekt om haar moed te bewijzen.

Ze had alleen wel graag een broertje of zusje gehad.

De trein reed met horten en stoten. Af en toe kwam er iemand met een klembord langs om te kijken of alles in orde was. Het toilet zat verstopt en dat zorgde voor problemen. Anna gruwde van vieze wc's, dus ze at en dronk bewust niet veel.

Uiteindelijk stopte de trein op een station. Er gebeurde een tijdje niets, maar toen hoorde ze deuren slaan en stemmen in het gangpad roepen: 'Iedereen uitstappen!'

Toen ze op het perron stonden, zag Anna dat ze in Leicester waren. Ze wist niet waar dat lag. Sommige kinderen werden meegenomen naar de uitgang, andere werden op een nieuwe trein gezet. Er stroomden horden mensen om haar heen en Anna werd plotseling duizelig. Moest ze aan boord van de trein gaan of hier haar nieuwe onderkomen zoeken? Ze bleef staan waar ze stond en voelde zich misselijk en slap, geconfronteerd met deze onzichtbare tweesprong op het pad naar haar toekomst.

'Ligt Leicester aan zee?' vroeg ze aan een vrouw met een namenlijst.

'Nee, lieverd, in de verste verte niet.'

Dat gaf de doorslag. Anna wilde hier niet stoppen. Ze ging in de rij voor de nieuwe trein staan, hoewel niemand leek te weten waar die naartoe ging.

Ze ging op een plekje aan het raam zitten.

'Wanneer komen we bij de zee?' vroeg ze aan een surveillerende onderwijzer. Hij keek haar licht verwonderd aan.

'Je moet niet al te teleurgesteld zijn als je niet aan de kust terechtkomt,' zei hij. 'Het is trouwens toch te koud om te zwemmen in deze tijd van het jaar.' Anna stelde verder geen vragen meer, maar het akelige gevoel bekroop haar dat ze in de verkeerde trein zat.

Ze begon zich zorgen te maken. Ze tuurde ingespannen uit het raam in de hoop ergens aan de horizon een glimp van de zee op te vangen. Ze leken te lang door een leeg landschap te rijden. Met haar etenstas en boek in haar armen viel ze in slaap. Haar benen raakten net niet de vloer en slingerden heen en weer in het ritme van de trein.

In de namiddag minderde de trein vaart en werd ze wakker. Ze reden met een grote bocht een station binnen. Anna zag het bordje: YORK.

'Iedereen uitstappen!' riepen de begeleiders, die zich door het gangpad haastten. Anna sprong prompt overeind en graaide haar spullen bij elkaar. Ze stapte de trein uit en volgde de rij kinderen. Ze liepen een hoge trap op en een lange brug over, die de magnifieke bocht van het station overspande. Er zat een zwerm vogels onder het grote glazen dak. Toen iemand op een fluitje blies, fladderden ze weg, de openlucht in. De kinderen schrokken ervan.

Waren het zeemeeuwen? Anna keek ze na en wilde dat ze iets meer van vogels af wist.

Er stonden kwartiermeesters op hen te wachten, die hun namen afvinkten. Er waren nog maar een paar kinderen van Anna's school over.

Ze keek om zich heen en zag zich omringd door een menigte onbekende gezichten.

'Waar gaan we naartoe?' vroeg ze aan een man met een baard. Hij bleef stilstaan en keek omlaag naar haar bezorgde gezichtje. 'We nemen jullie nu allemaal mee naar het inkwartieringscentrum. Daar krijgen jullie een kopje thee.' Hij sprak op vriendelijke toon, met een onbekend accent. Ze durfde dit keer niet te vragen of de zee in de buurt was.

De kinderen werden snel een paar snikhete, stoffige bussen in gedirigeerd. Anna keek door het raam naar het hoog oprijzende stationshotel met zijn keurige bloemperken. Dit is dus York, dacht ze.

Gelukkig was het niet ver rijden vanuit de stad naar het schoolgebouw waar ze moesten zijn. Er waren daar al een paar honderd kinderen en ze werden begroet door vriendelijke vrouwen die hun iets te drinken aanboden.

'Waar zijn we?' vroeg Anna.

'Je bent in Yorkshire!' antwoordde een struise vrouw met een web van rode adertjes op haar wangen. Anna wist niets van Yorkshire, behalve dan dat het een plaats voor arme mensen was, fabrieksmensen. Dat maakte haar een beetje bang.

Ze werd ergens in een rij stoelen neergezet, waar haar haar op luizen werd gecontroleerd. Toen ze luisvrij was verklaard, kreeg ze een broodje en een beker melk. Sommige van de volwassenen waren gehaast en een beetje kortaf, maar andere keken haar aan en namen de tijd om naar haar te glimlachen.

Op een van de bankjes bij de grote ramen at ze haar broodje op en probeerde ze te begrijpen wat er om haar heen gebeurde. Ze zag volwassenen door de zaal lopen en alle kinderen bekijken. Ze praatten met een man die vanachter een groot bureau verschillende jongens en meisjes aanwees. Werden ze als groenten in een marktstal geselecteerd? Ze ging naast Becky Palmer zitten, een van de weinige meisjes van haar school die er ook nog bij was. Becky troostte haar kleine broertje, dat in zijn broek had geplast. Er liepen vrouwen voor hen langs, die hen van top tot teen opnamen.

Haar hart ging tekeer: aan de ene kant wilde ze worden uitgekozen, maar aan de andere kant was ze bang voor de mensen die ze zag. Het leek allemaal heel anders dan de vakantie aan zee waarvan ze had gedroomd. Ze wilde niet naar onbekende mensen in Yorkshire. Ze kreeg ineens een beeld voor ogen van fabrieken en doorrookte gezichten.

Het was Anna intussen opgevallen dat alle vrouwen die er aardig uitzagen meisjes uitkozen – en zij zat naast een huilend jongetje dat in zijn broek had geplast. Nou, ze ging Becky niet in de steek laten om zoiets. Op dat moment liep er een vrouw voorbij met een rood aangelopen gezicht en grote stoppelharen op haar kin en Anna was opgelucht dat de kleine Ben nog steeds huilde.

Plotseling gingen de deuren open en beende er een donkerharige vrouw in een prachtige jas de aula in. Een jongere vrouw liep aan haar zijde, als een soort bediende. Op haar hoge hakken leek de elegante vrouw meer te zwieren dan te lopen, en bij elke stap golfde haar lichte jas op en neer. Ze stevende recht op de hoofdkwartiermeester af, die opstond en haar met zekere eerbied aansprak. Anna keek vanaf haar bankje toe hoe de nieuwe dame zich omdraaide en de zaal in ogenschouw nam, op één been geleund en lichtjes wiegend op haar andere hiel, als een danseres.

De hoofdkwartiermeester ging op een stoel staan en klapte in zijn handen om iedereen stil te krijgen.

'Mevrouw Ashton hier heeft dertig plaatsen over in Ashton Park, voor kinderen tussen de zeven en dertien – zowel jongens als meisjes. Alle kinderen die aan die beschrijving beantwoorden mogen nu hier komen staan.' Er begonnen kinderen in zijn richting te schuifelen, maar Anna stond snel op en ging vooraan in de rij staan.

Ze was gefascineerd door die mooie, mysterieuze vrouw: mevrouw Ashton. Ze had glanzend zwart haar en haar heldere, kalme ogen keken licht geamuseerd de aula rond.

Mijn moeder zou deze vrouw bewonderen omdat ze een dame is, dacht Anna.

Ze keek achterom de rij langs: een rommelige bende jongens en meisjes, allemaal over hun toeren van de lange dag die ze achter de rug hadden. De kwartiermeesters noteerden haastig hun namen en deelden briefkaarten uit die ze naar huis konden sturen. Anna kon haar ogen niet afhouden van mevrouw Ashton, die rustig en ontspannen stond te wachten, terwijl ze wat met haar assistente babbelde en een klein meisje naar haar reis vroeg.

Een kwartiermeester gaf een teken dat alles was afgehandeld.

'Allemaal klaar? Kom maar mee dan,' zei mevrouw Ashton, en weg beende ze weer op haar hoge hakken. Anna haastte zich om haar bij te houden en stapte voor de zoveelste keer die dag in een bus, die al voor de helft vol zat met kinderen.

De bus reed de stad uit langs kilometers vlakke tarwevelden, totdat de weg geleidelijk begon te stijgen en steeds kronkeliger werd. Vlak voor zonsondergang klommen ze tegen een steile helling op en nam de bus zwoegend de ene na de andere haarspeldbocht.

Toen stierf het laatste licht weg en reisden ze in het donker. Er waren geen straatlantaarns, alleen de lege weg. De bus daverde voort en de kinderen vielen in slaap. Hoofden vielen op schouders en schoten, en overal rolden er koffers en gasmaskers over de vloer.

Uiteindelijk bereikten ze een steile boogbrug en reden ze een dorpje in.

'We zijn er,' hoorde Anna mevrouw Ashton zeggen. Ze tuurde ingespannen naar buiten en ving een glimp op van wat ijzeren hekken. De bus reed ratelend over een veerrooster en gleed toen geluidloos een lange oprijlaan op. Er was een onverwachte bocht naar links en plotseling zag Anna een groot, donker gebouw met verlichte ramen voor zich oprijzen. Ze reden door nog een poort een ovale voorhof op. De bus kwam tot stilstand en de kinderen werden wakker gemaakt.

'Vergeet niet om al jullie bagage mee te nemen,' zei een andere stem.

Ze volgden elkaar de bus uit als een kudde opgeschrikte schapen. Anna stond als eerste buiten. Met haar bezittingen stevig vastgeklemd volgde ze mevrouw Ashton de stenen trap op, een paar hoge deuren door en een schitterende marmeren hal in, waar een blauw koepeldak bijna de hemel leek te raken.

Anna keek rond met ogen op steeltjes. Wat zou haar moeder zeggen als ze dit zag? Overal stonden zwijgende Griekse beelden: een naakte man die een bord weggooide, een grote hond die zijn tanden ontblootte, een slapende leeuw... De kinderen dromden samen op de geblokte vloer en hun hoge stemmen weergalmden in de enorme ruimte.

Mevrouw Ashton klapte in haar handen.

'Welkom, allemaal. Ik hoop dat jullie het naar je zin zult hebben bij ons in Ashton Park. Ik ben mevrouw Ashton. Dit is een bijzonder huis en we hopen dat jullie er net zo van zullen genieten en er net zo zuinig op zullen zijn als wij. Er zijn hier onderwijzers en personeel die voor jullie zullen zorgen, net als op jullie gewone school. En dit is juffrouw Harrison, die jullie huishoudster zal zijn.'

Een gezette vrouw met een stalen kapsel stapte naar voren. Ze droeg een blauw verpleegstersuniform, met een horloge op de tuniek gespeld. Ze zag er een tikje angstaanjagend uit en haar knipperende, bebrilde ogen leken wimperloos. Anna gaf de voorkeur aan mevrouw Ashton.

Maar juffrouw Harrison was degene die hen in groepjes verdeelde – jongens, meisjes, jonger, ouder – en hen een grote stenen trap op leidde.

Ze kwamen in een lange gang met een rode vloerloper. De huishoudster liet hen een grote ruimte met wastafels en wc-hokjes zien en bracht hen vervolgens, door nog meer gangen, naar verschillende slaapzalen, met aan weerszijden een rij bedden.

Anna werd ondergebracht in een slaapzaal die 'Blauweregen' heette, op de tweede verdieping. Ze had een simpel ijzeren ledikant en stijve nieuwe lakens. Ze haalde haar nachtpon tevoorschijn en borg haar andere spullen netjes weg onder het bed.

Door nieuwsgierigheid gedreven liep ze naar het raam. Ze gluurde door de gordijnen, maar zag alleen de donkere verte. Misschien dat daar toch de zee was.

Ze moesten nog een laatste keer in de rij staan voor de wastafels en de wc's en toen plofte Anna uitgeput in bed. Terwijl ze in slaap viel, dacht ze aan haar moeder.

* * *

Beneden wachtte Thomas Ashton op zijn vrouw om samen een late maaltijd te nuttigen. Hun grote eetzaal was opnieuw ingericht met drie lange tafels, die al gedekt waren voor het ontbijt van de evacués.

Eindelijk verscheen Elizabeth, met schitterende ogen. De afgelopen weken had ze onvermoeibaar doorgewerkt om alle voorbereidingen te treffen voor de evacuatie. Ze had het aantal slaapzalen uitgebreid, voorraden ingeslagen en personeel ingehuurd. Diezelfde ochtend nog had ze met de nieuwe huishoudster door de bovenste gangen gelopen om de schone, ruime slaapzalen te bewonderen.

'Ze liggen er boven nu allemaal in,' meldde ze.

'En de bedden zijn vol?'

'O, ja. De inkwartieringscentra zaten nog vol kinderen toen we vertrokken.'

'Laten we hopen dat er vannacht niet te veel tranen worden gestort.'

Elizabeth keek hem aan en hield haar hoofd een beetje schuin toen ze sprak.

'We kunnen ze hier iets goeds bieden, Thomas.'

Hij glimlachte en streelde even de hand van zijn vrouw. Het ontroerde hem haar zo sociaal betrokken te zien.

'Ik verheug me erop ze morgenochtend allemaal te ontmoeten,' stelde hij haar gerust.

Thomas was verbaasd en opgetogen geweest over Elizabeths bereidheid hun leven zo open te stellen. En ze waren geen moment te vroeg: het nieuws van Hitlers invasie die ochtend in Polen was de hele dag op de radio te horen geweest.

'Ik moet voortdurend aan de Nortons denken,' voegde hij eraan toe, terwijl hij zich zijn vrienden voorstelde midden in de grootste brandhaard van Europa.

'Ze komen Warschau echt wel uit.'

'Ik hoop dat je gelijk hebt.'

Maar geen van hen zou werkelijk ontsnappen aan de komende oorlog, dacht Thomas. De frontlinie reikte dit keer tot in het eigen land, met vliegtuigen die ook ver gelegen vijandelijke steden konden bereiken. Hij was blij als Ashton House in elk geval voor een paar evacués als toevluchtsoord kon dienen.

Sinds Pasen was het huis niet meer dan een lege huls, nu een groot deel van het personeel was opgeroepen voor militaire dienst bij plaatselijke regimenten. Er hing een verwachtingsvolle stilte in de lege gangen, die elk moment leek te kunnen worden verbroken door het geluid van de kinderen. Kinderen van andere mensen.

Ze trokken zich terug in hun slaapkamer en Thomas borstelde het lange haar van Elizabeth, die aan haar kaptafel zat. Een nieuw ritueel, waar ze beiden genoegen aan beleefden.

Later in bed bespeurde Thomas een subtiele verandering in de sfeer van het huis. Hoe lang was Ashton House al niet kinderloos? En nu leek de echo van de Marmeren Hal gedempt te worden door de kinderen die boven lagen te slapen.

De nieuwe atmosfeer maakte dat hij moeiteloos in slaap viel.

5

De volgende ochtend werden achtenzestig kinderen wakker in een vreemd nieuw huis.

Anna bleef een paar minuten in bed liggen, onzeker of ze al mocht opstaan. Maar er stroomde licht door een kier in de gordijnen en ze kon de verleiding niet weerstaan naar het uitzicht te gaan kijken. Er was een zitje onder het raam, dus ze klauterde erop en tuurde naar buiten.

Hier was haar nieuwe wereld. Een weids, open parkland-schap liep glooiend op naar de hemel, aan de horizon om-geven door donkere bossen. Schapen graasden doodgemoe-dereerd op de grasvlakte, die alleen werd onderbroken door een enkele boom en een wit pad. Het tafereel straalde grote kalmte en rust uit.

Er kwam een meisje naast Anna zitten.

'Een hoop gras,' zei ze. 'Ik ben Beth,' voegde ze eraan toe.

'Dat gaas om die bomen betekent dat er hier herten zitten. Ik heb ze in Richmond Park gezien,' zei een ander meisje. Katy Todd, heette ze. Aan feitenkennis leek het haar niet te ontbreken.

De deur ging abrupt open.

'Tijd om jullie aan te kleden!'

Het was de huishoudster in haar blauwe tuniek, die hen allemaal naar de badkamer stuurde om zich te wassen.

Tien minuten later ging er een grote gong en verzamelden alle evacués zich in een lange rij op de eerste verdieping. Anna gluurde om zich heen naar de bedremmelde gezichten van de wachtende kinderen. Een paar meisjes kende ze van school; zodra ze de kans kreeg, zou ze hen aanspreken. Toen gingen ze het voorste meisje achterna: een lange stoet kinderen die zich twee aan twee de trap af repten naar het ontbijt.

Anna was zenuwachtig, maar genoot van het idee dat ze

nieuwe schoenen aanhad. Het meisje dat voorop liep was ouder dan zij, met lange benen. Terwijl de colonne kinderen stommelend de grote stenen trap afdaalde, moest ze zich haasten om hen bij te houden. Met grote passen en haar ogen strak op het voorste meisje gericht holde Anna bijna naar beneden.

Plotseling sidderde er een pijnscheut door haar lichaam toen ze met haar rechterknie tegen een scherp sierblad stootte dat uit een trapspijl stak. Ze trok haar knie terug, waarbij het ijzer loskwam uit haar vlees en een gapende wond achterliet.

Ze voelde zich prompt misselijk worden, maar bleef rennen. Hinkend en buiten adem liep ze een grote, dieprode eetzaal in, waar aan alle muren enorme portretten dreigend boven hun hoofd hingen. De kinderen gingen in rijen naast de lange tafels staan.

Anna's scheenbeen voelde kleverig en nat. Ze keek omlaag en er gleed dik, warm bloed omlaag, dat in haar sok drupte. Ze haalde haar witte zakdoek met de geborduurde viooltjes tevoorschijn, die haar moeder voor haar bij Pontings had gekocht.

Haar knie deed pijn toen ze hem depte. Ze zag het glinsterende rood van rauw vlees in de open wond, en haar zakdoek raakte doorweekt.

Er viel een stilte terwijl ze op het dankgebed wachtten. Er liep een stroompje zweet langs Anna's slaap en haar bovenlip was nat. Ze voelde zich helemaal niet lekker. Ze probeerde overeind te blijven, maar werd steeds draaieriger in haar hoofd.

'Moge de Heer ons tot diepe dankbaarheid stemmen voor hetgeen wij aanstonds zullen ontvangen.' Anna zag de tekening van de houten vloer op haar af komen. Als water dat razendsnel een afvoerputje in wordt gezogen stroomde het licht uit haar weg.

Ze bonsde met haar hoofd tegen de vloer toen ze flauwviel en het meisje naast haar riep om hulp. Elizabeth Ashton verscheen en knielde naast haar neer. Ze vroeg om een servet en bedekte huiverend de wond. Neerhurkend nam ze Anna in haar armen. De andere kinderen waren intussen gaan zitten en keken al etend toe.

Toen Anna bijkwam uit een diepe, zalige vergetelheid, bevond ze zich in een vreemde kamer. Ze zag een hoog wit plafond, omrand met ingewikkelde patronen, als cakeglazuur. Haar lichaam was slap en vochtig. Ze keek op in het gezicht van een onbekende – een onbekende met donker glanzend haar, die haar bezorgd aankeek.

Elizabeth keek omlaag naar het bleke meisje in haar armen. Zo'n tenger ding, en toch straalden haar ogen van levenslust, nu ze weer helder stonden. Dit was een schoon kind, een genot om vast te houden.

'Hoe heet je?' vroeg ze zacht.

'Anna Sands.' Ze verlangde naar haar moeder en onderdrukte een snik.

'We gaan je naar boven brengen, Anna. Hoe heb je je knie bezeerd?'

'Ik liep tegen de trapspijlen op,' zei Anna. Om de een of andere reden voelde ze zich schuldig over al het bloed dat ze had gemorst. 'Het spijt me,' zei ze. 'Het spijt me heel erg.'

'Maak je maar geen zorgen. Even rustig ademhalen nu, totdat je er klaar voor bent om naar boven te gaan.'

Juffrouw Harrison verscheen met een vochtige doek en mevrouw Ashton liep glimlachend weg. Toen de huishoudster de wond onderzocht, besefte ze dat die gehecht moest worden en dus werd de dorpsdokter ontboden.

Anna moest in haar slaapzaal wachten. Ze lag op bed met de doek tegen haar knie gedrukt en maakte zich zorgen over haar bebloede sokken omdat ze maar twee paar andere had. Er kwam niemand en ze had heimwee naar huis. Ze had nu toch spijt dat ze haar teddybeer niet had meegenomen. Ze staarde naar de scheuren in het plafond en voelde zich van iedereen afgesloten.

Eindelijk verscheen de dokter met de huishoudster om naar haar knie te kijken.

'We zullen de boel moeten hechten, meisje,' mompelde hij. Ze vond hem er nogal streng uitzien met zijn enorme Groucho Marx-snor, maar toen hij zijn zwarte tas openmaakte en zijn voorbereidingen trof, vielen haar de vriendelijke rimpeltjes om zijn ogen op.

Anna keek de andere kant op toen hij met een naald op de proppen kwam en haar gezicht vertrok terwijl de huishoudster haar been vasthield. Ze had nog nooit zo'n afschuwelijk scherpe pijn gevoeld. Er ontsnapten een paar tranen uit haar dichtgeknepen ogen.

Toen de wond was verbonden, lachte de dokter een mond vol tandvlees bloot.

'Eerst even uitrusten en daarna kun je naar buiten gaan om met de anderen te spelen. Maar pas op dat je je niet stoot.'

Anna telde heel veel keer tot honderd en liep toen naar beneden, dit keer voorzichtig. Het ontbijt was allang voorbij en ze voegde zich bij de andere kinderen in een grote kamer met houten panelen, die de 'salon' werd genoemd. Er blies iemand op een fluitje en mevrouw Ashton verscheen. 'We gaan jullie nu in klassen verdelen, dus ik wil graag dat jullie een voor een naar voren komen.'

Anna werd in een klas geplaatst bij juffrouw Weir, die met een groepje kinderen uit Pimlico was gekomen. Ze was jong en bleek, met rossig haar. En een zachtaardig gezicht. Er zaten veertien kinderen in haar klas, jongens en meisjes. Anna keek of ze Katy zag, het meisje uit haar slaapzaal dat zoveel leek te weten.

Er werd opnieuw op een fluitje geblazen en ze liepen allemaal achter hun nieuwe onderwijzer of onderwijzeres aan. Juffrouw Weir ging hen voor naar hun klas, maar het was geen normaal schoollokaal. Het was een hoge ruimte met een bewerkt plafond en overal vlekken op het gele behang waar eerst meubels hadden gestaan. Er waren wat eenvoudige tafels en stoelen in rijen gezet en er stond een schoolbord op een standaard. Aan een van de muren hing een donker gevernist portret van een man met zijn hond. In de verte achter hem stond een groot huis en Anna vroeg zich af of dat Ashton House was.

'De zomer is voorbij, maar jullie hebben nu een nieuw schooljaar om naar uit te kijken,' zei hun onderwijzeres zo opgewekt mogelijk, waarna ze een overzicht van hun lessen gaf. Anna luisterde wel, maar keek ook uit het raam, waar de schapen traag voortgraasden in het veld. Ze had nog nooit zo veel gras gezien.

'Schrijf een paar zinnen op over jezelf en je familie,' zei juffrouw Weir, terwijl ze schriften en potloden uitdeelde.

Mijn naam is Anna Sands. Ik ben enig kind. We wonen in Fulham en ik ga meestal spelen in Bishop's Park. Mijn vader repareert antiek en mijn moeder helpt hem. Hij is nu weg naar het leger. Mijn moeder kan piano-spelen.

Er ging een gong om de lunch aan te kondigen. Hij ging een tweede keer. Het hele leven zou vanaf nu worden bepaald door gongen, fluitjes en handbellen. Anna klaagde niet: ze snakte naar eten doordat ze haar ontbijt was misgelopen.

's Middags moesten alle kinderen zich verzamelen in de Marmeren Hal om kennis te maken met meneer Ashton.

Toen ze hem van achteren zag, ging Anna ervan uit dat hij oud was, omdat hij niet kon lopen. Hij zat in een rolstoel. Maar toen ze eenmaal tegenover hem stond, zag ze dat hij een jong gezicht had. Hij was zelfs knap, en heel voorkomend, al waren zijn benen merkwaardig dun.

Mevrouw Ashton reed hem rond zodat hij alle evacués een hand kon geven. Hij had een innemende glimlach, stralend en vriendelijk, merkte Anna op. Misschien was hij niet eens zoveel ouder dan haar eigen vader.

Toen ze bij Anna kwamen, bleef mevrouw Ashton even staan.

'En dit is het meisje met de hechtingen in haar knie...'

'Aha!' zei hij. 'Dus jij bent de jongedame die de dokter van zijn dorpsronde heeft weggelokt?'

'Ja, meneer. Het spijt me, meneer,' mompelde Anna.

'Nou, hopelijk voel je je nu wat beter?' vroeg hij, met een welwillende blik in zijn ogen.

'Ja, meneer,' zei ze en ze glimlachte. Hij was aardig, helemaal niet eng; dat zag ze meteen. Sterker nog, ze trilde van heimelijk genoegen dat een echte heer haar in het bijzonder aandacht schonk.

Toen hij verder reed, piepten de wielen van zijn rolstoel een beetje op de gladde stenen vloer en plotseling had Anna medelijden met hem en zijn vrouw. Ze maakte zich zorgen dat mevrouw Ashton het misschien niet fijn vond om met een kreupele man te zijn getrouwd. Ze konden niet samen gaan dansen, en het zou haar niets verbazen als mevrouw Ashton graag danste. Dat doet hem vast ook verdriet, dacht ze.

Hoe kon zo'n mooie vrouw getrouwd zijn met een man die niet kon lopen?

* * *

Die middag mochten de evacués buiten spelen. Licht hinkend op haar verbonden knie volgde Anna de anderen de tuinen in aan de zuidkant van het huis. Er waren gazons en paadjes tussen de taxushagen en bossen om te verkennen. Omhegde gaarden, en steile hellingen om van af te rollen.

Aan alle kanten strekte het parklandschap zich uit, zo ver als Anna's oog reikte.

Groepjes kinderen renden elkaar achterna over het grote verzonken gazon voor de salon, de hellingen op en af. De lucht en het weer hadden een tere frisheid. Als stadskind had Anna nog nooit zo'n weidse hemel gezien; hij ontvouwde zich boven hen als een pas ontloken bloem.

Het was haar een raadsel waarom ze hier was of wat voor

soort omgeving dit was. Ze sprong een heuveltje af met haar armen in de wind en haar hoofd in haar nek, luid joelend, net als de rest.

Vanuit zijn studeerkamer keek Thomas Ashton naar de kinderen die op het grasveld onder zijn raam tikkertje speelden. Hun tomeloze energie ontroerde hem. Al die spontaniteit.

Een huivering van ongekende emotie ging door hem heen. Hij wilde de juiste toon vinden met deze kinderen: hen aanmoedigen en van hun uitbundigheid genieten, zoals te verwachten van iemand met een ontvankelijk hart. Maar tegelijkertijd moest hij oppassen dat ze niet zijn zwaar bevochten evenwicht verstoorden.

Hij reed weg van het raam en zette de radio aan om het laatste nieuws te horen.

De kinderen zwierven intussen tot het avondeten door het park. Ze hadden geen weet van Hitlers invasie van Polen. Ook stelden ze geen vragen toen ze de trap op gingen naar hun slaapzalen.

Ze waren nu al onder de invloed van de trage, stille kracht van het huis.

6

Op de ochtend van 2 september werd Roberta Sands vroeg wakker. Ze kleedde zich aan en zette thee, waarbij ze te veel water in de pot goot omdat ze er even niet aan dacht dat haar man er niet was. Daarna bleef ze geruime tijd in de keuken zitten.

Ze wist dat het bij de ouders van de andere evacués dit weekend al net zo griezelig stil was. Ze zaten allemaal te wachten op bericht van hun kinderen, met in hun achterhoofd de vraag wanneer de oorlog zou beginnen: vandaag, morgen?

Overal om zich heen zag ze nog de laatste restjes zomer. Een vaas verwelkte rozen uit de tuin, wat stoffige geraniums in een pot, een modderig raam aan de achterkant, dat ze sinds de lente niet had gezeemd.

Het was vandaag zaterdag, dus ze hoefde zich niet te haasten om op tijd op haar werk te zijn. Ze dwaalde door de lege kamers en ruimde hier en daar wat op. Uiteindelijk zeeg ze neer op de trap, starend naar de mozaïektegels op de vloer van de gang en niet in staat zich te verroeren.

Anna was boven geboren. Het was een klein huis uit het eerste decennium van de twintigste eeuw, in een buurt van Fulham met vrijwel identieke rijtjeshuizen. De kamers aan de voorkant waren donker. Ze lagen op het noorden aan een straat die nog smaller leek door twee rijen geknotte lindebomen.

Anna had de lichtste kamer, aan de achterkant. Ze hadden hun eigen tuintje, maar het gras was altijd kaal omdat het te weinig zon kreeg. Alleen als de zon op zijn hoogste punt stond, kon hij heel eventjes een ongehinderde blik op hun bescheiden veldje werpen. Maar vanuit Anna's raam keek je uit op andere, grotere tuinen met kersenbomen en magnolia's,

waar de zon nog tot laat in de middag neerscheen op weelde-
rig gras.

Roberta liep naar de kamer van haar dochter en wierp
vluchtig een blik op wat kleurige petunia's in een tuin verderop. Hun uitbundigheid benadrukte pijnlijk haar gevoel
van isolement.

Waar was Anna's nieuwe huis?

Ze had de dagelijkse routine van hun gezinsleven nooit voldoende op prijs gesteld en nu was er een eind aan gekomen.
Toch kon ze er niet goed de vinger op leggen hoe deze nieuwe
situatie zomaar opeens tot stand was gekomen. Buiten zagen
de lelijke golfplaatdaken van de schuilkelders eruit alsof ze er
altijd al waren geweest.

Ze ging weer naar beneden. Haar oude piano stond open
en de toetsen lichtten op in de donkere voorkamer. Ze pin-
gelde een nummer van Al Bowlly, maar dat voelde te frivool
en dus ging ze over op een wiegelied.

Er stonden foto's van haar man Lewis en Anna op een
bijzettafeltje. Ze voelde zich bekeken en heimelijk schuldig
dat ze zonder hen thuis was en alleen maar op nieuws zat te
wachten. Dus besloot ze een wandelingetje te maken, misschien langs de rivier in Bishop's Park.

Ze stapte naar buiten, waar het leven leek te zijn stilgeval-
len. Ze trok de ceintuur van haar jas strak en ging op pad.

* * *

Later die dag zat Lewis in zijn legertent bij Salisbury Plain.
Het regende, de hele dag al. Elk onderdeel van zijn uniform
voelde nat. Er gleden druppels omlaag langs de zeildoeken
wanden van zijn tent en zijn laarzen waren aangekoekt met
vochtige modder. Hun commandant wachtte met de volgende oefening tot het weer wat opknapte. Hoogstwaarschijnlijk
niet meer voor het avondeten, godzijdank.

Hij zat in kleermakerszit met een boek op zijn knie een

brief aan zijn vrouw te schrijven. Hij sloot zijn ogen en stelde zich Roberta voor op een van haar gebruikelijke ommetjes: een sensuele brunette met blauwe ogen, wandelend door het park. Ze liep altijd met een elegante, verende tred, die haar bijna iets wellustigs gaf.

En toch zou hij niet willen dat ze anders liep. Hij liet haar soms een stukje voor hem uit lopen, alleen om haar te bewonderen. Als ze zich dan omdraaide om op hem te wachten, wierp ze hem met schitterende ogen een verwachtingsvolle blik toe. Hij vond dat heerlijk om te zien en dat zou ook nooit veranderen. Op de een of andere manier gaf haar gezicht direct elke stemmingswisseling weer: ze droeg haar eigen, persoonlijke weer bij zich, dat even snel en ongemerkt veranderde als de lucht boven zee.

Lewis concentreerde zich weer op zijn brief. Hij was goed in galante complimentjes op afstand, maar hij vreesde soms dat hij in levenden lijve te stug was. Hij was een toegewijde meubelrestaurateur met een kleine familiezaak, maar meer ook niet. Zou Roberta op een dag bij zinnen komen en beseffen dat hij niet goed genoeg was voor haar?

'Ik moet nog steeds wennen aan de eigenaardigheden van het soldatenleven,' schreef hij, maar hij voelde er weinig voor hun alledaagse bezigheden te beschrijven: gespen poetsen, tenten opzetten. Ze waren het grootste deel van de tijd bezig, maar er waren ook veel momenten tussendoor waarop iedereen alleen maar leek te wachten tot de oorlog eindelijk eens begon. Alles hing af van de berichten uit Polen. Hij voelde zich alsof hij zonder kompas voer in een nieuwe wereld, met zijn vrouw die in haar eentje thuiszat en hun kind in een onbekend huis.

'Waar is Anna's nieuwe huis?' schreef hij. 'Heb je al iets gehoord?'

* * *

'Ik spreek u toe vanuit de ministerskamer in 10 Downing Street.'

Op de ochtend van zondag 3 september zat Anna met een zwijgende menigte kinderen in de salon van Ashton House te luisteren naar meneer Chamberlain op de radio. Alle evacués waren bij elkaar geroepen om even na elven naar de verklaring van de premier te luisteren, waarin hij op plechtige, mismoedige toon verkondigde dat ze nu in oorlog waren met Duitsland.

'U kunt zich voorstellen wat een bittere klap het voor me is dat mijn lange, harde strijd om de vrede te bewerkstelligen vergeefs is geweest... Ik weet dat u allen met kalmte en moed uw rol zult vervullen.'

Anna had vreselijk te doen met haar vader, die ze voor zich zag in zijn uniform. Zouden er nu bommen vallen op Londen en moest haar moeder schuilen in de kelder?

Meneer Ashton zette de radio uit.

'Het is niet waarschijnlijk dat er de komende tijd al veel zal gebeuren, dus maken jullie je alsjeblieft nergens zorgen over,' zei hij, uiterlijk onaangedaan. 'En nu wil ik jullie allemaal voorstellen om een brief aan jullie ouders te schrijven – om hun te laten weten dat jullie een veilig nieuw onderkomen hebben gevonden.'

De kinderen werden de eetzaal in gedirigeerd, waar op elke plek aan tafel een vel gelijnd schrijfpapier en een potlood klaarlagen. Anna ging zitten en probeerde haar nieuwe krullerige handschrift uit, waarbij ze haar letters keurig op de lijntjes zette.

Lieve mama, mijn trein ging naar Ashton Park in York-shire. Het is heel groot. We spelen veel in de tuin.

Toen Roberta uit haar werk kwam en de brief zag liggen, opende ze hem meteen. Er stond maar weinig in. Ze keek naar het poststempel: drie dagen oud. Ze herlas hem meerdere malen, om te zien of ze een nuance over het hoofd had gezien. Kinderen van acht konden je de oren van het hoofd kletsen, maar schrijven, ho maar.

Morgen zou ze naar de bibliotheek gaan en Ashton Park op de kaart opzoeken. Ze had gedacht dat Anna naar een gezin zou gaan, met adoptieouders, maar dit klonk als een school. Misschien was het maar beter zo. Ze had Anna een teken gegeven waarmee ze het haar kon laten weten als ze het niet uithield. Ze moest dan schrijven: 'Kun je me wat extra sokken sturen?' Maar wat als Anna dat was vergeten?

In de voorkamer was de afwezigheid van haar man en kind tastbaar in de onverlichte stilte. Ze liet haar geïmproviseerde verduisteringsgordijnen neer en stak toen een lamp aan om Lewis te schrijven in zijn trainingskamp.

Ik weet nog niet zoveel over haar nieuwe onderkomen, maar haar eerste brief was opgewekt.

7

In Warschau heerste er een wonderlijk euforische stemming. De oorlogsverklaring van Groot-Brittannië werd met grote vreugde begroet door de bevolking, de straten stroomden vol en de Poolse kolonel Beck verscheen op de Britse ambassade met een fles champagne. Hij wuifde vanaf het balkon naar de juichende massa, maar Norton was allesbehalve in een feeststemming. Het was een onnatuurlijke blijdschap, dacht hij. Vreugde geboren uit vertwijfeling. Het was een laatste strohalm: het idee dat, als Groot-Brittannië nu hun kant koos, en Frankrijk ook, er vast nog wel hoop was voor Polen.

Maar die blijdschap verdween al snel toen de geallieerde vliegtuigen wegbleven en de nazitanks ongestoord verder oprukten. Niet voor het eerst schaamde Norton zich diep voor de halfslachtige steun van Groot-Brittannië aan de Polen. Het nieuws van het front was dramatisch, met berichten over de Poolse cavalerie die was neergemaaid door Duitse tanks. Bovendien ging het gerucht dat vrijwel de gehele Poolse luchtmacht was vernietigd terwijl die nog aan de grond stond, in één enkele verrassingsaanval van de Luftwaffe.

Op 4 september werd Warschau door de ene golf Duitse bommenwerpers na de andere bestookt. Norton en zijn vrouw stonden op het dak van de ambassade en zagen de stad branden. Binnen enkele uren dwongen zware luchtaanvallen hen om met de hele staf de ambassade te verlaten en in oostelijke richting te vluchten. Er was weinig ruimte voor een chauffeur, dus stond zijn vrouw erop zelf achter het stuur van hun Plymouth te gaan zitten.

'Jij hebt al dagen nauwelijks een oog dichtgedaan en ik heb de hele zomer de tijd gehad om de wegen hier te leren kennen,' zei ze.

Nortons vrouw was altijd al zo geweest: onverstoorbaar.

Soms vroegen mensen hem waarom ze 'Peter' werd genoemd, maar nu hij haar zo druk bezig zag met de evacuatie van de ambassade, bedacht hij hoe toepasselijk haar bijnaam was: ze liet zich door niets en niemand kisten, net als het jongetje in het stuk van J.M. Barrie. Met haar korte haar en hoekige gezicht was ze nooit echt knap geweest, maar Norton hield van zijn vrouw om haar energie en verfrissende onbevangenheid.

Ze reed met hem door de pikdonkere nacht. Hun auto zakte bijna door zijn veren en ze moest op de maan afgaan om haar richting te bepalen.

Op een gegeven moment zwenkte ze abrupt van de weg af en zette de auto stil tussen een groepje bomen. Hij schrok ervan wakker.

'Stuka's,' zei ze. 'We moeten hier even wachten.' Boven zijn hoofd hoorde hij de motoren ronken.

'Je had me eerder wakker moeten maken... ik had wel in mijn slaap kunnen doodgaan,' mopperde hij. Ze wierp in het donker een blik opzij.

'Je zou waarschijnlijk wel wakker zijn geworden op het moment dat je doodging.'

Ze bleven een aantal dagen doorrijden, tot ze de oostelijke stad Krzemieniec bereikten, waar de corps diplomatiques zich hergroepeerden.

'Het ziet eruit als een toneeldecor,' zei Norton, die tijdens het uitladen van de auto de charmante heuveldorpjes bewonderde. Maar de volgende ochtend verschenen er uit het westen zes Duitse vliegtuigen, die bommen wierpen op de marktplaats, waar het wemelde van de boeren en hun volgeladen karren.

Het gebeurde allemaal heel plotseling. Er stortten huizen in en iedereen stoof gillend alle kanten op. Een paard galoppeerde luid hinnikend over de markt en sleurde een verwrongen kar mee die achter hem aan kletterde over de keien. De straten lagen bezaaid met andere, dode paarden. Norton vond een hevig bloedende vrouw in een bomkrater en hij trok haar eruit, terwijl zijn vrouw een man te hulp schoot die bekneld was geraakt onder een muur.

De rest van die dag waren ze bezig lijken onder het puin vandaan te halen. Er waren zeker twintig huizen verwoest en meer dan vijftig mensen op slag omgekomen. Het aantal gewonden lag nog veel hoger. Norton probeerde naar Londen te telegraferen met berichten over deze slachtpartij onder de burgers, maar de communicatie was verbroken.

De diplomaten bleven tot de dertiende dag van de nazi-invasie bij elkaar zitten in de verwoeste stad. Toen bereikte hen het bericht van een bliksemoperatie van de Sovjets, die met een tangbeweging vanuit het oosten kwamen binnenvallen, waarmee het lot van Polen bezegeld was. Meteen was het voor iedereen duidelijk dat het tijd was om te vertrekken.

De Nortons reden naar Kuty, een plaatsje dat door een rivier werd gescheiden van Roemenië. Daar haalde Norton zijn visumstempel tevoorschijn en tekende hij zo veel mogelijk Britse visa voor vluchtelingen uit Polen. Daarna ging hij met zijn vrouw in de onafzienbare rij staan voor de grensbrug naar de veiligheid en begonnen ze hun lange reis terug naar Engeland.

Toen ze eindelijk in Londen aankwamen, waren de parken leeg en lagen de straten vol logge zandzakken. Er heerste een vreemde, doodse atmosfeer in de stad.

Het duurde een paar dagen voordat Norton besefte wat er ontbrak. Het was het geluid van kinderen die van school naar huis liepen, naar de buurtwinkel renden of bij de bushalte op hun moeder stonden te wachten. Alsof de rattenvanger van Hamelen door Londen was getrokken en ze allemaal had weggelokt.

Hartsgeheimen

1939-1945

8

6 oktober 1939
Lieve mama,
Er zijn hier veel bomen en wilde kastanjes. Gisteren
hebben we een grote bladerhoop gemaakt en ons erin
verstopt.

De herfst was Anna nooit eerder opgevallen. Thuis vormden de rijtjeshuizen hoge kliffen die het licht tegenhielden
en gingen de seizoenen aan haar voorbij. Het was zomer als
je buiten rondrende, maar daarna herinnerde ze zich alleen
maar donkere dagen en het lange wachten op de kerst. Natte
bladeren op de stoep en kale takken tegen een witte hemel.

Maar hier, in dit afgelegen parklandschap in Yorkshire, zag
Anna voor het eerst de stralende pracht van de herfst. Majes-
tueuze bomenlanen reikten naar de hemel met hun kleurige
tooi. Weidse gazons glinsterden van de rijpe kastanjes, en
windvlagen joegen vlammende bladerdriften voort. Het weer
drong via haar vingertopjes tot in haar binnenste door, totdat
ze zich anders en nieuw voelde.

Vandaag had een fijne motregen de andere evacués naar
binnen gedreven, maar Anna bleef nog een tijdje buiten rondlopen, moe van het spelen met kinderen die ze nauwelijks
kende. In de lege tuin stonden de rozen er wonderlijk roer-
loos bij, alsof ze in de tijd waren bevroren. Het was zo stil dat
je in de wijde omtrek niets dan de zucht van de regen hoorde.

Op dat moment, onder die donkere hemel, realiseerde Anna
zich dat ze teleurgesteld was. Nog maar een paar weken geleden had ze gedacht dat ze allemaal naar zee werden gestuurd.
Ze had zich voorgesteld hoe ze door het zachte zand zou

rennen op een eindeloze, zonnige middag zonder school. Nu vroeg ze zich af hoe snel ze weer thuis bij haar moeder kon komen.

Naast haar stond een groepje rozen met dwarrelende blaadjes, geel met een bruin randje en gerafeld van de regen. Ze waren geurloos. De kaarsrecht geschoren heggen stonden stijf van de regendruppels, die trillend aan de smalle bladpuntjes hingen. Anna sloeg met een stok tegen een heg en er sproeide water over haar blote schenen.

Ik heb nu een uniform. Betekent dat dat ik hier langer blijf? Het gaat goed met me maar ik mis je. Schrijf alsjeblieft snel terug. Heel veel liefs, Anna.

De dag dat ze allemaal in de rij hadden gestaan om hun uniform in ontvangst te nemen had als een keerpunt gevoeld. Grijze tunieken voor de meisjes, grijze korte broeken voor de jongens en witte shirts voor hen allemaal. Er waren een paar standaardmaten en veel evacués liepen rond in kleren die te groot voor ze waren, met de mouwen opgerold. De volgende ochtend, toen ze zich in ganzenmars verzamelden voor de dagopening, viel het Anna op dat ze er nu allemaal min of meer hetzelfde uitzagen.

Ze telde zes onderwijzers op school – of zeven als je meneer Ashton meerekende. Ze stonden onder leiding van meneer Stewart, een Schot die hoofdonderwijzer was geweest in Pimlico. Met zijn rechte rug had hij een militaire uitstraling en zijn gezicht ging schuil achter een grijzende snor, net als dat van meneer Chamberlain. Anna zag hem vaak in zijn eentje uit wandelen gaan, met zijn stok voor zich uit prikkend in de gevallen bladeren.

Sommige kinderen hadden permanent heimwee, eeuwig snotterend van een verdriet dat nauwelijks meer te onderscheiden viel van hun verkoudheden en loopneuzen. Maar Anna huilde niet. De weken verstreken en ze begon er prat op te gaan dat ze tot de dapperste evacués behoorde, die zich aan alle omstandigheden wisten aan te passen. Ze verlangde nog steeds naar huis, maar iets in haar wilde dit avontuur nu ook tot het einde beleven.

Ze was nog nooit ergens geweest waar zo veel geheimen te ontdekken vielen. Op het gazon prijkte een waakzaam beeld van vadertje Tijd en in het bos stond een verlaten oranjerie. Iets verderop lag een begraafplaats voor huisdieren, waar je de vreemdste dierennamen tegenkwam. In het huis hingen de gangen vol met spookachtige portretten van vergeten mensen en leidden verborgen zoldertrappen naar stoffige rommelka-mers, volgepakt met oude meubels en documenten.

Een van de oudere kinderen ontdekte een ongebruikte kin-derkamer. De muren, ooit korenblauw geschilderd, waren nu verbleekt, en er lagen stapels oud speelgoed. Het werd een geheime schuilplaats voor de meest avontuurlijk aangelegde meisjes, onder wie Anna. Er stond een poppenhuis, nog steeds bewoond door mooie porseleinen poppen met blij-geschrok-ken gezichtjes. Een oud hobbelpaard stond geduldig aan de kant, met wilde manen en gerafelde teugels. Stoffige houten puzzels lagen opgestapeld in kasten, naast soldaatjes en een opwindbare tamboer, wiens geroffel nog steeds weerklonk als je het sleuteltje omdraaide. Ook lagen er poppen met weerbar-stig haar en teddyberen die hun glazen ogen kwijt waren.

Hadden de Ashtons soms een dochter, ergens weggestopt in een ander deel van het huis? vroeg Anna zich af.

'Van wie is het poppenhuis geweest dat in de kinderkamer staat?' vroeg ze op een dag langs haar neus weg aan me-vrouw Robson, een van de dienstbodes, die de was stond te vouwen.

'Dat zal juffrouw Claudia zijn geweest,' zei ze, 'het jongere zusje van meneer Ashton... als kind overleden aan de griep.'

Anna hield geschrokken even haar adem in. Een dood kind, een dood zusje, in Ashton Park. Misschien rustte er wel een vloek op de familie.

'En meneer Ashton, is die altijd al... verlamd geweest?'

'O, nee,' kwam het nadrukkelijke antwoord. 'Hij was de vitaalste jongeman van heel Yorkshire. Hardlopen, paardrijden, dansen, alles.'

De nuchtere mevrouw Robson bleef onbewogen bij deze onthulling, maar Anna was diep geschokt. Wat verschrikkelijk, zo'n drastische ommekeer!

Wat zou er met hem gebeurd zijn? vroeg Anna zich af. Misschien was hij een oorlogsinvalide, verminkt in de strijd. Misschien had hij medailles gewonnen omdat hij zo moedig zijn mannen had aangevoerd. Of misschien kwam het door een auto-ongeluk...

'Wat vréselijk,' kon ze alleen maar uitbrengen, in de hoop dat mevrouw Robson er meer over zou loslaten.

'Hij redt zich wel. Hij heeft hulp zat.'

Mevrouw Robson was bezig met slopen tellen, maar ze wierp een blik opzij naar het kind, dat plotseling tranen in haar ogen had om de tegenspoed van meneer Ashton, en ze werd streng, geïrriteerd zelfs.

'Er zijn ergere dingen dan een Ashton zijn, zelfs als je invalide bent. Bewaar je medelijden voor de mannen die elke dag de mijnen in gaan – als je daar kreupel raakt is het afgelopen met je. Dan ben je een kapot stuk gereedschap. Meneer Ashton heeft genoeg dingen om van te genieten, genoeg om blij mee te zijn. Hij heeft het zo slecht nog niet.'

Er klonk scherpe afkeuring door in de preek van de oudere vrouw, maar Anna liep over van medeleven met de vriendelijke, zachtaardige man die zo enorm zijn best deed als hij lesgaf. Ze had zich nooit gerealiseerd wat een verlies hij te verwerken had gehad.

Toen meneer Ashton de klas binnenkwam voor haar volgende les, voelde ze een huivering van heimelijke gêne, omdat hij in haar gedachten was geweest. Hij had haar medelijden gewekt en dat had zich nu voor eeuwig in haar hart genesteld, besefte ze toen ze hem het lokaal in zag rijden.

Thomas Ashton zwenkte zijn rolstoel achter zijn onderwijzerstafel en zag toen hij opkeek veertien jonge gezichten naar
hem staren, vol verwachting en respect, en misschien zelfs
een tikkeltje zenuwachtig.

Wat kon het toch raar lopen. Dat hij hier nu les ging geven
aan een groep onbekende kinderen, allemaal onder de tien.
Hun eerste Latijnse les.

'Laten we bij het begin beginnen,' zei hij en hij schraapte
zijn keel. '*Amo, amas, amat, amamus, amatis, amant.* Dat
is voor alle kinderen het eerste Latijn dat ze leren: het werkwoord "beminnen". Als je "*amo*" kent, gaat er een deur voor
je open naar een van de belangrijkste dode talen van de wereld.'

Hij zei het glimlachend, in de hoop de kinderen op hun
gemak te stellen.

'Daarna is de rest een peulenschil,' ging hij verder. Hij reed
intussen naar het bord om de woorden op te schrijven.

'Herhaal maar wat ik zeg. *Amo* – ik bemin. *Amas* – jij bemint. *Amat* – hij of zij bemint...'

Hij begon de woorden op te dreunen en de kinderen zeiden
hem na.

'*Amo – amas – amat – amamus – amatis – amant.*'

'Nog een keer.'

De kinderen herhaalden het rijtje keer op keer, eigenlijk
zonder iets te begrijpen van hun starre refrein. *Ik bemin, jij
bemint, wij beminnen allemaal.*

'Heel goed,' zei Thomas, terwijl hij hen met opgestoken
hand het zwijgen oplegde. 'Nu kunnen jullie Latijn spreken.
Onthoud deze woorden en ze zullen je nooit in de steek laten.'

Hij glimlachte weer en zag drie rijen jonge, open gezichtjes
naar hem terugstaren, argeloos en gehoorzaam.

Was lesgeven echt zo gemakkelijk? vroeg hij zich af. Hij

herinnerde zich zijn eigen kostschool, de bullebakken van docenten, de slaag die je bij het minste of geringste kreeg, de onbestemde angsten, elke dag weer. Hij wilde maar één ding en dat was deze moederloze kinderen helpen.

'Zelfs nu nog zie je het Latijn op de gekste plekken opduiken,' zei Thomas en hij liet een munt de klas rondgaan waarop *Georgius Rex* geschreven stond onder het portret van de koning.

'Bent u altijd al leraar Latijn geweest, meneer?' vroeg Katy, een meisje met vlechtjes.

De vraag kwam zomaar uit het niets en Thomas voelde zich gestoken. Hij zag zichzelf plotseling zoals zij hem waarschijnlijk zagen: als een man in een rolstoel, een overduidelijke invalide, die hun een dode taal probeerde bij te brengen. Maar hij hoefde zich toch zeker niet te verantwoorden tegenover een groepje kinderen?

'Nee, ik ben niet altijd leraar geweest,' zei hij met een licht schouderophalen tegen de nieuwsgierige gezichten tegenover hem. 'Schijn bedriegt vaak. Vroeger was ik diplomaat,' voegde hij eraan toe.

'Wat is een diplomáát, meneer?'

'Iemand die zich inzet om de vrede te bewaren tussen verschillende landen.'

'Kunnen diplomaten de oorlog tegenhouden, meneer?'

'Was het maar waar,' zei hij droog. 'Er zijn helaas heel wat blunders gemaakt.'

Stilte. Hij keek de klas rond, plotseling getroffen door de gezichten die vol vertrouwen naar hem opkeken en wachtten tot de meester hen geruststelde dat alles goed zou komen. Hij glimlachte zo overtuigend mogelijk.

'Maar ik twijfel er niet aan dat we Herr Hitler zullen verjagen: het is alleen een kwestie van tijd. En dan kunnen jullie allemaal terug naar huis.'

Hij voelde zich opeens ongemakkelijk toen hij de gretige opluchting van de kinderen zag. Ze gingen er volledig van uit dat de overwinning om de hoek lag, alleen omdat hij het had gezegd.

'Maar intussen gaan júllie je Latijnse woordjes leren,' berispte hij hen met geveinsde strengheid. Op verschillende gezichten brak een glimlach door, maar toen ging de gong en was het tijd voor hun volgende les.

Thomas reed weg in zijn rolstoel. Anna Sands stond op uit de achterste rij om de deur voor hem open te doen.

'Dank je, Anna,' zei hij opgewekt, maar ze wendde verlegen haar ogen van hem af. Oplettende ogen, dacht hij, terwijl hij het lokaal verliet.

Anna keerde terug naar haar plek. Hadden de Ashtons zelf kinderen? vroeg ze zich af. Ze hoopte van wel. Hij was vast een lieve vader.

9

Thomas reed terug naar het kantoor van het landgoed, dat was heringericht als onderwijzerskamer. Toen hij de deur opende, stond Ruth Weir opeens tegenover hem, de rood-blonde jonge onderwijzeres uit Pimlico.

'Neem me niet kwalijk,' zei ze zonder enige reden.

'Waarom? Deze ruimte is ook voor u bedoeld.'

Ze hield krampachtig een stapel boeken in haar armen en maakte een geagiteerde indruk, als een opgeschrikt dier. Hij hoopte dat het niet kwam door zijn abrupte binnenkomst.

'Hebt u al een plekje gevonden om uw spullen op te bergen?'

'Ik probeerde net een hoekje te vinden...'

'Hier,' zei Thomas gedecideerd, terwijl hij naar een rij kasten reed. 'Ik was al van plan ze leeg te maken en ik heb nog de rest van de ochtend om dat te doen.' Hij schonk haar een geruststellende glimlach. 'Als u hier rond lunchtijd terugkomt, staat deze kast voor u klaar.'

Ze glimlachte dankbaar en vertrok naar haar les met haar armen vol boeken en potloden. De kamer voelde opeens stil en leeg zonder haar.

Ergens in de verte snerpte een fluitje. Thomas wierp een blik uit het raam en zag Jock Stewart in de weer met een groep jongens die hardloopwedstrijdjes hielden op het gazon aan de voorkant.

Hij draaide zich weer om naar de uitpuilende kast en permitteerde zich een mentale zucht. Dagenlang had hij het uitgesteld, maar nu moest hij echt die nutteloze oude boekhouding opruimen. Hij zette zijn rolstoel op de rem en met zijn voeten op de grond begon hij alles wat weg kon op een hoop te gooien.

Toen Thomas aan de tweede kast begon, viel er een in leer gebonden doopboek voor zijn voeten. 'Thomas Arthur Ashton, maart 1900' stond er in gouden letters op de rug. Hij pakte het op, drukte het koperen slotje los en opende ineens een deur naar zijn verleden.

Hij zag zijn familie naar hem opkijken. Het waren formele groepsportretten, die bij de kapel waren genomen, maar zelfs uit de roerloosheid van de foto's sprak het verhaal van hun verborgen levens. In het midden stond zijn vader Robert, die zijn schouders rechtte en uitdagend voor zich uit staarde, alsof hij er trots op was dat hij deze nieuwe eeuw inluidde met een derde zoon. Naast hem was zijn moeder Miriam een toonbeeld van kalmte, met haar lichte, stralende teint die nog werd benadrukt door een oesterwitte zijden jurk. In zijn moeders armen keek baby Thomas alert uit zijn ogen, met zijn smalle, bijna volwassen aandoende gezichtje. Ze werden geflankeerd door William en Edward, zijn oudere broers, die duidelijk stonden te popelen om lekker rond te rennen in het vroege lenteweer.

Thomas herinnerde zich nog de keer toen zijn moeder hem vertelde over de pracht en praal waarmee zijn doop was gevierd: de drukbezochte receptie waarbij het bezoek tot in de tuin stond, waar zijn vader onder luid applaus van familie en vrienden zijn doopboom – een jonge beuk – had geplant. Daarna waren de gasten in de rode eetzaal aan tafel gegaan voor een feestmaal dat volledig was bereid met producten van het landgoed zelf: van het vlees en de vis tot de malse groenten, het verse brood en zelfs de kaas aan toe, alles begeleid door een overvloed aan mooie wijnen uit eigen kelder.

Een luid gejoel rukte Thomas uit zijn dagdroom en zijn blik werd naar buiten getrokken, waar de jongens op het zuidelijke gazon hun hardloopwedstrijden hielden. Hij keek eventjes toe, genietend van hun roekeloze snelheid. Een van de jongens viel in het gras en sprong weer overeind alsof er niets was gebeurd. Thomas kon zich nog goed zijn eigen valpartijen herinneren, toen hij als jongetje samen met zijn zusje Claudia de met gras begroeide hellingen van de rozentuin af rolde.

Hij richtte zijn aandacht weer op het album en merkte met

spijt op dat er geen foto's van zijn zusje in zaten: ze was pas twee jaar later geboren. Toch deelde hij al zijn vroege herinneringen met haar: dat ze in de blauwe kinderkamer speelden met zijn imposante hobbelpaard en de overal rondslingerende tinnen soldaatjes. En dat ze zich verstopten achter de bladerrijke palmen in de salon om naar hun moeder te luisteren die Schubert speelde op de piano.

Elke ochtend gingen ze bij haar langs in haar kleedkamer. Ze had daar uitzicht op de gazons en er stond een schrijftafeltje bezaaid met brieven en exotische bijous. Soms keken ze toe hoe ze haar lange kastanjebruine haar borstelde, gevolgd door het vertrouwde getinkel van ringen en armbanden als ze haar sieraden uit een schaaltje viste en omdeed. Ze droeg 's nachts nooit haar trouwring, 'omdat ik er een stijve vinger van krijg,' zei ze tegen hen.

'Als ik later groot ben, mag ik dan uw ringen?' vroeg Claudia op een dag.

'Natuurlijk mag je die hebben, schatje van me,' antwoordde haar moeder. 'En Thomas krijgt deze armband voor zijn vrouw,' voegde ze eraan toe, zodat hij zich niet achtergesteld zou voelen.

Thomas had het in gedachten al geconfisqueerd, dat witgouden sieraad – zo elegant, zo teer, nu al onderdeel van zijn toekomst. Hij keek hoe zijn moeder het om haar pols liet glijden en het sluitinkje vastklikte.

Thomas besefte nu dat het de jaren des overvloeds waren geweest, dat eerste decennium van de twintigste eeuw, toen de kamers overvloeiden van de weelderige draperieën en palmen in potten, en overal verspreid de fraai beschilderde beeldjes van zijn moeder stonden, op tafels die bedekt waren met rijk versierde kleden.

Er waren vele geruststellende familietradities geweest, waar hij in gedachten nog steeds graag naar terugkeerde. Hij zag het licht voor zich van lange zomeravonden, waarop de Ashtons en hun gasten buiten op de tuintrappen zaten, in de

zuilengalerij, met drankjes en verhalen. Soms had hij de butler op zijn klokkenronde vergezeld. Er waren staande klokken, tafelklokken en wandklokken, met of zonder slagwerk
of slinger, maar allemaal moesten ze op gezette tijden worden
opgewonden met hun eigen sleuteltje. Stillwell, de butler, had
alle klokkensleutels aan één ring hangen en soms liet hij Thomas een klok opwinden.

'Voorzichtig aan... voorzichtig, voorzichtig,' bromde hij
dan, moeizaam voorovergebogen om de jongen op de vingers
te kijken. 'Pas op dat je het mechanisme niet forceert.'

Thomas had daarbij nooit een blik op Stilwell geworpen,
hoewel hij nu geloofde dat hij zich de bezorgde uitdrukking
op het gezicht van de butler voor de geest kon halen, alsof hij
het tafereel opnieuw beleefde, maar dan als buitenstaander.

Elke lente klom er een man een hoge ladder op om de grote
kristallen kroonluchter te poetsen die in de Marmeren Hal
hing. Als hij klaar was, glinsterden de kristallen druppels als
het puurste water. En als Thomas eronder stond en naar boven
keek, straalde de kroonluchter als een zon tegen de geschilderde blauwe hemel van het hoge gewelfde plafond, waar een
halfnaakte man tussen de wolken op zijn lier speelde.

'Dat is Apollo,' vertelde zijn vader hem op een dag. 'De
Griekse god van de zon en ook van de muziek. Fideel van
hem om ons hier in Yorkshire gezelschap te houden – buitengewoon fideel.'

Thomas' ouders verbleven vaak in hun huis in het Londense Regent's Park, maar altijd als ze terugkwamen in Ashton
vulde het huis zich weer met een sfeer van ontspannen vrolijkheid, terwijl hun kisten en koffers naar boven werden gebracht. Twee keer per jaar gaven ze een dansfeest in de salon
met de vergulde eiken panelen – een langwerpige zaal met
heel veel ramen, die blonk in de late middagzon. Soms mocht
Thomas opblijven voor de gelegenheid. Wanneer de gasten
zich verzamelden in de Marmeren Hal, schudde hij hun handen zonder ooit echt hun gezichten te herkennen. Er was hem

een beeld bijgebleven van de mannen die hun schouders strak naar achteren trokken om hun buik te verbergen, terwijl de vrouwen altijd hun hoofd schuin leken te houden, alsof ze kostbare voorwerpen op hun neus in evenwicht hielden.

Zijn ouders stonden in elke ruimte in het middelpunt. Hij zou nooit vergeten hoe zijn moeder in blauw getinte zijde aan zijn vaders arm de eetzaal binnenschreed: een absolute schoonheid.

'Je bent een Ashton,' zei zijn vader vaak liefdevol tegen hem, tot lichte ergernis van de andere kinderen. Thomas had namelijk de opvallende blauwe ogen van zijn vader geërfd, die Robert, als hij in een ijdele bui was, als het voorrecht en de sturende kracht van de familie Ashton beschouwde. Wanneer Robert zijn jongste zoon aankeek, zag hij het aangename spiegelbeeld van zijn eigen ziel.

Thomas' jeugd was ook doordrenkt van geschiedenis. Familieportretten keken vanaf de muren op hem neer en hij gleed vaak met zijn vinger langs de kalfsleren ruggen van alle boeken die in de loop der generaties in de bibliotheek waren verzameld.

In een hoek van de bibliotheek bevond zich een geheime deur, subtiel verhuld door dummyboeken. Als je een hendeltje overhaalde, verscheen erachter de trap naar de galerij. Thomas wist dat zijn grootvader dit systeem had laten installeren en genoot altijd van het opwindende samenzweerdersgevoel als hij de deur openklikte. Hij bracht soms uren door achter de koperen reling van de bibliotheekgalerij, waar hij alle oude boeken aanraakte: geschiedeniswerken, Griekse poëzie, atlassen, oude uitgaven van toneelstukken en ga zo maar door.

Overal in huis voelde Thomas de aanwezigheid van de vroegere Ashtons: in de lucht, en in de rook die opsteeg uit de gebeeldhouwde haarden, alsof ze voortdurend over zijn schouder meekeken. Als hij door een kamer liep, ervoer hij geborgenheid in de ononderbroken opeenvolging van generaties, met voorouders wier namen nog altijd bekend waren en in de herinnering leefden.

Toch waren er al in zijn kindertijd subtiele aanwijzingen dat de wereld niet volmaakt was. Toen hij acht was kwam zijn tante Mary op bezoek en liep ze met hem naar het beeld van vadertje Tijd op het zuidelijke gazon.

'Als kind zwierde ik altijd om hem heen,' zei ze weemoedig, terwijl ze wat mos van het voetstuk schraapte. 'Hij lijkt zoveel kleiner dan in mijn herinnering.'

Ze draaide zich om naar het huis en Thomas realiseerde zich met een schok dat tante Mary hier vroeger had gewoond en dat ook hij op een dag een vreemde in Ashton zou worden, net als zij. Zijn oudste broer William zou het huis erven en er zijn intrek nemen met zijn vrouw en kinderen. Hij zou maar gedeeltelijk welkom zijn, alleen als oom van de nieuwe erfgenamen. Wekenlang zwierf hij door het huis, starend naar zijn favoriete schilderijen en klokken met een bevreemd gevoel van een naderend verlies.

Ook was er de onheilspellende waarschuwing van de kloosters in de buurt die ze elke zomer bezochten. Auto's volgeladen met manden eten en drinken brachten hen naar de pittoreske ruïnes van Rievaulx en Byland, perfecte plekjes voor een picknick. Samen met zijn broers rende hij rond over de verwoeste muren, springend over de stompen van oude pilaren, totdat een plotselinge windvlaag Thomas deed stilstaan en hij om zich heen keek naar de indrukwekkende muren die nu verbrokkeld waren tot hopen steen. Dit was Rievaulx, ooit een van de grootste abdijen van het land, waar nu het gras tot aan het altaar groeide. Waar je dwars door de hemelhoge kapotte gewelfbogen de schapen op de heuvel verderop kon zien grazen.

Thomas herinnerde zich een keer toen hij samen met Claudia zwijgend op een open trap zat en hij met zijn hand over de glanzende stenen treden wreef. De grillen van de tijd waren overal om hen heen: stenen die waren gladgeslepen door de wind en de regen. Maar dat was de vergetelheid van het verleden van iemand anders.

'Deze stroom komt uit in de rivier in ons park,' legde zijn snordragende vader hem op een keer uit, terwijl ze langs de smalle beek bij Rievaulx liepen. 'Ze hebben de abdij naar de rivier hier genoemd: Rie-Vaulx, vallei van de Rye. De rivier door ons land is breder, maar het is dezelfde bron.'

Thomas had in de rotsige ondiepte van het water gekeken en er lustig op los gespeculeerd: alle energie en levenskracht van deze abdijruïne was simpelweg een paar kilometer stroomafwaarts gedreven en bij hen beland, in de schijnbaar onverwoestbare glorie van Ashton Park.

Buiten werd het geschreeuw van de kinderen opeens doordringender. Thomas reed naar het raam en realiseerde zich toen dat de lunchpauze was begonnen.

In verspreide groepjes zwermden er meisjes en jongens over het gazon. Sommigen stonden in de rij voor de schommel. Een tijdje keek hij naar de willekeurig gevormde kliekjes om zich ervan te vergewissen dat er niemand werd buitengesloten.

Zijn vrouw kwam het gras op gewandeld. Hij voelde zich een tikje schuldig dat hij haar ongezien bespioneerde, maar bleef wel kijken. Jock Stewart volgde haar op de voet en luidde de lunchbel om de kinderen naar de eetzaal te roepen.

Hij zag zijn vrouw boven aan de tuintrappen staan, waar tientallen kinderen langs haar heen draafden. Totdat er een meisje bleef stilstaan: Anna Sands, die haar hand uitstak naar Elizabeth. Thomas voelde zijn hart opspringen.

Maar zijn vrouw ging niet op het gebaar in. Ze gaf het meisje een houterig klopje op de schouder en liet haar doorlopen.

Thomas kromp inwendig ineen en reed weg om te gaan lunchen. Haar pijn was zijn pijn. Wat waren ze anders, vroeg hij zich af, dan een kinderloos stel in een enorm huis, omringd door de kinderen van andere mensen?

10

Elke ochtend bracht een dienstbode een blad met thee naar de slaapkamer van de Ashtons. Soms opende het meisje de deur en trof ze Elizabeth in drievoud aan: als een drieluik weerspiegeld in haar uitgeklapte kaptafelspiegel terwijl ze haar lange haar borstelde. En als Elizabeth zich omdraaide om het dienstmeisje te bedanken, keek haar spiegelbeeld ook drie keer om.

Elizabeth hield hardnekkig haar haar lang in een periode waarin de meeste vrouwen het kort droegen. Het was donker met een vleugje koper en ze verzorgde het met een set zilveren borstels. Thomas keek vaak toe hoe ze achter haar kaptafel eindeloos haar loshangende lokken zat te borstelen. Toen er op een gegeven moment witte haren verschenen trok ze ze eerst uit, maar later camoufleerde ze ze met verf, totdat ze zich haar echte kleur niet meer kon herinneren. Een vrouw van in de dertig hoorde geen witte haren te hebben, dat stond voor haar als een paal boven water.

Zodra ze haar kleedkamerrituelen had afgerond, begaf Elizabeth zich naar de school, altijd onberispelijk gekleed. Dan weerklonk in de Marmeren Hal het herkenbare driftige geklik van haar hakken.

Anna hoorde altijd direct dat zij het was. Tegelijk bang en geïntrigeerd keek ze vaak van een afstandje naar mevrouw Ashton in haar zijden blouse en haar rok die nauwelijks bewoog tijdens het lopen. Haar schouders en lange nek leken kaarsrecht en stil, ondanks haar energieke tred. Ook haar gezicht vertrok vrijwel geen spier. Ze glimlachte zelden en leek altijd op het punt te staan ergens anders heen te gaan. Waarschijnlijk omdat ze geen les gaf, zoals haar man. Ze had het meestal druk met leiding geven: aan de huishoudsters, het keukenpersoneel en de dienstbodes.

Ashton Park leek intussen al meer op een echte school, met roosters en regels, en Anna deed altijd haar uiterste best om niet in de problemen te komen. Aanvankelijk was ze bang geweest voor het slaapzaalbestaan, waar niets geheim kon blijven en ze zich moest uitkleden waar andere kinderen bij waren. Maar ze was eraan gewend geraakt, net als aan de dunne dekens 's nachts, en de koude dagen waarop ze allemaal om de beurt op de oude lauwe radiatorkachels zaten. Wel had ze vaak honger.

'Weten jullie soms niet dat het oorlog is?' mopperde de kokkin, als ze de teleurgestelde gezichten van de kinderen zag.

Maar ondanks deze ontberingen ontspande Anna geleidelijk en voelde ze zich steeds gelukkiger. Ze speelden vaak met een hele groep kinderen verstoppertje in en om het huis, en dan klopte haar hart van vreugde omdat ze er ook bij hoorde. Soms, als ze weggedoken in een kast zat te wachten tot ze werd gevonden, moest ze op haar knokkels bijten om het niet uit te jubelen.

Maar hoewel Anna een opgewekte indruk maakte, zelfs in haar eigen ogen, werd ze 's nachts geplaagd door nare dromen. Soms veranderde haar moeder voor haar ogen in een oude vrouw met grijs haar en rimpels, of kreeg ze allemaal wratten in haar gezicht en zwol haar kleine, rechte neus op tot een lelijke knol. Als Anna dan op haar af rende om haar te redden, veranderde de situatie in een achtervolging, met een meedogenloze man zonder gezicht die hen overal achternazat, door kasten en straten en tot in elk klein hoekje.

Ze koesterde alle flarden van herinnering aan haar moeder, maar heel vaak bleef haar gezicht onscherp: een wazige omtrek, een flits waarin ze net haar hoofd omdraaide, meer niet. Soms wist Anna domweg niet meer hoe ze eruitzag. Toch maakte ze zich vreselijk zorgen dat haar moeder in haar afwezigheid helemaal grijs zou worden.

Ze begon in bed te plassen, waardoor ze terechtkwam in

een spiraal van angst en schaamte. Ze werd dan plotseling wakker tussen koude, doorweekte lakens, rillend van paniek als ze bedacht hoe kwaad de huishoudster op haar zou zijn.

Juffrouw Harrison had geen greintje geduld met bedplassers. Ze gaf de zondaren tijdens het ontbijt publiekelijk een uitbrander en stuurde hen vervolgens naar boven om met het schaamrood op de kaken hun bed te verschonen.

Elke avond bad Anna vurig om een droog bed. Ze vermeed het om water te drinken en ging zo vaak naar de wc als ze kon. Maar nog steeds werd ze midden in de nacht wakker op een glibberige natte matras, met ijskoude lakens onder haar benen en haar hart verstijfd van angst.

Elke derde woensdag van de maand moesten de kinderen in een lange rij naar het washok afdalen om hun lakens in tenen manden te gooien. Op een ochtend was Anna als eerste beneden en zag ze de assistent-huishoudster de sleutel uit een servieskast pakken om de deur te openen.

Twee nachten later schoot ze overeind in een nat bed, klaarwakker en bang. Maar ze herinnerde zich de sleutel van het washok. Stilletjes trok ze het gewraakte laken van haar bed en gebruikte het om de natte matras droog te deppen. Toen rolde ze het op tot een bal en sloop naar beneden.

Eerst de bovenste trap af, waarvan elke tree leek te kraken. Daarna besloot ze de verboden mahoniehouten trap te nemen, om de lange gang te vermijden die langs de kamer van de huishoudster liep. Ze klampte zich vast aan de reling om niet uit te glijden op de gladde houten treden.

Ze schuifelde de donkere, koude hal door, die schitterde in het maanlicht dat op de marmeren vloer weerkaatste. Nu moest ze nog langs de kamers van meneer en mevrouw Ashton en de trap af naar de kelder. Buiten riep een uil en ze hoorde haar eigen voeten over de stenen vloer schuiven. Eindelijk stond ze voor de servieskast en kon ze de sleutel van het washok pakken.

Ze opende de deur en tastte om zich heen in de donkere

ruimte. Ze durfde geen licht aan te doen. Ze vond de laden waarin de lakens werden bewaard en trok er een open. Ze kon in het donker niet zien of ze het goede laken te pakken had. Het leek iets te dik. Op de tast pakte ze een ander: dat ging ze meenemen.

Ze vouwde haar natte laken zo netjes mogelijk op en propte het achter in de dichtstbijzijnde la. Toen sloot ze met bonzend hart de deur achter zich af en sloop ze langs dezelfde weg weer naar boven.

In de Marmeren Hal gloorde al het eerste ochtendlicht toen ze zich terug naar haar slaapzaal haastte. Een van de kinderen bewoog even toen ze op haar tenen naar haar bed sloop, maar er werd niemand wakker. Ze vouwde haar blauwe, ruwe handdoek op en legde hem op de natte plek in de matras. Toen trok ze het nieuwe laken erover, gevolgd door haar bovenlaken en deken. Ze vergat niet om ook haar natte nachtjapon uit te trekken voordat ze zich uitgeput in bed liet vallen.

De volgende ochtend kleedde ze zich snel aan en maakte ze haar bed weer netjes op. Bij het ontbijt waren er geen boze reprimandes van juffrouw Harrison.

Nog een paar keer werd ze plotseling 's nachts wakker met ijskoude, doorweekte lakens tegen haar huid. Twee keer ondernam ze met succes de tocht naar het gesloten washok. Maar tijdens haar derde expeditie maakte ze iets mee wat ze nooit zou vergeten.

Ze was zonder problemen de mahoniehouten trap afgedaald en de Marmeren Hal overgestoken en wilde net de laatste trap af lopen naar het washok. Haar route voerde langs de grote paneeldeur die toegang gaf tot de kamers van meneer en mevrouw Ashton. Soms zagen de kinderen de deur overdag openstaan. Ze vingen dan een glimp op van een karmozijnrode zitkamer, met achterin een deur naar de slaapkamer.

Met een schok bemerkte ze dat de deur van de Ashtons ook

nu openstond en er nog licht brandde. Ze hoorde stemmen en verstopte zich als een haas achter een lage Chinese lakkast in de hoek van de gang. Ineengedoken wachtte ze doodsbang tot het geklikklak van de hakken van mevrouw Ashton haar kant op zou komen. Het bloed suisde in haar oren terwijl ze daar ineengehurkt zat, met haar natte laken tegen zich aan geklemd.

Er kwamen geen voetstappen haar richting op, maar er waren wel andere geluiden, en Anna spitste haar oren. Ze hoorde een geagiteerde stem – mevrouw Ashton, dacht ze – vanuit de achterste kamer. Het moest midden in de nacht zijn. Wisten ze niet dat de deur openstond?

Na een paar minuten kwam Anna uit haar hoekje en sloop langzaam in de richting van de trap. Op dat moment viel haar oog via de open deur op een grote ovale spiegel die aan de karmozijnrode muur hing. Ze zag iets bewegen en keek opnieuw.

Het was mevrouw Ashton, naakt.

Pure verbijstering brandde het tafereel op haar netvlies. Ze ving slechts een paar glimpen op van mevrouw Ashton, die enkele malen in haar gezichtsveld kwam toen ze het stukje slaapkamer doorkruiste dat in de spiegel te zien was. Maar het was een verzengend beeld van een vrouwenlichaam. Anna had haar moeder nooit naakt gezien en de aanblik van de rijpe borsten en de donkere bos haar van mevrouw Ashton schokte haar. Ze voelde afschuw en fascinatie. Zou dat op een dag ook gebeuren met haar eigen schriele lijf? Ze bleef als aan de grond genageld staan luisteren, met haar ogen op de spiegel gericht.

Hoewel ze maar flarden opving van wat er werd gezegd, herkende ze een wanhoop die haar angst aanjoeg. Mevrouw Ashton vloekte en stikte bijna in de scheldwoorden die ze haar man toeslingerde. Anna had nooit eerder grof taalgebruik gehoord. Rauwe keelklanken die haar deden huiveren.

Ze sloop zo stilletjes mogelijk weg.

* * *

Elizabeth Ashton was dronken. Ze liep naakt op en neer
door de slaapkamer, vloekend en snikkend, terwijl ze Thomas wees op het menstruatiebloed dat langs haar benen omlaag liep.

'Ik bloed weer,' schreeuwde ze. 'Ik bloed.'

Ze schold Thomas uit, zich verslikkend in een reeks nare
verwensingen, met een stem die oversloeg van hysterie. Toen
zakte ze snikkend ineen, met haar borsten tegen haar blote
benen gedrukt.

Weer een maand om en nog steeds niet zwanger. Thomas
zat er zwijgend bij op hun bed. Hij wilde haar zo graag troosten en kalmeren, maar wist dat hij haar nog niet kon bereiken. Soms, als Elizabeth ongesteld werd, was haar uitzinnige
verdriet niet te stuiten. De drank ontketende die razernij in
haar. Ze liet geen enkele ruimte over voor zijn emoties. Hij
kon alleen maar wachten tot ze op het bed neerviel en in een
dronken slaap verzonk, waarvan hij wist dat dat onvermijdelijk zou gebeuren.

Ze waren allebei uitgeput door haar ellende. Er waren
momenten waarop Thomas ernaar verlangde met rust te
worden gelaten, maar hij voelde zich verantwoordelijk voor
het leed van zijn vrouw. Ze waren nu beiden beschadigde
mensen, samen gevangen in hun gedeelde drama. Een zekere neiging tot zelfdestructie maakte dat Elizabeth bij hem
bleef. Ze zou hem nooit verlaten en evenmin wilde ze een
kind adopteren.

Uiteindelijk zeeg ze neer op het bed en ebde haar gesnik
weg totdat ze in slaap viel. Hij trok de deken over haar heen
en deed het bedlampje uit. De deur bleef tot de ochtend openstaan, toen de keukenmeid er op weg naar de eetzaal langs-
liep. Ze trok hem dicht voordat de kinderen naar beneden
kwamen voor het ontbijt.

* * *

's Ochtends zag Anna mevrouw Ashton door de Marmeren Hal benen, even verzorgd en elegant als altijd. Haar gezicht was een masker van afstandelijke kalmte. Anna wierp een snelle blik op haar borsten, die nu discreet verborgen waren onder een zijden blouse. Het volgende moment voelde ze zich beschaamd en ongemakkelijk.

Schreeuwden alle volwassenen het zo uit van de pijn achter hun slaapkamerdeuren?

Het overkwam Anna nog maar één keer dat ze in bed plaste en toen koos ze ervoor de preek van de huishoudster over zich heen te laten komen in plaats van nog een keer de donkere weg naar het washok af te leggen.

Maar telkens als ze nu mevrouw Ashton zag, voelde ze een vreemde verbondenheid met haar. Want Anna wist dat ze ongelukkig was, al wist ze niet waarom. Het verdriet van mevrouw Ashton was nu ook haar geheim.

Er begon iets aan haar te knagen. Ze herinnerde zich wat meneer Ashton tijdens de les had gezegd: 'Schijn bedriegt vaak.' Ze dacht aan zijn glimlachende gezicht en zijn rolstoel, waar nooit met een woord over werd gerept. Ze dacht aan mevrouw Ashton en haar geheime verdriet. Er maakte zich een onbekend gevoel van onrust van haar meester – een pijn die ze niet kon bevatten.

Het was alsof haar hart plotseling was afgestemd op een vreemde nieuwe radiozender voor andermans zorgen. De signalen die ze opving hielden haar voortdurend bezig, ook al hadden de mensen zelf niets met haar te maken.

11

Kort na de komst van de evacués begon Thomas te dromen dat hij weer kon dansen. Misschien dat de kinderen iets in hem wakker hadden gemaakt, maar plotseling voerden zijn dromen hem naar feestelijk verlichte zalen met vloeiende walsen en snelle, ingewikkelde foxtrots op verende vloeren. Dromen waarin hij zowel danser als toeschouwer was: waarin hij zichzelf tegelijkertijd voelde en zag dansen. De ervaring leek zo levensecht dat hij altijd wakker werd met een prettige pijn in zijn benen, verbaasd wanneer het tot hem doordrong dat het maar een droom was geweest.

De dromen verrasten hem, maar sloegen hem niet terneer: ze hadden een verjongend effect. Alsof het verleden nog in hem zat, binnen handbereik. Soms zwierde hij over een dansvloer met Elizabeth, of keek hij in de ogen van andere, vroegere geliefden, uit de tijd dat hij nog een jonge diplomaat was die in Berlijn de bloemetjes buitenzette.

Er was één tedere nacht in Berlijn die Thomas nooit zou vergeten. Een bal op de Franse ambassade, toen hij Elizabeth met een arm om haar middel behendig over de dansvloer leidde, alsof er niemand om hen heen bestond. Hun huwelijk was nog maar een paar weken jong.

Ze keek hem diep in de ogen en begon te lachen, verrukt over dit moment samen. Ik dans met mijn vrouw, dacht hij. Kijk ons nu eens – jij en ik, samen.

'Ben je gelukkig?' vroeg hij haar.

'Heel gelukkig,' zei ze. 'Heel, heel erg gelukkig.'

Dronken van vreugde zwierde hij haar in de rondte, terwijl de muziek hen doorstroomde en de tenor vol gevoel zijn liefdesliedje zong.

Oh sweet and lovely lady be good,
Oh lady be good to me...

Zelfs nu nog, tien jaar later, herinnerde hij zich hoe haar blik was versmolten met de zijne. Wat er verder ook gebeurde, dat moment kon nooit meer ongedaan worden gemaakt.

Terwijl hij achter zijn bureau de lessen van die dag voorbereidde, dwaalden zijn gedachten verder terug in de tijd, naar de zomer van 1914 en de dag dat zijn moeder hem van school had gehouden om in Londen een polowedstrijd bij te wonen. Hij herinnerde zich zijn zusje Claudia in de siertuinen van de Hurlingham Club, op de uitkijk naar haar broer William, wiens cavalerieregiment net was teruggekeerd uit India. Het was een opwindende dag voor hen allemaal: ze hadden William al meer dan twee jaar niet gezien.

Toen zijn broer eraan kwam stak die nonchalant zijn hand op. Zijn haar was donkerder en hij was langer en indrukwekkender dan Thomas zich kon herinneren. Hij had een glanzende snor en zijn rijlaarzen spanden om zijn gespierde benen.

'Ons team wordt getraind om een zomer lang toernooien te winnen,' vertelde hij en passant.

Het werd een geweldige middag voor het twaalfde regiment lansiers. Ze speelden soepel, snel en met intuïtie. Heel even, toen William viel en hun moeder Miriam met een kreet opsprong, leek de middag bedorven. Maar William was ongedeerd en zijn team won uiteindelijk met gemak de begeerde beker.

Na afloop werden de gazons overspoeld door een zee van gekleurde hoeden toen de toeschouwers bijeenkwamen voor thee en sandwiches. Claudia danste in het rond, door het dolle heen van vreugde omdat haar oudste broer er weer was en betoverd door de met tressen en koperen knopen versierde uniformen van de cavaleristen. Je zag hier de volle pracht en praal van het Britse Rijk, met zijn blinkende keurkorps van jongemannen. Claudia trok Thomas mee om bij het meer naar de militaire kapel te kijken. Het publiek begaf zich al naar huis toen de muzikanten in parade een laatste langzame mars speelden. Hun sporen schitterenden in de namiddagzon. Het viel Thomas op dat het vreemde, trage vierkwartsmaatstuk zelfs door de grootste krachtpatsers met plechtige gratie werd uitgevoerd.

Iedereen wist dat er oorlog in de lucht hing en de trotse afscheidsmelodie van het fanfarekorps trof vele moeders recht in het hart. Iedereen had het over de moord op aartshertog Franz Ferdinand.

'Als er oorlog komt, is die met de kerst weer voorbij,' hoorde Thomas die dag van mond tot mond gaan op Hurlingham.

Ruk door Uw macht, mij uit het slijk; behoed,
En laat mij niet verzinken in de waatren;
Maar red mij uit de handen mijner haatren,
Uit dezen kolk en diepen watervloed...

Zelfs nadat de oorlog was uitgebroken, moest Thomas nog gewoon naar school. Onder het hoge waaiergewelf van de kapel van Eton College bleef hij bezielende anglicaanse gezangen zingen. Het was gek, maar als hij opkeek naar het middeleeuwse beeldhouwwerk van de kapel, leken alle actuele problemen opeens onbelangrijk.

Wat uit stof is, neemt een end
Door den tijd, die alles schendt.
Maar Gij hebt, o Opperwezen,
Nooit verandering te vrezen...

Dagelijks baden ze voor allen die aan het front waren gestorven. De namen werden afgeroepen van jongens die nog maar kort daarvoor door de straten bij de school hadden gelopen.

Maar Thomas ging nog helemaal op in zijn lessen. Hij streed om de Geschiedenisprijs en kwam met hardlopen voor zijn huisteam uit. Hij dacht nauwelijks aan de oorlog, zelfs niet toen het cavalerieregiment van zijn broer het Kanaal overstak naar Frankrijk. Totdat hij op een dag na de lunch bij de huismeester op zijn kamer moest komen.

'Ze werden 's ochtends vroeg aangevallen. Hij voerde zijn mannen aan met de moed die van hem te verwachten was. Helaas konden ze zijn lichaam niet meer vinden.'

William, zijn ontembare broer, die met zijn gespierde benen bijna uit zijn rijlaarzen knapte.

Thomas kreeg de rest van de middag vrij van school met de opdracht te gaan trainen voor het hardlopen. Hij rende en rende, de levensadem stroomde door zijn longen en hij voelde de opwaartse druk van de grond onder zijn dravende voeten. Maar hij kon niet verhinderen dat zijn geest zich allerlei voorstellingen maakte van het vreemde landschap en het willekeurige moment van de dood van zijn broer in het verraderlijke ochtendlicht. Hij was er tot dan toe altijd voetstoots van uitgegaan dat het bij verliezen aan Britse zijde altijd om slechte soldaten ging, die niet het elan en de timing van zijn broer hadden. Nu ook William was gesneuveld, begon het hem te dagen dat overleven aan het front puur een kwestie van geluk was.

Hij ging in de hoofdstraat theedrinken met zijn broer Edward, die al het uniform droeg van het Cadettenkorps van de school. Ze aten muffins, en al hun gedachten gingen uit naar hun moeder en zus; ze konden alleen uiting geven aan hun eigen verdriet door mee te leven met de vrouwen in hun familie.

Een paar weken later werd in Ashton Park een herdenkingsdienst voor William gehouden, ondanks het ontbreken van zijn stoffelijk overschot. Alleen zijn door kogels gebutste helm was gevonden. Miriam Ashton, kapot van verdriet, klampte zich vast aan Claudia en streelde haar haar. Ze putte geen troost uit Williams heldhaftige optreden, omdat het enorme aantal slachtoffers ieder individueel offer zinloos maakte. Ze kon de gedachte niet loslaten aan de pijn die haar zoon bij zijn dood had geleden: de ingebeelde granaatscherf bleef zich in haar eigen ingewanden boren.

Thomas' vader hulde zich in stilzwijgen, maar vanbinnen huilde hij om de herinnering aan zijn zoon, die hij als een betere versie van zichzelf beschouwde. Zonder het uit te spreken schaamde hij zich diep dat hij niet in zijn plaats had kunnen sterven. Ook werd hij geplaagd door een schuldig verdriet om de drie jonge arbeiders uit het dorp die eveneens die maand waren omgekomen, maar het zonder de herdenkingsceremonie moesten doen die William ten deel viel. Hij zorgde ervoor dat er bloemen naar hun moeders werden gestuurd.

Williams leren koffer werd teruggebracht door zijn regiment. Al zijn bezittingen waren keurig ingepakt door zijn ordonnans: zijn scheeretui, zijn ivoren haarborstels, zijn zilveren veldfles en sigarettenkokers, zijn brieven... Het riep een merkwaardig ordelijk beeld van de oorlog op, vond Thomas. Zijn moeder wilde niet dat de koffer werd uitgepakt: die moest worden afgesloten en ergens veilig op zolder worden weggeborgen.

Ze kreeg het nog zwaarder toen haar tweede zoon, Edward, zijn school had doorlopen en thuis in uniform verscheen. In 1915 werd hij in één maand opgeleid in Aldershot voordat zijn regiment naar het front werd gestuurd.

Toen de vijftienjarige Thomas in de vakantie terugging naar Ashton Park, was er een hoop veranderd. Alle jonge mannen van het landgoed waren vertrokken om zich aan te sluiten bij het plaatselijke vrijwilligersbataljon. Voor het eerst maakten zijn zusje en hij mee dat het grote huis praktisch leegstond. Er werden geen feesten gegeven, er brandde geen vuur in de haarden en hun voetstappen weergalmden in de lege gangen. Herinneringen aan Williams indrukwekkende verschijning drongen zich aan hen op, in elke ongebruikte kamer.

Hun moeder was naar Londen vertrokken, om mee te helpen in een soldatenkantine bij station Waterloo. Hun vader had de grootste moeite om zijn landgoederen draaiende te houden in de afwezigheid van zo veel arbeidskrachten en zwichtte uiteindelijk voor de wens van zijn vrouw om van Ashton Park een hospitaal te maken. In elk geval was het huis weer vol, dacht Thomas. De volgende paar vakanties sjouwde hij de mahoniehouten trap op en af met medische benodigdheden voor verpleegsters in gesteven uniformen. Zijn zus en hij keken met gefascineerde afschuw toe hoe jonge mannen zonder ledematen in rolstoelen over het gazon werden geduwd. Claudia kon niet wachten tot Edward met verlof naar huis kwam. Thomas was doodsbang dat hij verminkt zou raken.

Op school was het al niet beter voor Thomas, want elke dag kwamen er nieuwe berichten over slachtoffers: uit hun team, hun toneelgroep, hun koor...

Edward schreef naar huis vanuit Vlaanderen, brieven die aanvankelijk – maar alleen aanvankelijk – de moed en vechtlust van zijn compagnie prezen.

Beste Thomas,
Met genoegen stel ik me je dagelijkse routine op school voor. Geniet ervan, al was het maar voor mij, en haast je niet om je bij ons aan te sluiten. Hier is de dood zo vertrouwd dat die ons bijna de wil om te leven beneemt. Wat maakt het uit of de zon schijnt? Waarom zou ik me scheren?

Onze moed is stompzinnig. We verwachten te sterven en bereiden ons er elke dag op voor. Maar net als je denkt dat je je erbij hebt neergelegd en van alle angst ontdaan bent, vrij om te vechten, dan komt er zomaar weer een gedachte in je op waardoor alle oude hoop in je terugvloeit en daarmee alle angst die door die hoop wordt gevoed.

Gisteren werd de officier met wie ik op patrouille was te grazen genomen door een granaat, die hem onthoofdde. Voor hetzelfde geld was het mij overkomen.

Maar ik heb William om me gezelschap te houden, op zijn manier. Ik voel zijn aanwezigheid om me heen. Hij vrolijkt me op en brengt me geluk.

Blijf hier zo lang mogelijk vandaan...
Je liefhebbende broer,
Edward

De brief kwam op Thomas merkwaardig retorisch over. Het handschrift was keurig, het papier smetteloos. Was het echt zo erg? Thomas vergat de ruzies die hij zijn hele jeugd met Edward had gehad en voelde zich in de afgrijselijke wereld van de loopgraven gezogen. Hij rook bijna de stinkende modder die zo vaak werd beschreven, de helse soep van aarde waar de soldaten doorheen waadden, terwijl hij, Thomas, beboterde muffins at bij een houtvuur in Eton.

Edward bleef in leven terwijl de mannen in zijn compagnie sneuvelden. Tijdens de lange nachten dacht hij vaak terug aan de zonovergoten gazons van zijn jeugd in Yorkshire. Wat was het lang geleden – te lang – dat hij al dat comfort en plezier achter zich had gelaten, eerst voor de kille slaapzalen van zijn kostschool en daarna voor de loopgraven waar hij nu met zijn mannen bivakkeerde, omringd door de stank van koudvuur die onder hen opsteeg. De natuurlijke gevoelens van medeleven, het besef dat de armen en benen van arbeiders niet minder waren dan de zijne, hadden hem zijn erfenis in een nieuw licht doen zien. Hij zou naar huis terugkeren als een ander mens – een beter mens, nam hij zich voor.

Maar in 1917 belandde hij in het beruchte Vlaamse moeras van Passendale. Toen hij op een nacht door de regen over de gladde loopplanken rende, werd hij in een onder water staande loopgraaf geslingerd door een mortiergranaat die de rechterkant van zijn lichaam kapotschoot.

Eindelijk naar huis, dacht hij. Ik ben op tijd voor de kerst weer in Ashton. Maar hij had er geen rekening mee gehouden dat hij zo zwak was, en de modder zo diep, en de loopplank zo ver. Hij hield zich in het donker vast aan een drijvende boomstam en riep om hulp, maar werd overstemd door de herrie van het mortiervuur om hem heen. Hij probeerde een stap vooruit te zetten, maar kreeg geen vaste grond onder zijn voeten. Hij dacht aan Bunyans christen in de poel Mistrouwen en bad om hulp. Maar in zijn gebeden klonk geen vertrouwen door, alleen paniek. De bagger was te dik om doorheen te zwemmen. Met zijn goede arm klampte hij zich vast aan de boomstam, maar de modder was zwaar en trok hem aan zijn laarzen naar beneden.

De hemel werd keer op keer verlicht door de helle flitsen van de strijd. Zijn verbrijzelde schouder bonsde pijnlijk en door zijn jachtige ademhaling zonk hij nog dieper weg. De schitterende explosies aan de oorlogshemel weerspiegelden de grillige lichtschichten in zijn eigen uitdovende geest.

Er schoten beelden door hem heen van zijn zusje met haar bleke gezichtje, van het gele behang in zijn kamer in Ashton, van blote witte benen op het rugbyveld in Eton. De geur van zijn moeders parfum mengde zich met zijn adem en hij voelde haar witte geborduurde zakdoek op zijn huid. Hij wilde dat hij meer tijd met vrouwen had doorgebracht. Als hij het nu maar tot de ochtend volhield, dan was er vast wel iemand die hem zou vinden en uit de modder zou trekken. Kerstmis in Ashton Park, ontbijt met kakelverse eieren en toast.

Na een uur verloor hij door kou, pijn en vermoeidheid zijn grip en gleed hij omlaag de duisternis in. Even proefde hij nog de drabbige, verstikkende modder. Toen liepen zijn longen vol en verdronk hij.

Niemand van zijn compagnie wist waar hij was, maar ze wisten zeker dat hij niet was gedeserteerd. Hij werd opgegeven als vermist, vermoedelijk dood. Al zo veel mannen waren in de modderige vergetelheid weggezonken en zouden pas later aan de oppervlakte komen, als afgekloven botten, wanneer de zomerluchten het onnatuurlijke moeras drooglegden.

Ashton Park miste nu een tweede stoffelijk overschot om thuis te kunnen begraven en Miriams hart was gebroken. Ze zocht troost in de ether om zich heen en begon via mediums met haar zoons te praten.

Lieve Thomas,
Wat zijn we dicht bij het geestenrijk, als we maar leren luisteren en onze ogen ervoor openen! Gisteravond heb ik met hulp van mevrouw Ostleton Edward gezien. Hij glimlachte. Hij zag eruit zoals voordat hij de oorlog in ging. Hij vertelde ons dat William en hij nu samen zijn, en dat ze gelukkig zijn. We moeten niet wanhopen. We zijn allemaal samen, nu en voor altijd. Hou moed, lieve Thomas. Ik zal je uitgebreid over zijn verschijning vertellen wanneer ik je binnenkort zie. We moeten je arme vader en Claudia bijstaan in deze vreselijke tijden.
Je liefhebbende mama

Thomas was aanvankelijk geschokt door zijn moeders terugkeer naar de spirituele wereld van haar Anglo-Ierse jeugd. Maar ook hij voelde soms de onstoffelijke aanwezigheid van zijn broers, in zijn hoofd en in de aansporingen van zijn geweten.

Zijn moeder was vastbesloten haar geliefde laatste zoon niet naar het front te laten gaan. Maar net als al zijn vrienden ging Thomas, zodra hij zijn school had afgemaakt, de oorlog in.

'Ik heb eenvoudigweg geen keus, mama,' zei hij tegen haar.

Hij kwam in Aldershot terecht, waar lange rijen anonieme barakken werden afgewisseld door kale paradeplaatsen. Een monotoon landschap, artificieel en onwerkelijk. Thomas werd gedrild in de kunst van het marcheren en de beginselen van de open strijd, die zoals iedereen wist nutteloos waren aan het front.

Lieve Claudia,
Ik denk aan jou in Ashton, met al die zieken. Ik kan me niet anders voorstellen dan dat je ze enorm opvrolijkt.
Het is een gek idee dat Edward hier in Aldershot is opgeleid. De barakken zijn haveloos en aftands. Heeft hij ooit gezegd in welk gebouw hij zat?
Herinneringen zijn er om te worden gekoesterd. Ik denk elke dag aan William en Edward en de gedachte aan hen sterkt me. Op andere momenten ben ik nog helemaal kapot van hun dood.
Zorg goed voor mama. Ik weet hoe vreselijk het voor haar zou zijn als ik ook omkom, en dus zal ik er alles aan doen om naar jullie terug te keren.
Je liefhebbende broer,
Thomas

Thomas marcheerde als achttienjarige op een paradeplaats, toen de wapenstilstand werd afgekondigd en hij zijn burgerleven weer kon oppakken. Met een mengeling van opluchting en spijt verliet hij de troosteloze barakken en keerde hij terug naar de Londense woning van de Ashtons in Sussex Place, een bruidstaart van een huis aan Regent's Park, een en al zuilen en galerijen.

Zijn vader en moeder wachtten daar op hem, om zich te verheugen over hun levende zoon, die nu het gewicht droeg van de ongebruikte levens van zijn broers. Claudia deed met hen mee toen ze met champagne een toast uitbrachten in de salon, maar heimelijk vond ze elke vorm van feestelijkheid ongepast.

Na twee glazen begonnen bij Miriam Ashton de tranen te vloeien en stak ze haar armen uit naar haar enige zoon.

'Je bent een geluksvogel, Thomas,' zei ze.

'Dat weet ik,' antwoordde Thomas, enigszins in verlegenheid gebracht.

'Nee, zo bedoel ik het niet. Ik bedoel dat *het geluk met jou is...*'

'Zeg dat toch niet,' onderbrak Robert haar, hoewel het zeer ongebruikelijk was dat hij zijn vrouw tegensprak.

'Jullie kunnen er zeker van zijn dat Thomas en ik goed op onszelf zullen passen,' zei Claudia sussend.

Miriams gezicht klaarde op en ze lachte, maar Thomas was enigszins van zijn stuk gebracht door zijn moeders hang naar zijn geluk; stel dat hij door de bliksem werd getroffen of van een paard viel, hoe kon hij dan alle verwachtingen waarmaken die ze koesterde voor haar overgebleven kinderen?

Niet lang daarna verspreidde een epidemie van de Spaanse griep zich lukraak door Europa. In Ashton Park werd de dochter van de kokkin als eerste ziek. Rachel Barry rilde en zweette, en haar moeder bleef de hele nacht bij haar opzitten om haar water te geven en haar gezicht en lichaam met een natte spons te deppen. Rachel werd weer beter, maar de koorts verspreidde zich razendsnel onder de rijen zieke en gewonde soldaten in hun hospitaalbedden. Binnen enkele dagen waren er drie mannen en een jonge verpleegster overleden.

De zestienjarige Claudia, die met de verpleging hielp, werd op de derde dag van de uitbraak ziek. Ze lag in haar oude vertrouwde bed, vanwaar ze uitzicht had over het weidse parklandschap. Haar hoofd gloeide van de koorts en ze begon net als de andere slachtoffers te ijlen.

Robert en Miriam Ashton werden opgebeld in Sussex Place. Ze namen de eerste trein naar York en verboden Thomas met hen mee te gaan. Twee dagen zaten ze aan Claudia's bed, buiten zichzelf van angst. Ze depten haar met een spons, praatten tegen haar en probeerden haar bij kennis te brengen. Ze ijsbeerden door de kamer, wiegden heen en weer in hun stoel en wrongen zich de rusteloze handen tot die er pijn van deden. Maar ze konden hun dochter niet bereiken: haar ziel maakte zich van haar los. Soms, als ze ijlde, leek ze tegen haar broers te praten, alsof die aan haar voeteneind stonden.

Ze ging angstwekkend snel achteruit. Miriam staarde net naar het witte gezichtje van haar dochter, toen die ophield met ademhalen. Plotseling waren Claudia's ogen leeg en star. Ze was vervlogen in het licht van de hemel en niets kon haar meer terugbrengen.

Miriam jammerde het uit, met dierlijke kreten. Half buiten zinnen van uitputting hield ze haar dochter vast en ademde ze in haar mond, hopend op een trilling van leven. Maar het meisje was morsdood.

Robert kwam wankelend de kamer binnen en trof zijn vrouw aan met hun dode dochter in haar armen. Hij hield hen allebei vast en er liepen tranen over zijn wangen om Claudia, om Miriam, om hen allemaal.

Thomas, die in Londen op bericht wachtte, was verbijsterd door deze bizarre nasleep van de oorlog. Het enige wat hij kon doen om niet in te storten was lopen, en hij liep de hele dag tot laat in de avond door de straten van Londen en de neerdalende duisternis in het park, totdat hij overmand werd door vermoeidheid. Kort na zonsopgang nam hij de eerste trein naar York en viel onderweg in een rusteloze slaap. Maar toen hij in Ashton Park aankwam, stuurde zijn moeder hem weg, terug naar het dorp, uit angst dat ook hij werd aangestoken. Pas na tien dagen liet ze hem het huis in.

Tegen die tijd was de epidemie voorbij, maar niet zonder vijf slachtoffers te hebben gemaakt in Ashton Park. Het hospitaal aan huis was gesloten en de kamers die waren ontruimd om als ziekenzaal te dienen bleven leeg en verlaten achter. Alleen de geur van ontsmettingsmiddelen hing er nog.

Er leek een overvloed aan ijzeren emmers in huis te staan.

Thomas voelde zich ontworteld. De maanden erna raakte hij vervreemd van zichzelf en groeide er in hem een diepe kloof die hem scheidde van alle hoop. Zijn hart was versteend, zijn gevoel onbereikbaar.

Zodra hij kon, ontvluchtte hij de stille eetzaal van zijn rouwende ouders. Eerst om te studeren in Oxford, later om te werken op het ministerie van Buitenlandse Zaken. Hij vroeg zich af of zijn huwelijk misschien niet ook een middel was geweest om te ontsnappen aan die periode van verlies. Hij voelde een bekende steek van wroeging over de lichtvaardigheid waarmee hij Elizabeth de last van zijn verdriet had laten meetorsen.

Ashton Park was na de dood van zijn broers en zusje op de achtergrond geraakt in zijn leven. Een aantal jaren had hij zijn ouderlijk huis gemeden. Toch schonk het hem nu, twintig jaar later, grote voldoening om het huis – hoe vreemd het ook was – weer gevuld te horen met stemmen en de voetstappen van kinderen die door de gangen renden. Ondanks de treurige reden van hun komst voelde het goed, stelde Thomas zichzelf gerust.

12

Anna's favoriete tijd in Ashton was na het eten. Het grootste deel van de dag verliep volgens een rooster, met lessen en kerkdiensten en maaltijden in de eetzaal. Maar er waren altijd nog die loze uurtjes voor de bel voor het slapengaan, waarin ze in en om het huis konden rondrennen – waarin er vriendschappen werden gesloten en nieuwe spelletjes bedacht en er onverwachte dingen gebeurden.

Anna vond het heerlijk om door de donkere gangen en ongebruikte kamers van het huis te dwalen. Er was een opslagkamer boven, volgepakt met schimmelige kisten en oude spullen zoals tennisrackets en cricketbats. Ze maakte er een geheim hol, achter een opengeslagen koffer. Maar toen ze het eenmaal aan Beth Rothery had laten zien, gingen andere kinderen het ook als verstopplaats gebruiken en verloor het plekje zijn mysterie.

Op sommige avonden rende ze de trap af naar de zitkamer bij de keukens, waar een oude piano stond. Haar moeder had haar *Danny Boy* leren spelen: het was het enige stuk dat ze kende, maar ze kon het met twee handen spelen, als een echte pianiste. Toch vond ze het het leukst als er een hele horde kinderen was, die met stokjes trommelden en op de piano pingelden en allemaal zongen en door de kamer dansten.

Na verloop van tijd bedachten ze iets nieuws: durfspelletjes, waarbij ze elkaar om beurten uitdaagden. De eerste waaghals was Billy Carter, die uit het raam van zijn slaapzaal op de stenen richel eronder klom en voetje voor voetje naar de slaapzaal van de meisjes schuifelde. Maar zij daagden hem uit om terug naar bed te gaan via de gang, waar juffrouw Harrison hem betrapte en hem twee uur met zijn gezicht naar de muur liet staan.

Op een keer trok Anna aan het kortste eind: ze werd uitgedaagd om 's nachts aan te kloppen op de slaapkamerdeur van een juf of meester en dan weg te rennen.

'Meneer Stewart! Meneer Stewart!' stelde Katy Todd voor, die zich graag verkneukelde over het risico van een ander.

'Zijn kamer is te ver,' wierp Beth tegen.

'Juffrouw Harrison, om te kijken of ze een pruik draagt...'

'Juffrouw Weir, ik doe alleen de kamer van juffrouw Weir,' zei Anna. Ze was nu al bang, maar wel blij toen ze in elk geval instemden met haar keuze: ze hoopte dat de vriendelijke, bedaarde juffrouw Weir niet al te kwaad zou zijn.

De meisjes op haar slaapzaal bleven wakker tot juffrouw Harrison klaar was met haar inspectieronde op hun verdieping. Toen sloop Anna haar bed uit en de lange rode loper op, die aan het eind van de gang de hoek om ging naar de kamer van juffrouw Weir.

Ze wierp een blik achterom. Katy Todd keek haar na om te controleren of ze niet valsspeelde.

Ze sloop voorzichtig de hoek om. Er brandde een nachtlampje aan het eind van de overloop, voor de slaapzaal van de jongste kinderen. Langzaam naderde ze op haar tenen de gesloten deur van juffrouw Weir. Ze ademde snel en haar ogen hielden alles in de gaten. Ze hief een hand op en klopte zo zachtjes mogelijk aan.

Toen draaide ze zich om en rende weg, maar ze gleed uit en struikelde. In paniek krabbelde ze overeind en sprintte ze de gang door.

Achter zich hoorde ze de deur opengaan. Er klonk een stem.

'Hallo?'

Ze keek om en zag juffrouw Weir in haar nachtjapon in de deuropening naar haar staan kijken. Eén moment kruisten hun blikken elkaar. Toen verdween Anna de hoek om en rende ze terug naar haar slaapzaal, waar ze onder de dekens dook.

'Heb je het gedaan?' fluisterden de anderen.

'Ja. Maar ze heeft me gezien.'

'Komt ze eraan?'

'Ik weet het niet.'

Anna's hart ging als een razende tekeer en ze verwachtte dat juffrouw Weir elk moment zou verschijnen om haar uit bed te halen. Maar de minuten verstreken en er gebeurde niets. Terwijl de anderen in slaap vielen, kwam Anna langzaam op adem.

Ze moest almaar denken aan die verwonderde uitdrukking op het gezicht van juffrouw Weir, dat wit oplichtte in het schijnsel van de lamp. Met een bezwaard gevoel viel ze in slaap.

De volgende dag probeerde ze juffrouw Weir te vermijden, in de hoop dat die haar niet had herkend in het zwakke licht op de gang. Maar na de dagopening stapte ze in de Marmeren Hal op haar af.

'Anna...'

Ze schuifelde in een zijwaartse beweging naar haar juf, te verlegen om haar in de ogen te kijken.

'Gaat alles goed met je, Anna?'

'Ja, juffouw.'

'Maar gisteravond klopte je aan...'

'Het spijt me, juffrouw, ik had u niet moeten storen.'

'Ik zeg het niet om je een standje te geven, Anna. Is er iets aan de hand?'

'Nee hoor, juffrouw.'

'Waarom klopte je dan aan?'

Anna keek angstig op en flapte het er toen uit.

'Het was maar een durfspelletje.'

'Aha.' Juffrouw Weir hield haar hoofd schuin.

'Eigenlijk wílde ik het helemaal niet doen.'

Er gleed een schaduw over het gezicht van juffrouw Weir. Anna wist niet of het boosheid of bevreemding was.

'Wanneer gaan we weer naar huis?' vroeg ze met grote bambi-ogen. Ze voelde zich meteen schuldig over haar toneelspel, maar juffrouw Weir leek op slag vermurwd.

'Dat weten we helaas nog niet.'

Anna liet haar hoofd hangen en keek diep teleurgesteld, stiekem bang dat ze moest lachen.

'Ik hoop dat het niet te lang duurt voordat jullie naar huis mogen,' zei juffrouw Weir vol meegevoel.

'Ja, juffrouw,' zei Anna. Ze moest een grijns onderdrukken en probeerde ernstig te kijken.

'De volgende keer dat je hulp nodig hebt, mag je gerust aankloppen, maar kom dan wel binnen om te praten.'

'Ja, juffrouw.'

'Nou, hollen dan maar...'

Om de hoek, in haar klaslokaal, kwamen de andere meisjes om haar heen staan.

'Wat zei ze?' vroegen ze. Stralend, maar nog steeds bevend van opluchting, vertelde Anna hoe ze had gedaan alsof ze heimwee had en ermee was weggekomen: geen straf, niet eens een berisping, niets. Ze wentelde zich in haar succes, in de wetenschap dat ze bij de anderen in aanzien was gestegen.

Maar in de loop van de dag begon ze zich toch een tikje ongemakkelijk te voelen en kreeg haar schuldgevoel de overhand: ze had net gedaan alsof ze heimwee had en de draak gestoken met de goedhartigheid van juffrouw Weir. Ze walgde van zichzelf.

Nooit meer, besloot Anna. Voortaan zou ze nooit meer iemand bedriegen.

* * *

Toen Ruth Weir die ochtend in de hal haar onderonsje had met Anna, werden ze gadegeslagen door Elizabeth Ashton.

Ze zag de onderwijzeres en het kind met elkaar staan praten en voelde een steek in haar hart. Tegen de tijd dat ze de nieuwe roosters in de onderwijzerskamer had gecontroleerd, besefte ze dat het een steek van jaloezie was geweest. Jaloezie om de ongedwongenheid van hun onderonsje.

De hele onderneming van deze school was haar initiatief geweest en je zou dus verwachten dat zij degene was die een bijzonder contact kon onderhouden met deze evacués. Maar het was haar al opgevallen dat de jonge onderwijzeres een natuurlijke band met de kinderen had en wist dat zijzelf die flair ontbeerde.

Ze besloot naar het dorp te lopen om de nieuwe voorraad bonboekjes op te halen, in de hoop dat het uitje haar zou opbeuren. Met gezwinde pas liep ze de oprijlaan af, waar ze alleen even inhield bij de veeroosters. Intussen probeerde ze haar gedachten op een rijtje te zetten.

Thomas had het tegenwoordig altijd druk met lesgeven en ze zag in zijn ogen dat hij ervan genoot. Hij had zich binnen de kortste keren aangepast aan hun nieuwe leven. Zijzelf daarentegen had alle zorgtaken gedelegeerd en beperkte zich uitsluitend tot administratieve bezigheden. Haar zelfvertrouwen slonk met de dag.

Hoeveel gewoontes en rituelen er ook waren in de nieuwe school, het lukte haar maar niet om in een routine te komen. Ze voelde zich voortdurend rusteloos, zonder enig ritme in haar leven. Elke zondag, wanneer Thomas zich voorbereidde op de komende week, maakte er zich een zekere neerslachtigheid van haar meester – een treurigheid, paniek over de dagen die komen gingen: wat moest ze beginnen met haar tijd?

Ze rookte te veel. 's Avonds zoog ze jachtig aan elke sigaret, alsof ze niet kon wachten tot ze de volgende op kon steken – met een borrel erbij om haar keel te smeren. Intussen zat Thomas te lezen en negeerde tactvol haar onrust.

Toen ze bij het postkantoor in het dorp kwam, moest ze aan zichzelf bekennen dat wat ze nodig had, waar ze naar hunkerde, zoals altijd een kind van haarzelf was. Ze had gehoopt dat de vele kinderen in Ashton haar van dat verlangen zouden genezen, maar dat was niet gebeurd. Nog niet, in elk geval.

Op de terugweg liep ze langs het meer in het park en keek naar het trage wiegen van de algen onder het wateroppervlak. Erachter lag de kale, lege rozentuin, waar na afloop van het rozenseizoen alleen nog de gesnoeide toppen van de struiken te zien waren.

Als de zon niet scheen zagen de tuinen er soms bijna deprimerend uit, dacht ze. Toch leek het weer de evacués nooit af te schrikken. Toen de pauzebel werd geluid, zag ze een meute kinderen naar buiten rennen en zich om de fontein verzamelen. Ze leken altijd met hun handen in het water te willen zitten.

Soms wilde ze haar arm uitsteken en een van hen aanraken, alsof dat de pijn in haar hart kon verzachten.

'Wat heb je vanochtend gedaan?' vroeg Thomas haar bij de lunch.

'Ik heb in het park gewandeld en het was er prachtig,' antwoordde ze; ze wist dat hij het fijn vond als ze iets waarderends zei. Maar over de kinderen zweeg ze.

Toen hij even later vertrok om les te geven, ging ze achter haar bureau zitten om brieven te beantwoorden en rekeningen te controleren. Is dit het dan? vroeg ze zich plotseling af. Of is dit alleen een tussenfase, een voorbereiding op iets nieuws?

Na tien jaar met Thomas wist ze niet langer wat ze voor hem of hun leven samen voelde.

* * *

Ze had Thomas leren kennen in de zomer van 1927, bij een cocktailparty in Londen.

'Ik geloof dat we elkaar nog niet kennen,' zei hij met een hoffelijke glimlach toen hun struise gastvrouw hen bij elkaar bracht.

'Nee, ik geloof het ook niet,' antwoordde ze beleefd. Maar ze wist wel degelijk wie hij was. Ze hadden die zomer dezelfde feesten bezocht, waarbij ze hem meerdere malen had geobserveerd terwijl hij zich van het ene groepje naar het andere bewoog – voor zover ze kon zien altijd zonder partner. Glimlachend, maar zonder zich bloot te geven.

Elizabeth had Thomas voor het eerst opgemerkt aan de andere kant van een volle zaal. Hij had zo'n sterke uitstraling dat hij vele blikken trok, ook al stond hij met zijn rug naar het feest toe om met een vriend een Venetiaans schilderij te bewonderen. Nieuwsgierig naar zijn gezicht laveerde Elizabeth tussen de aanwezigen door naar de andere kant van de zaal, langs een van de met zijden behang beklede wanden. Hij lachte even, met zijn hoofd in zijn nek, en voor het eerst ving ze een glimp van hem op. Dus dat is Thomas Ashton, dacht ze. Hij zag eruit als de perfecte Engelsman. Ze was op slag bang voor hem, maar wilde hem ook leren kennen.

Ze sloeg zijn bewegingen door de zaal gade. Hij was opvallend knap, met een brede, spontane glimlach die mensen onmiddellijk op hun gemak stelde. Ze merkte zijn doordringende blauwe ogen op, en zijn zachte, dikke haar dat in een zwierige golf naar achteren was gekamd. En toch maakte hij geen ijdele indruk: hij leek van nature bescheiden en zich volstrekt niet bewust van zijn elegante voorkomen.

Elizabeth was toen eenentwintig, lang en slank, met sprankelende donkere ogen en kastanjebruin haar dat golvend op haar schouders viel. Ze voelde zich al de hele zomer ongedurig en fragiel. Drie jaar eerder was ze naar Londen gekomen om 'haar debuut te maken'. Ze bezocht alle dansfeesten van het seizoen en de begerenswaardige mannen stonden voor haar in de rij. De meeste jongemannen waren aspirant-gardeofficieren en ze vond het vaak lastig om iets – wat dan ook – te bedenken om met hen over te praten. Er bestond een ongeschreven regel dat meisjes zowel mooi als onderhoudend moesten zijn: gastvrouwen trokken al snel hun handen af van meisjes die de kunst van het converseren niet beheersten.

Haar eigen debutantenbal werd gehouden in het huis van

haar tante aan Eaton Terrace. De ruime zitkamer was ontruimd om als danszaal te dienen en versierd met guirlandes van rozen en anjelieren. Maar er was geen gardeofficier, bankier of advocaat die haar hart beroerde. Ze danste met vele mannen: lange, dunne, gezette, Amerikaanse, slimme, saaie en rijke. Het seizoen liep ten einde en een herfst van vossenjachten begon. De twee jaren erop bezocht ze het ene Londense feest na het andere en werkte ze af en toe in een liefdadigheidsschool in Chelsea om de verveling te verdrijven van haar zoektocht naar een man.

'Ben je soms te kieskeurig?' had haar moeder haar gevraagd. Het ene chique feest volgde op het andere, met telkens weer dezelfde schalen zalmmousse en tong, telkens weer dezelfde vergulde stoelen rondom de dansvloer voor de chaperonnes van de debutantes. Maar de oudere vrouwen die toekeken tijdens de bals beseften dat niet elk meisje geluk zou hebben bij de stoelendans om een man. Ze wisten intussen dat er als gevolg van de wereldoorlog vier miljoen jonge vrouwen te veel waren: vier miljoen vrouwen in het hele land die gedoemd waren de boot te missen. Mevrouw Fairfax vreesde voor haar eigen dochter, hoewel ze ervan overtuigd was dat Elizabeth mooi en talentvol was.

'Maar ze is toch zó kieskeurig,' zei ze telkens weer tegen haar man, een met medailles onderscheiden soldaat, die stiekem opgelucht was dat hij nog even geen bruiloft hoefde te bekostigen. Het leek wel alsof de platonische Ideeën die Elizabeth in haar hoofd had door niets en niemand te evenaren waren. In haar voorstelling was het palet altijd helderder, het licht scherper en de vorm voller. Toen ze aankwam in Londen liep ze nog over van onbestemd verlangen, van ambitie en levenslust. Maar wat kon ze zonder universitaire opleiding anders doen dan wachten tot ze eindelijk trouwde? vroeg ze zich af.

Ze werd blasé en cynisch en de verveling sloeg toe. Ze speelde met het idee om een hoedenwinkel te beginnen. Ze droomde ervan naar Afrika te reizen. Ze broedde plannetjes uit om iets, wat dan ook, te doen met haar leven.

Maar toen haar oog eenmaal op Thomas Ashton was gevallen, werd ze met nieuwe hoop vervuld. Voordat ze er erg in had, was hij haar uitdaging geworden. Hij was een intelligente jonge diplomaat, die de hele maand juni met verlof was van zijn werk op de Berlijnse ambassade, en ze bezocht zo veel mogelijk feesten in de hoop hem tegen te komen.

Algauw dacht ze vierentwintig uur per dag aan Thomas. Eerst was het misschien een kwestie van ijdelheid: Thomas was de meest aantrekkelijke, romantische en begerenswaardige man die ze ooit op een feest was tegengekomen, en koppig als ze was had ze voor niemand anders meer oog. Maar spoedig volgde er een uit verlangen geboren nederigheid, omdat hij geen enkele interesse in haar toonde. Bij elke vluchtige ontmoeting betoonden ze zich allebei even aangenaam verrast elkaar weer te zien, alleen was zijn verrassing echt en de hare gespeeld.

Intussen was ze tot over haar oren verliefd geraakt. Ze zag zijn intelligentie, zijn vriendelijkheid, zijn hoffelijkheid, maar ook zijn ongewone afstandelijkheid, die wees op verborgen droefheid. Hij was altijd een tikje gespannen en terughoudend en ze wist dat het, als hij zijn hart aan iemand schonk, iets heel bijzonders zou zijn.

Als ze ergens kwam waar hij ook was, voelde ze zich het meest op haar gemak als ze hem eerst van een afstandje zag, want dan kon ze zich geestelijk voorbereiden. Onverwachte ontmoetingen waren een ramp omdat ze dan trilde als een espenblad. Ze moest zichzelf eerst opladen om geanimeerd, geestig en boeiend te zijn. Ze probeerde op subtiele wijze zijn blik vast te houden. Als zijn onbewogen blauwe ogen zich op haar richtten, beefde ze, maar ze kon zien dat hij helemaal niets voelde. Er was alleen zijn glimlach. En beleefde conversatie.

Het seizoen schreed voort: feesten, diners, cocktails. Ze

kreeg de smaak van wijn te pakken en ging in de Embassy Club met andere jongemannen dansen, maar vergeleken bij Thomas waren ze geestloos en onbehouwen. Tot overmaat van ramp keerde hij terug naar Berlijn en Elizabeth wist dat het maanden zou duren voordat ze hem weer zou zien. Misschien had hij wel iemand in Duitsland gevonden. Ze miste hem verschrikkelijk, maar dat wakkerde haar begeerte alleen maar aan.

Ze zocht steeds vaker de eenzaamheid op om aan Thomas te kunnen denken. Ze zonderde zich af van haar vrienden om bij het raam te gaan staan en zich met haar ogen dicht zijn gezicht voor de geest te halen. Op een keer liep ze thuis op de trap, toen ze plotseling geen voet meer kon verzetten en tegen de muur moest leunen om op adem te komen bij de gedachte aan hem. Soms voelde ze hem zo dicht bij zich dat ze zijn naam uitriep.

Ze zag zichzelf zijn hand aanraken. Ze smachtte ernaar zijn gezicht met haar vingertoppen te strelen en hem in de ogen te kijken. Ze kon niet wachten tot het avond was en ze in de duisternis van haar kamer naar hartenlust zijn beeld voor de geest kon roepen. Als ze haar ogen stevig genoeg dichtkneep, had ze soms ze een verblindend moment het idee dat ze heel vluchtig de intimiteit ervoer waarnaar ze verlangde, maar het bleef altijd bij een moment.

Ze schreef 'Thomas' op stukjes papier. Ze schreef hem brieven die ze nooit verzond. Ze probeerde informatie over hem te vergaren, alleen om iemand zijn naam te horen zeggen. Omdat haar eigen familie uit Yorkshire kwam, wist ze al vrij veel over de Ashtons: over hun huis en hun jachtpartijen, en dat zijn broers in de oorlog waren omgekomen en zijn zusje tijdens de griepepidemie. Ze herinnerde zich dat ze als kind weleens met Claudia Ashton had gesproken en het bericht van haar onverwachte dood had toen diepe indruk op haar gemaakt, maar nu ze van Thomas hield, trof het leed van de familie Ashton haar met een nieuwe hevigheid. Ze moest huilen om mensen die al tien jaar dood waren. Thomas was voor haar nu de belichaming van nobele tragiek.

Ze vermoedde dat hij binnenkort terugkwam uit Berlijn. Dan zou ze in elk geval kunnen peilen of hij daar zijn hart aan een vrouw had verloren. Intussen hield ze het nauwelijks meer uit. Ze snakte naar intimiteit met deze man, terwijl hij zich niet eens bewust leek van haar bestaan.

Toen Thomas in de zomer van 1928 naar Londen kwam, zou hij Elizabeth misschien nooit hebben opgemerkt als Clifford Norton er niet was geweest, zijn vriend bij het ministerie van Buitenlandse Zaken. Norton, een gereserveerde, ietwat strenge boekenwurm, vermeed doorgaans feestjes, maar zag Thomas toevallig bij een receptie in een galerie waar zijn vrouw Peter hem mee naartoe had gesleept. De twee diplomaten stonden samen in een hoekje over hun werk bij het ministerie te praten, terwijl Nortons echtgenote langs de schilderijen liep. Elizabeth was er ook en zag de twee mannen bij elkaar staan. Ze vatte moed en stapte op hen af om Thomas te begroeten – heel even maar.

Hun gesprek was oppervlakkig, maar toch merkte Norton haar belangstelling voor Thomas op. In de komende jaren zou ze erachter komen dat Norton – altijd overbezorgd als het om zijn vriend ging – haar nooit echt had gemogen. Maar toen Thomas op het laatste moment iemand zocht om mee te gaan naar een concert, dacht Norton niettemin aan Elizabeth en stelde hij voor haar mee te vragen.

Twee dagen later zat ze naast Thomas in Wigmore Hall. Vier gesoigneerde strijkers maakten een buiging en namen hun plek in op het kleine podium, totdat de eerste speler knikte en het klaaglijke strijkkwartet van Debussy uit hun instrumenten vloeide.

Het was overbekende kamermuziek met een aangenaam melancholisch karakter, maar Thomas was zelden zo ontroerd geweest. Hij vroeg zich af of zijn wonderlijke opgetogenheid misschien iets te maken had met Elizabeth die aan zijn zijde zat. Hij keek af en toe opzij en elke keer beantwoordde ze zijn blik. Aan haar gezicht te zien was ze net zo in vervoering als hij. Het ontroerde hem niet alleen om de muziek te horen, maar ook om de aanwezigheid van deze gepassioneerde jonge vrouw naast zich te voelen.

Hij had er geen idee van dat haar begeestering juist door zijn eigen aanwezigheid werd veroorzaakt, dat haar hart overliep van de bitterzoete vreugde van een lang gekoesterde, idolate verliefdheid. Telkens als hij zijn blik op haar liet rusten, voelde ze haar hart een hoopvol sprongetje maken. Dit is de man van wie ik houd, vertelde de muziek haar, vertelde haar bevende lichaam haar. Ze probeerde haar handen stil te houden.

Vanuit zijn ooghoek ving hij een glimp op van haar lange nek, de geprononceerde ronding van haar borsten, haar elegante enkels. Hij zag hoe haar smalle vingers bijna leken mee te trillen met de muziek. Mijn moeder zou dit meisje waarderen, dacht hij, en het volgende moment besefte hij dat hij haar ook waardeerde. Hij was geraakt door haar vrouwelijke sierlijkheid, haar subtiele geur en de bekoorlijke expressiviteit van haar gezicht. Hij was er trots op dat hij haar gezelschap mocht houden. Sterker nog, hij voelde zich plotseling thuis, alsof hij begrepen en gekend werd. Ongelooflijk, dacht hij, als je bedacht dat ze elkaar hiervoor nauwelijks gesproken hadden.

Toen ze in de pauze stonden te praten, vonden haar woorden weerklank bij hem, misschien wel omdat ze met zo veel tact over zijn overleden zusje Claudia sprak. Ze wist door zijn gebruikelijke gereserveerdheid heen te breken en maakte het hem mogelijk een openhartig gesprek met haar te voeren. Hij kon niet vermoeden dat Elizabeth zich al een weg naar binnen had gedroomd in zijn leven, dat elk gebaar, elk woord dat ze sprak beladen was met al die dagen en nachten van heimelijk verlangen. Voor Thomas voelde het simpelweg alsof ze elkaar al heel lang kenden.

Een merkwaardig intense en verrassend tedere ontmoeting, dacht hij, terwijl hij na de pauze luisterde naar de zachte klaagzang van Ravels strijkkwartet.

Later, toen hij haar naar huis had gebracht, rende Elizabeth direct naar haar kamer en deed de deur op slot, heen en weer geslingerd tussen opgetogenheid en angst. Ze wist dat ze deze liefde nooit meer kon opgeven, omdat ze eindelijk een sprankje hoop had. Nu moest ze ook doorzetten en de gevolgen dragen, wat die ook mochten zijn.

Dat was allemaal elf jaar geleden. Nu ze door de gangen van Ashton liep, kreeg Elizabeth bijna de neiging haar jongere ik te verdedigen, en ook de manier waarop ze zo onvoorwaardelijk de stem van haar hart had gevolgd, zonder zich af te vragen waarheen die haar zou leiden.

Ze stond even stil in de stenen hal, gefascineerd door het koperachtige licht. De late middagzon viel in stralen door de ramen en ze keek omhoog in een poging zich de eerste keer te herinneren dat ze als jonge vrouw omhoog had getuurd naar dat azuurblauwe gewelf – met alle opwinding en zenuwen van haar eerste bezoek aan Ashton. Ze was aan komen rijden in haar eigen auto, maar toen het huis eindelijk voor haar opdoemde werd ze bevangen door twijfel. Zelfs toen al had ze zich afgevraagd of dit enorme huis ooit haar thuis kon zijn.

Bij haar eerste bezoek was ze precies op tijd voor de thee, een tamelijk chaotische bedoening, met veel andere gasten die ze niet kende en een korte ontmoeting met Thomas' vader, die haar met verontrustende directheid had aangekeken, terwijl zijn moeder een vage en afwezige indruk maakte.

Een dienstmeisje legde haar kleren voor haar klaar terwijl ze een bad nam. Dat had ze nog nooit meegemaakt. Ze herinnerde zich de bruine strepen die het turfachtige water in de ouderwetse badkuip had achtergelaten. Toen ze alleen was in haar kamer kleedde ze zich met zorg aan: ze wilde er elegant, maar niet te ingetogen uitzien. Toen ze haar haar opstak, trilden haar handen van de zenuwen en ze kon zich er niet eens toe zetten naar haar eigen verschijning in de spiegel te kijken. Dus haalde ze diep adem en liep voorzichtig de grote mahoniehouten trap af naar de borrel.

Door de deuropening van de salon viel haar oog precies op Thomas, onberispelijk in zijn smoking. Ze aarzelde even, maar was opgelucht toen hij haar met kennelijk genoegen binnen zag komen. Plotseling voelde ze zich beter op haar gemak in haar lange strakke jurk.

Maar het diner was een regelrechte bezoeking.

'Whitby is gesticht door de benedictijnen,' onderwees Thomas' vader haar bij de fazant, 'maar de andere grote abdijen hier in de omgeving – Rievaulx, Jervaulx, Byland, Fountains – waren natuurlijk allemaal van de cisterciënzers.'

Natuurlijk. Ze wist niets over de kloosters van Yorkshire en kreeg algauw pijn in haar kaken van het glimlachen en knikken naar haar gastheer, zonder zelf ook maar iets te berde te kunnen brengen. Misschien omdat ze aan tafel zo tekort was geschoten deed ze de hele nacht nauwelijks een oog dicht. Ze begroef haar hoofd in een muf kussen en wilde dat ze naar huis kon.

De volgende dag wachtte haar een nog grotere beproeving, toen Thomas haar een rondleiding gaf door het huis en de tuinen. Ze was alleen met de man van wie ze hield en toch wist ze nauwelijks iets te zeggen. Er kwam geen gedachte, geen observatie, geen woord in haar op.

'Het weer is zo teleurstellend deze zomer. Al die regen.'

'In Berlijn hebben we meer geluk gehad.'

'Berlijn, daar zou ik best eens naartoe willen.'

'Het is geen mooie stad, maar wel inspirerend – er werken daar een paar inventieve nieuwe architecten.'

Geen uitnodiging om hem op te zoeken op zijn ambassade. Misschien had hij zich bedacht, nu hij wist dat ze niets te melden had.

Hun hakken echoden door de lange gangen. In de Marmeren Hal weerklonk het geluid van deuren die geopend en gesloten werden. Ze was bang dat de schilderijen aan de muur dwars door haar heen keken. Thomas was intussen charmant en voorkomend. Hij wandelde naast haar, maar net niet zo dichtbij dat hun handen elkaar raakten. Ze genoot van de elegante souplesse waarmee hij liep.

Tijdens de lunch gedroegen zijn ouders zich nog steeds afstandelijk.

'Cumberlandsaus is zo heerlijk fris bij lamsvlees, vindt u niet?' merkte Miriam Ashton op. 'Hoe staat u tegenover Ramsay MacDonald? Hier in Ashton lopen we met hem weg, omdat we vinden dat hij het platteland echt begrijpt,' ging ze verder, over de schouder van Elizabeth pratend. Kennelijk verwachtte ze geen antwoord.

Na afloop hield een aanhoudende motregen Thomas en Elizabeth binnen. In de salon doodden ze de tijd met een legpuzzel van een schilderij van Turner, totdat de sombere lucht eindelijk openbrak en een bleek zonnetje de regen verdreef. Thomas stelde een wandeling voor en nam haar mee naar buiten langs de verhoogde gazons, waar het zachte ruisen van de bomen de ongemakkelijke stiltes in hun conversatie verhulde.

Uiteindelijk voelde Elizabeth de afstand tot haar uiterst formele gastheer kleiner worden. Bij de sierlijke Ionische tempel, boven de klaterende rivier, merkte ze dat Thomas iets dichter bij haar kwam staan.

'Wat een prachtig uitzicht,' zei ze met overtuigend enthousiasme, zich bewust van een plotseling oplevende geestdrift van de kant van Thomas. Meer dan korte, vormelijke gemeenplaatsen had ze niet te bieden. Thomas stond doodstil en staarde naar de rivier onder hen.

'Dit is mijn favoriete uitzicht,' sprak hij met bezieling.

In paniek staarde Elizabeth naar het land dat zich voor hen uitstrekte. Ze begreep dat hij erachter wilde komen of ze ook van deze plek kon houden. Of die haar net zo diep ontroerde als hem. Het tafereel zei haar weinig: het was een mooi, maar niet echt opzienbarend landschap, dat ze nauwelijks in zich op kon nemen. Terwijl ze haar blik op het uitzicht gericht hield, merkte ze dat Thomas haar van opzij gadesloeg. Ze bleef staan wachten, zich sterk bewust van het paar ogen dat op haar gericht was, en kon haar eigen hartslag horen. Uiteindelijk wendde ze zich ook naar hem toe.

Wat ze zag deed haar hart overslaan. In het meest liefdevolle gezicht dat ze ooit had gezien brandden twee ogen van angstige hoop. Hij boog zich voorover, met zijn vingers uitgestrekt om haar bij haar schouders vast te pakken. Zijn van spanning vertrokken gezicht kwam dichterbij, zijn ogen doorboorden haar en zijn mond opende haar lippen. Ze kusten elkaar met hun lichamen tegen elkaar aan gedrukt. Toen liet ze haar hoofd op zijn schouder rusten en gaf ze zich over aan zijn omhelzing. Binnen in haar kolkte en woelde het, en een verrukkelijke verwachting van liefde doorstroomde haar.

Toen ze zijn blik weer durfde te beantwoorden, raakte hij met één hand haar kin aan en keken ze elkaar in de ogen: ze hadden elkaar gevonden.

Ze bleven eindeloos wandelen, lachend, zoenend, elkaar omhelzend, langs de tennisbaan, de oranjerie en het meer, terwijl de zon met grote gouden stralen tussen de donkere wolken door scheen.

Toen ze weer naar binnen gingen om thee te drinken, straalde het geluk van hen af. Ze spraakelden van blijdschap met elkaar. Het was zichtbaar voor iedereen in de salon en Thomas' vader gaf hun in stilte zijn zegen.

De zondag verliep loom en ontspannen. Na een dienst in de kapel roeide Thomas Elizabeth rond op het meer. Hun vingertoppen streken langs elkaar en ze kusten elkaar herhaaldelijk. Elizabeth voegde zich naar Thomas' nadrukkelijk eerzame avances; hoewel ze ernaar verlangde hem verder aan te raken, hield ze zich in.

Eindelijk nodigde Thomas haar uit om hem in Berlijn op te

komen zoeken. Verzekerd van het vooruitzicht van een twee-de ontmoeting was Elizabeth er klaar voor om te vertrekken. Toen ze na de thee de lange terugreis naar Londen aanvaard-de, voelde ze met zekere opluchting de spanning uit haar lijf vloeien. Er was genoeg liefde geweest voor één weekend. Ze wilde hem niet kwijtraken door te hard van stapel te lopen.

Ze droeg het beeld met zich mee van Thomas op de trap-pen van Ashton Park, met zijn armen ten afscheid geheven. Hij stond met zijn schouders naar achteren in een houding van ontspannen zelfverzekerdheid. Dit is mijn huis en mijn hoop, leek zijn lichaam te zeggen.

Zelfs toen, op het moment van haar grootste euforie, had Elizabeth zich een tikje ongemakkelijk gevoeld, want ze be-sefte dat ze Thomas op slinkse wijze had ingepalmd. Zonder dat hij het doorhad, had ze zijn gevoelens geregisseerd. Hij dacht dat hij haar het hof had gemaakt, maar zij wist wel beter: ze had hem listig in het net van haar liefde verstrikt.

Maar nu, na al die jaren, werd haar schuldgevoel door iets anders opgeroepen: door het feit dat ze na al die moeite te hebben gedaan vervolgens haar liefde voor hem had laten wegsijpelen.

Soms zag ze Thomas aan de andere kant van de eetzaal met iemand staan praten en sloeg haar hart opeens over bij de aanblik van zijn glimlach. Dan herinnerde ze zich hoe hevig ze naar hem had verlangd voordat ze waren getrouwd. Maar ze wist dat het nu alleen nog maar een herinnering aan een gevoel was, niet het gevoel zelf.

13

Anna haastte zich om haar wekelijkse brief naar huis af te maken, omdat ze naar de schommel wilde. Er was maar één schommel in de tuin, die aan een knoestige boom op het grote gazon hing. De kinderen moesten er doorgaans in de rij staan tot ze aan de beurt waren, maar Anna zag door het raam van de bibliotheek dat er nu niemand op zat.

Ze rende naar buiten en installeerde zich op het houten plankje. Ze had nog maar tien minuten voor de middaglessen begonnen, dus zwaaide ze zo hard mogelijk met haar benen om in een ritme te komen. Hoger en hoger duwde ze zichzelf door de lucht, tot ze echt leek te vliegen.

Schommelen, schommelen, heen en weer,
hoger, hoger, keer op keer...

Ze zong graag haar eigen liedjes op de schommel, liedjes die haar moeder thuis op de piano speelde. Maar na een tijdje gaf ze zich helemaal over aan de beweging van de schommel en keek ze naar de hemel die op haar af kwam stormen, net zolang tot ze er duizelig van werd. Daarna liet ze zich achter-overhangen om de wind door haar haar te voelen stromen.

Pas toen ze vaart minderde hoorde ze een onverwacht ge-luid. Een zacht geratel, een ruisend gefluister, maar met een muzikale klank, als een windgong. Ze sprong van de schom-mel en liep op het geluid af. Ze volgde de rand van het bos naar het verhoogde gazon erachter, totdat ze de bron van het geritsel bereikte. Een groepje ranke bomen met een lichte bast. En kleine trillende blaadjes – sommige nog zilvergroen, andere al herfstgeel.

Dat moeten de espen zijn, dacht Anna. Bibberbomen die hun eigen muziek konden maken. Ze stopte een paar espenblaadjes in de zak van haar tuniek en rende terug naar de klas.

De vorige dag nog had juffrouw Weir hen mee naar buiten genomen om herfstbladeren te verzamelen voor hun natuurplakboeken. Eiken, iepen, esdoorns, zilverberken. Toen ze terugkeerden naar hun klaslokaal werden ze begroet door meneer Ashton.

'Hebben jullie nog iets interessants gevonden?'

Anna bleef staan om hem haar geplette bladeren te laten zien.

'O, maar hebben jullie de espen al gevonden?' vroeg hij haar speels.

'Nee, meneer, wat zijn dat?'

'De allervreemdste bomen in het park. Rank en zilvergroen. Als de wind door hun blaadjes waait, maken ze een heel speciaal soort muziek. Ze zingen.'

'Waar kan ik ze vinden?'

'Ga op je gehoor af. Wacht tot het een keer flink waait en dan hoor je ze wel.'

'Kom je, Anna?' riep juffrouw Weir naar haar en terwijl Anna naar de klas liep, vroeg ze zich af of hij haar in de maling had genomen.

Maar nu kon ze hem de blaadjes laten zien. Ze wachtte tot de Latijnse les was afgelopen, een rustig moment waarop iedereen thee ging drinken.

'Hier zijn ze, meneer. Espenblaadjes.'

Hij was opgetogen over haar vondst, dat zag ze wel, dus gaf ze hem een paar blaadjes.

'Hoe heb je ze zo snel gevonden, Anna?'

'Ik ging op mijn gehoor af, precies zoals u zei.'

'Dat espenbosje was een van mijn favoriete plekken toen ik zo oud was als jij. Maar het valt maar weinig mensen op, dus je moet het aan niemand doorvertellen,' zei hij met een glimlach, waarna hij wegreed in zijn rolstoel.

Anna ging terug naar haar schoolbankje en stopte trots het

enige blaadje weg dat ze zelf had gehouden. Als ze ooit de andere kinderen wilde ontlopen, had ze nu haar eigen plekje om naartoe te gaan.

14

Toen Thomas die avond met Elizabeth in hun zitkamer zat, voelde hij iets in zijn zak. De espenblaadjes. Hij legde ze op een bijzettafeltje.

'Ben je bladeren aan het verzamelen?' vroeg zijn vrouw.

'Gewoon gekregen van een van de kinderen.'

'Je bent maar populair, tegenwoordig,' kwam Elizabeths zure antwoord, terwijl ze opstond om een asbak te pakken. Ze had meteen spijt van haar toon. Soms kon ze haar man niet uitstaan, puur vanwege het venijn dat hij in haar opriep.

Thomas negeerde de sneer en richtte zich weer op zijn boek, een roman van Henry James. Maar dat vergde concentratie en Thomas' aandacht werd afgeleid door zijn vrouw die door de kamer liep.

Hij bedacht dat de gestage afbrokkeling van hun huwelijk grotendeels een ondoorzichtig, cumulatief proces was, maar dat er toch een reeks onfortuinlijke momenten viel aan te wijzen die misschien anders hadden kunnen verlopen. Die waren net zo goed zijn schuld als de hare. Er waren zo veel gelegenheden geweest waarbij hij een gebaar van toenadering had kunnen maken, door Elizabeth over haar wang te strelen of in de ogen te kijken. Een gebaar om haar hart te beroeren. Maar hoe vaak had hij niet geweigerd naar haar te kijken en gehoor te geven aan haar stille roep om aandacht. Dan saboteerde hij haar avances, omdat hij zich in zijn toestand te stumperig voelde om een minnaar te zijn.

Thomas wist dat hij haar te vaak had buitengesloten.

Zoals op dit moment, bijvoorbeeld, nu hij hier in de kamer zat te lezen terwijl Elizabeth over de telefoon met haar moeder sprak. Hij keek naar haar en zag dat ze heel mooi was. Zijn vrouw. Ze legde de telefoon neer.

'Elizabeth?'

Ze zocht zijn ogen. Heel even stelde ze zich voor hem open,
maar hij wachtte te lang.

'Alles goed met je moeder?'

'Ja hoor, prima.'

'Fijn om te horen.'

Hij aarzelde. Ze wachtte of er nog meer kwam, maar nee.
Hij reed naar de boekenkast en veinsde een plotselinge belangstelling voor een rijtje Franse klassiekers.

Waarom kon hij niet tegen haar zeggen dat ze mooi was?
Zijn benen waren verlamd, maar zijn tong toch niet?

Hij bladerde door een boek dat hem helemaal niets zei. Ze
liep langs hem heen, de kamer uit. Ashton was een huis waar
je elkaars stiltes kon vermijden door eenvoudigweg naar een
andere kamer of verdieping te gaan.

Ze schonk zichzelf wat te drinken in en ging in haar eentje
in hun slaapkamer zitten.

Thomas pakte zijn roman weer op. Tegenwoordig had hij
zo zijn eigen strategieën om zich te vermaken: muziek, lezen,
naar de radio luisteren. Maar soms veroorloofde hij het zich
de pijnlijke compromissen van zijn huwelijk onder ogen te
zien. Twee beschadigde mensen bij elkaar, tussen wie nauwelijks een woord werd gewisseld.

Hij had gehoopt dat het initiatief van deze school de liefde
tussen hen zou doen opbloeien, maar misschien was het gewoon weer een schijnbloei. Geen van beiden leek momenteel
in staat tot enige vorm van spontane intimiteit. Er was altijd
die afstand in haar ogen. En in de zijne.

Hij wist dat hij met zijn handicap een kat in de zak was
gebleken, maar hij voelde dat er meer speelde bij haar. Al
zo lang als hij zich kon herinneren had hij moeite gehad met
de kunst van het liefhebben. Hij wist niet of het kwam door
zijn stijve opvoeding of door de dood van zijn broers en zus
waardoor hij innerlijk was verhard, maar hij wist dat hij nog
steeds niet in staat was zich emotioneel helemaal te geven.

Hij herinnerde zich dat Norton hem, toen hij nog maar net

bij Buitenlandse Zaken werkte, geruststelde dat hij een geboren diplomaat was. 'Omdat je alle kanten van een zaak kunt zien zonder er zelf een te kiezen,' had hij gezegd, alsof het een deugd was om je op de vlakte te houden. Niettemin had Thomas zijn bedenkingen over zijn eigen afstandelijkheid.

Hij dacht terug aan zijn jongere ik, toen hij in Oxford ging studeren en voor het eerst met meisjes omging. Hij herinnerde zich de muziek die op zaterdagavonden door de universiteitsgebouwen schalde en zomerfeesten in vochtige, zonbeschenen tuinen. Hij droeg toen de nieuwe kleren van die tijd: flodderbroeken en truien met een decoratief patroon. Er verschenen steeds meer moderne meisjes, die sigaretten rookten en uit dansen wilden. Maar zijn hart was al die tijd onberoerd gebleven: alle meisjes hadden wildvreemden geleken.

Hij was alle intimiteit uit de weg gegaan en had zich teruggetrokken in de vergeeflijke eenzaamheid van de Bodleian Library, waar hij verwaarloosde boeken van de plank haalde. De oude dichters hadden hem als student klassieke talen onverwachte troost geboden; hun stoïsche lijdzaamheid verzachtte iets van zijn pijn, alsof alle recente sterfgevallen in zijn familie slechts een voorbijgaande schaduw waren vergeleken bij hun epische smart.

Iam seges est ubi Troia fuit.

'Waar ooit Troje stond, groeit nu het koren.' In Ovidius' verzen herleefden de verdwenen sporen van een menselijke glorie die groter was dan alles wat het heden te bieden had. Vaak had hij, als hij zat te broeden op de betekenis van een regel, het gevoel gehad dat hij de ongrijpbare glans van het verre verleden bijna binnen handbereik had.

Thomas had zijn leesvoer van die avond intussen weggelegd en zichzelf in plaats daarvan een whisky ingeschonken. De alcohol had al snel een ontspannend effect en herinnerde hem eraan dat hij niet altijd een eenzelvige boekenwurm was geweest, maar dat er ook andere versies van zijn verleden waren. Hij dacht terug aan zijn jaren als beginnend diplomaat in het Berlijn van de Weimarrepubliek. Zo formeel als de ambassade was geweest, zo bandeloos was de stad. Al zijn beschaafde vooroordelen waren er binnen de kortste keren ontkracht.

Hij had geluk gehad met zijn aanstelling. In de glazen huizen van Oxford en Londen was hij altijd vreselijk op zijn hoede geweest, maar omringd door buitenlanders, in de turbulente sfeer van de Weimarrepubliek, had hij zich eindelijk vrij gevoeld om te experimenteren.

Hij had alle mogelijke theaters bezocht. In de Wintergarten en de Metropol zag hij de buitensporige vertoningen van danseressen met blote benen – maar toen nam een losbandige jonge Duitse diplomaat, Max, hem mee naar minder fatsoenlijke cabaretclubs: de Weisse Maus en zijn rivaal de Schwarzer Kater.

Aarzelend waagde Thomas het de verslindende blikken te beantwoorden van vrouwen in zedeloze kroegen en ontdekte hij de bekoring van ontmoetingen met onbekenden. Hij volgde zelfs Max' voorbeeld en ging met een heupwiegende prostituee mee naar een appartementencomplex. Zonder de mysterieuze schaduwen van de straatlantaarns zag ze er plotseling oud uit en de huid van haar hals was slap. Maar Thomas was te galant om de schijn van verleidelijkheid te doorbreken die het arme mens wel op moest houden. Dus beleefde hij zijn eerste seksuele ervaring op het smalle bed van een oudere vrouw in een kamer die naar kool en haring stonk. Ze kusten elkaar niet, keken elkaar niet eens aan, en het was één grote vergissing, een daad van bizarre weerzin. Niettemin maakte de schokkend intieme aanblik van de weerloze naaktheid van een vrouw iets wakker in Thomas.

Deels afgestoten en deels aangetrokken door nieuwe sensaties kreeg hij de smaak van het cabaretwereldje goed te pakken. Hoewel de vrouwen die hij in bars tegenkwam naar sigaretten stonken en hun kleren er smoezelig uitzagen, wonden hun uitgelopen make-up en onverbloemd seksuele bedoelingen hem op.

Niettemin bewaarde hij altijd een zekere afstand. Totdat hij op een avond na afloop van een Beethovenconcert tijdens een diner aan tafel kwam te zitten naast de vijftigjarige echtgenote van de Oostenrijkse ambassadeur. Hun eerste gesprek was bedrieglijk formeel, op het banale af.

'Ik ben Margarete,' zei ze tegen hem. Ze hield haar gezicht – een innemend en intelligent gezicht, viel hem op – een beetje schuin.

'Bent u geïnteresseerd in muziek?' vroeg hij beleefd.

'Maar natuurlijk. Ik ben opgegroeid in Salzburg, naast het huis van Mozart.'

'Ik vrees dat ons land niet zulke grote componisten heeft als het uwe.'

'O, maar Londen heeft zo veel andere dingen te bieden. Dat mist u zeker wel?'

'Op het moment heb ik het te druk met Berlijn ontdekken...'

'Zo'n aantrekkelijke jongeman als u heeft vast een paar smachtende harten in Londen achtergelaten.'

Margarete sprak met zulk welgemeend medelijden dat Thomas plotseling verlegen werd en zich tot de gast aan zijn andere kant wendde. Maar al na een paar minuten richtte hij zich opnieuw tot haar om het gesprek voort te zetten.

Margarete was zelfverzekerd, een vrouw van de wereld, met een fiere houding en een sensuele elegantie. Met een Duits accent vroeg ze Thomas naar zijn leven in Londen en ze verwonderde zich over zijn formele gekeuvel. Hij was intussen gevleid door haar hartelijke belangstelling. Tot de laatste gang weerstond hij het oogcontact waarmee ze hem het hof maakte, maar uiteindelijk was hij betoverd door haar warmte en de gloed van begeerte in haar ogen.

Het drong tot hem door dat ze vastbesloten was hem te

verleiden. Met de manier waarop ze naar hem keek had ze overduidelijk laten doorschemeren dat er een relatie mogelijk was en voor het eerst van zijn leven vroeg hij zich bij een vrouw af hoe het zou zijn om haar in zijn armen te houden. Hij wilde haar weer zien. Hij wilde haar aanraken – de weelderigheid van haar overrijpe lichaam.

Ze zagen elkaar van tijd tot tijd bij cocktailparty's in het Adlon en bij recepties op de ambassade. De Oostenrijkse ambassadeur vond de beleefde jonge Engelsman een fantastische kerel. Bij elke gelegenheid bedacht Margarete een manier om nog heviger met hem te flirten: met haar ogen, met een kneepje van haar met ringen beladen hand, of met haar wiegende heupen als ze op hem af kwam of van hem weg liep.

Op een avond, in de tuin van de Belgische ambassade, zagen ze elkaar voor het eerst alleen.

'Ik heb aan je gedacht, Thomas,' zei ze. Haar gezicht was ontspannen, geamuseerd.

'Ik denk aan niets anders meer dan aan jou,' zei hij tegen haar, met een gepijnigde blik van verlangen. Ze keek hem teder aan en liet hem weten waar hij moest zijn en hoe laat.

Hij arriveerde met een bos bloemen op het opgegeven adres. Een norse huisbazin leidde hem de trap op naar een kamer waar een vleugel stond en Margarete op hem wachtte. Ze gaf hem champagne en nam hem mee naar de aangrenzende slaapkamer. De zware gordijnen zaten dicht, hoewel het nog vroeg in de middag was. Het licht was er schemerig, met een straaltje zon dat door een kiertje tussen de gordijnen scheen.

Ze keek hem aan en nam hem in haar armen. Ze onderbraken hun omhelzing alleen om elkaar te kussen en Thomas voelde haar begeerte in de glibberige gretigheid van haar tong. Hij trok haar jurk en vervolgens haar korset uit en zag haar lichaam naar voren tuimelen. Ze droeg alle kenmerken van een vrouw van middelbare leeftijd – zware borsten en zwangerschapsstriemen – maar elke onvolkomenheid wond hem alleen maar meer op. Ze trok hem op bed en omstrengelde hem met liefdevolle armen. Hij zag de blik van tederheid in haar ogen en hoorde haar zachte, troostrijke stem. Al die jaren op de kostschool waarin hij zijn moeder had moeten missen vervlogen op het moment dat hij in haar gleed. Toen de tijd daar was, was haar kreet van ontlading het meest intieme geluid dat hij ooit had gehoord.

Na afloop begroef hij zijn gezicht tussen haar borsten. Ze streelde hem en mompelde lieve woordjes in het Duits. Hij genoot van haar zachte handen, maar zelfs toen ze bij elkaar lagen, bleef een deel van hem niet-verbonden; dit was geen liefde, wist hij. Dit was een ontlading van zondige passie.

Toch voelde hij wel degelijk tederheid voor Margarete – een nieuw gevoel, dat hij koesterde.

Hun verhouding duurde zes maanden. Hij vond het heerlijk om op feestjes haar volmaakt kalme gezicht te zien, stijlvol opgemaakt boven haar strak in het korset geregen bovenlijf en haar chique outfit, terwijl hij haar volledig naakt kende, met gespreide benen en ongebreidelde borsten. Hij vroeg zich bezorgd af of er iets ongezonds was aan zijn seksuele neigingen, aan die merkwaardige hunkering naar liederlijkheid in vrouwen.

Maar zijn bedenkingen deden opeens niet meer ter zake toen haar man werd overgeplaatst naar Rome. Ze hadden gemengde gevoelens over hun afscheid, omdat hun eerste lust bijna was bevredigd en er aan beide kanten onuitgesproken reserves de kop opstaken. Maar zij wilde per se nog een laatste losbandige liefdesavond samen en die stelde hen allebei gerust.

Thomas probeerde zich Margarete weer voor de geest te halen, en hun intieme middagjes samen. De overgave waarmee ze van zijn jonge lichaam had genoten deed hem even huiveren, omdat hij zich realiseerde hoe erg ze het zou vinden als ze hem nu zo slap en krachteloos in zijn stoel zag zitten. Hij hoopte dat haar nooit ter ore was gekomen wat er met hem was gebeurd, want hij wilde dat er ergens nog iemand rondliep met een duidelijke herinnering aan hem zoals hij vroeger was. Hij was nu dankbaar voor de gedachte aan haar kritiekloze liefde.

Ze had hem een telegram gestuurd om hem te feliciteren met zijn verloving, herinnerde hij zich. Hij had getwijfeld of hij haar zou uitnodigen voor zijn bruiloft, maar had besloten het niet te doen, omwille van Elizabeth. Hij wilde geen afleidingen.

Plotseling kwam er een beeld van zijn trouwdag boven: Elizabeth die met een stralend gezicht in haar ivoorkleurige zijden jurk naar het altaar liep. Hij herinnerde zich dat hij tranen in zijn ogen had gekregen toen hij haar op hem af zag schrijden; ze zag er zo gelukkig uit. Na al die jaren van emotionele afstandelijkheid was er een nieuw gevoel in hem opgeweld toen hij zijn huwelijksbelofte deed. Dus dit is liefde, had hij gedacht. Eindelijk.

En toch werd hun huwelijk gevolgd door een periode van ongeluk en tegenspoed. Toen ze een paar weken later op huwelijksreis rond de Italiaanse meren reden, ontvingen ze een telegram met het bericht dat zijn vader was overleden aan een hartaanval.

Thomas had nog maar net zijn vader begraven en zich met zijn bruid in Berlijn gevestigd, of de briljantste staatsman van de Republiek, Gustav Stresemann, kreeg een beroerte en stierf kort daarop.

'Duitsland heeft de enige leider verloren die het land van de ondergang kon behoeden,' sprak de ambassadeur zijn personeel somber toe. Drie weken later crashte de beurs van Wall Street en werd de hele wereld in een crisis gestort.

De voortekenen van hun huwelijk waren nooit gunstig geweest, bedacht Thomas. Maar toen hij de lampen uitdeed en naar hun slaapkamer reed, weigerde hij de hoop op te geven en te aanvaarden dat ze elkaar voorgoed kwijt waren. Misschien dat ze elkaar, met hun nieuwe gezamenlijke werk hier, op den duur konden terugvinden.

Toen hij de slaapkamer in reed, zag hij opgelucht dat Elizabeth al sliep. Morgenochtend zou hij proberen weer toenadering te zoeken.

15

In november ging het stevig vriezen en voordat het personeel het kon verbieden, gleden de meest roekeloze kinderen al op rieten stoelen over de dikke ijslaag op het meer. Ze hadden één dag vrij spel voordat het bevroren meer tot verboden terrein werd verklaard.

Buiten schooltijd zwierven de evacués uren rond in het park, zodat ze altijd vieze modderschoenen hadden. Anna vond het leuk om door de bladeren te schoppen, maar ze vroeg zich wel af of ze nog veel langer in Ashton zou moeten blijven.

Aan de rand van het speelveld stond een sombere eik die een keer door de bliksem was getroffen. Zijn verkoolde takken reikten omhoog alsof hij een gebed tot de hemel richtte. De kinderen speelden er vaak tikkertje, maar het kale silhouet van de boom raakte een zekere snaar bij Anna. Ze werd er altijd een beetje stil van, totdat ze op een gegeven moment een steek van heimwee voelde.

Haar volgende brief naar huis was iets minder opgewekt dan gewoonlijk.

Toen ze hem las, vroeg Roberta zich af of ze haar dochter niet toch terug moest laten komen, zolang Londen nog veilig was. Elke avond speurde ze de hemel af naar bommenwerpers en wachtte ze op apocalyptische luchtaanvallen, maar er gebeurde niets. De melk werd bezorgd, ze ging naar haar werk, de BBC zond muziek uit, en toch... Londen was op zijn hoede.

'Er gaan zeker bommen vallen,' waarschuwden de kranten. Roberta herinnerde zichzelf eraan dat haar dochter in haar brieven nu ook weer niet ongelukkig klonk. Misschien was het toch maar beter om haar te laten zitten waar ze zat, besloot ze, terwijl ze de blouse streek die ze die ochtend wilde aantrekken.

Ze miste haar dochter elke dag. Maar ze begon ook te genieten van de verrassende smaak van een ander leven. Ze stonden nu allemaal op hun eigen keerpunt en telkens als ze op straat liep, voelde ze dat er elk moment iets kon gebeuren. Roberta kwam oorspronkelijk uit Galway en zo nu en dan vroeg ze zich af of de veranderlijke luchten van de Ierse westkust haar helderziende krachten hadden gegeven, want ze voelde soms de gedachten en stemmingen van andere mensen. Daardoor kon ze heel snel contact leggen met onbekenden. Ze kon haar vrienden op straat laten dansen, zo levendig was ze, zo vol energie.

Ze was als kind naar Fulham gekomen, nadat haar moeder Iris, een weduwe, werk in de buurt had gevonden als dienstmeisje in een groot huis in Chelsea. Iris zorgde ervoor dat ze haar dochter zelfvertrouwen en blijmoedigheid bijbracht, en soms hielp Roberta haar om de parketvloeren te boenen in het huis dat de familie Wyndham in de Boltons had.

Ze vond het heerlijk om daar te zijn. De grote schuiframen keken uit op vierhonderd hectare gazons en rozen, en de lichte ontvangkamers hadden de geverniste glans van oude schilderijen en antieke meubels. Ongemerkt ontwikkelde Roberta een liefde voor mooie dingen. Ze zorgde altijd dat haar nagels schoon waren, dat haar haar netjes zat en haar schoenen gepoetst waren. Als ze ooit gasten ontmoette, viel het haar op dat ze goedkeurend naar haar keken. Omdat ze van nature goede manieren had.

Op haar tweeëntwintigste vond ze werk bij een familiebedrijfje in Fulham Broadway dat meubels restaureerde. Ze was vaardig met haar handen en dankzij haar ervaring aan haar moeders zijde in de Boltons had ze een goed oog voor antiek. De eigenaar ontdekte algauw haar bijzondere sociale vaardigheden en Roberta werd snel klaargestoomd om klanten te woord te staan. Ze ging naar grote huizen en bekeek wat er moest gebeuren. Als het werk ter plekke gedaan kon worden, werd ze eropuit gestuurd om lagen vernis of leer te vervangen op oude bureaus en tafels in kamers met hoge plafonds, waar ze in haar eentje zat te werken te midden van breekbare, peperdure antieke spullen.

Al in de eerste week liet Lewis, de zoon van de baas, zijn oog op Roberta vallen. Hij voelde zich aangetrokken door de manier waarop ze in haar eigen leven geloofde. Ze had stijl en flair en een passie voor dansen. Hij nam haar zo vaak mee uit als het haar beliefde en danste met haar tot zo laat als ze wilde. Ze keek in zijn ogen en zag zijn vastberaden toewijding: hij was romantisch genoeg om haar afwijzing te riskeren.

Met zijn emotionele standvastigheid won hij haar voor zich. Ze trouwde met hem, en hun kind – Anna – werd kort daarna geboren. Roberta bloedde hevig bij de bevalling en kreeg te horen dat verdere zwangerschappen risicovol zouden zijn. Maar beide ouders waren dolblij met hun dochter.

Ze gingen in een klein rijtjeshuis in Fulham wonen en Iris gaf hun een geliefkoosde oude piano cadeau. Roberta richtte al haar hoop en verwachtingen op Anna. Ze wilde haar eigen levenslust en geestdrift op haar dochter overdragen. Ze leerde haar pianospelen en danste met haar door de straat. En wat nog belangrijker was: ze leerde haar plezier te hebben. Dat was Roberta's talent.

Maar nu Anna en Lewis er niet waren, had Roberta's talent voor geluk geen publiek. Haar werkende leven werd voortgezet, maar voelde onecht. Wat had het voor zin om meubels te restaureren in huizen die binnenkort door Duitse bommen konden worden weggevaagd?

Voorlopig was het telkens nog vals alarm. Geen vliegtuigen, geen bommen, niets dan zandzakken, lege straten en luchtaanvalsoefeningen. Verduisteringsgordijnen en eenzaamheid. Roberta lag op haar bed en sloeg haar benen om de lakens. Ze dacht aan haar man, met zijn keurig geknipte haar en zijn voorzichtige gebaren. Ze voelde tederheid voor hem, en trouw en familieliefde. Maar weinig hartstocht. Ze was fysiek in de bloei van haar leven en kon het niet helpen dat ze naar een nieuwe man in haar leven verlangde – een man met passie, die spontaner was dan Lewis.

's Morgens ging ze op weg naar Regent's Park, om een tafel te restaureren in een van de herenhuizen daar. Ze kwam bij de zuilenrijen van de Outer Circle, waar de huizen onder de bewolkte hemel een spookachtige ivoren gloed afgaven.

Ze trok aan de deurbel en een weinig toeschietelijke dienstbode bracht haar naar de zitkamer. Daar stond de tafel: walnoot met ingelegd koper. Jarenlang zonlicht door de langwerpige ramen had het hout een beetje kromgetrokken en de bronzen versieringen staken uit de groeven. Ook ontbraken er een paar hoekjes vernis. Roberta ging aan de slag met haar gereedschapskist, haar tang, haar lijm en haar stukjes hout in alle mogelijke kleuren en maten.

Wat was dit enorme huis vreselijk leeg. De enige geluiden kwamen van een tikkende klok en een enkele auto die voorbijreed. Roberta keek door het raam naar Regent's Park: de muziektent, de lege grasvelden, de bomen waar niemand plezier van had. Het spiegelmeer, zo stil en onbewogen. Ze voelde een steek van eenzaamheid, alsof ze ver verwijderd was van alles en iedereen: van haar man, haar dochter, haar eigen leven.

Ik ben te veel alleen, dacht ze bij zichzelf. Ze maakte haar werk zo snel mogelijk af, popelend om te vertrekken uit dit stille huis. Toen ze de straat op liep, vermeed ze het park omdat het er zonder kinderen te melancholiek uitzag en sloeg in plaats daarvan Park Crescent in, in de richting van Oxford Circus.

'Roberta!'

Ze draaide zich om en zag Martha Cox staan, die ze nog kende van het buurtgebouw waar ze in haar verlovingstijd altijd ging dansen.

'Ik werk hier om de hoek bij de BBC, in dat gebouw dat eruitziet als een oceaanschip,' vertelde Martha haar.

'Wat doe je daar dan?'

'Archieven sorteren. Hun kasten puilen uit van de opnames. Maar waarom kom je niet ook bij ons werken? Er is net een meisje weg dat dienst heeft genomen bij de marine.'

Terwijl ze verder babbelden, sprong Roberta's hart op bij de kans om iets anders te doen: iets wat – al was het dan heel in de verte – verband hield met de oorlog. Tafels restaureren in lege huizen leek al met al minder nuttig dan dansplaten sorteren voor een noodlijdend en dankbaar land.

De vrouwen liepen gearmd naar de ontvangstbalie, waar Roberta een afspraak maakte voor een sollicitatiegesprek.

Ze hoopte dat haar schoonvader er begrip voor zou hebben; hun bedrijf kreeg tenslotte steeds minder opdrachten. Ze had ook haar eigen behoeften, al gaf ze die nauwelijks toe tegenover zichzelf. Iets in haar verlangde naar opwinding en verandering en nu werd deze kans haar in de schoot geworpen. Het begon steeds meer bij haar te kriebelen. Een ongedefinieerde romantische hoop. Ze moest zich inhouden om niet elke man die ze tegenkwam aan te kijken, voor het geval haar blik werd beantwoord. Ze wilde haar huwelijk of gezin niet in gevaar brengen, maar ze kon het niet helpen dat ze bij elke interessante onbekende die ze zag heel eventjes dacht aan nieuwe ogen, nieuwe liefde.

16

In de volgende brief van haar moeder las Anna dat ze nu oorlogswerk deed: een drukke baan bij de BBC. 'Dus jammer genoeg kan ik je voorlopig nog niet opzoeken. Maar ik vond het fijn je laatste brief te lezen, schatje. Je bent duidelijk heel gelukkig in Ashton Park...'

Het was een flinke domper voor Anna. Ze verlangde ernaar haar moeder te zien, en nu had ze niets anders in het vooruitzicht dan die eeuwige school.

Misschien kwam het door de teleurstelling dat ze dat weekend zo roekeloos was. Ze ging spelen met Billy en Euan, de jongens die altijd in de problemen zaten. Ze haalden haar over om met hen van de trapleuning af te glijden. Eerst namen ze stiekem wat bakplaten mee uit de keuken en toen liepen ze de trap bij het tekenlokaal op, die bekleed was met een versleten groene loper.

Billy was de eerste sleeër. Anna zag hem botsend tegen de muur naar beneden roetsjen en onder aan de trap van zijn bakplaat af vliegen.

'Dit is leuk!' riep hij en hij rende naar boven om nog een keer te gaan.

'Mijn beurt,' zei Anna. Ze haalde diep adem en sloot haar ogen. Met een flinke vaart bolderde ze naar beneden. Het was doodeng en ze werd onderaan van haar plaat af geslingerd, maar ze kwam goed terecht en de jongens klapten toen ze opstond.

De drie roetsjten om beurten naar beneden, steeds ietsje sneller. Euan, die doorgaans niet erg spraakzaam was, zette het zelfs op een joelen, totdat juffrouw Harrison op zijn kreten afkwam.

'Willen jullie daar onmiddellijk mee ophouden!' Ze was des duivels. Haar hele gezicht was verwrongen en ze knipperde nog erger met haar ogen dan anders. Ze ging als een furie tegen hen tekeer over het gevaar van gebroken benen en nekken en voerde hen vervolgens af om hun straf in ontvangst te nemen.

Anna en de jongens volgden haar in stilte, bang voor wat hun te wachten stond. Maar ze hadden geluk: meneer Stewart had een vrije dag en dus werden ze naar de studeerkamer van meneer Ashton gebracht.

Toen ze zijn kamer binnenliepen, zat hij achter zijn bureau. Hij reed naar voren om hen toe te spreken en nam daarbij het zwijgende drietal bedachtzaam op. Zijn kalmte maakte hen zenuwachtig: ze konden niet bepalen hoe kwaad hij was.

'Ik begrijp dat jullie een spelletje deden – maar wel een heel gevaarlijk spelletje.'

'Ja meneer, het spijt ons,' zei Billy boetvaardig.

Meneer Ashton zweeg even.

'Het klinkt heel inventief, daar wil ik niets aan af doen,' zei hij met een blik opzij. Toen keek hij hen een voor een recht aan en fixeerde hen met zijn ogen. 'Maar ik zou het heel erg vinden als jullie je bezeerden. Jullie moeten echt leren voorzichtiger te zijn. Jullie hadden wel een hersenschudding kunnen oplopen. Ik wil dat jullie me beloven dat je nooit meer zoiets doet, voor jullie eigen bestwil.'

Anna ontspande: hij was niet kwaad, alleen bezorgd.

'Dat beloven we, meneer,' flapte ze eruit. Hij knikte naar haar.

'Is dat wat er met u is gebeurd, meneer?' Euans vraag kwam zo plotseling dat Anna nauwelijks kon geloven wat hij had gezegd. 'Ik bedoel, was het... een ongeluk, meneer?' ging hij stamelend verder, wijzend op de rolstoel.

'Nee. Nee, het was niet zozeer een ongeluk,' zei Thomas, van zijn apropos gebracht. 'Ik ben op vakantie ziek geworden. Gewoon een kwestie van pech. Die dingen gebeuren helaas ook,' voegde hij eraan toe, met een zweem van een glimlach.

Stilte.

'Nou, vooruit, jullie kunnen gaan, maar wees alsjeblieft voorzichtig voortaan,' zei Thomas en de kinderen maakten zich uit de voeten.

Toen ze de deur achter hen dichtdeed, was Anna opgelucht dat ze mochten gaan en tegelijkertijd diep getroffen door wat meneer Ashton had gezegd. Een vakantieziekte?

17

Thomas was geschokt door de vraag van de jongen.

'Een van de jongens vroeg me vandaag naar mijn rolstoel,' vertelde hij Elizabeth tijdens het eten.

'Dat was brutaal van hem. Was hij onbeschoft?'

'Nee, gewoon nieuwsgierig.'

'Wat heb je tegen hem gezegd?'

Hij zweeg even.

'Ik zei alleen dat ik ziek was geworden op vakantie.'

Elizabeth voelde tranen in haar ogen opwellen en ze legde haar hand even op die van Thomas.

'Zit er maar niet over in, liefje,' zei hij tegen haar en even was er iets van tederheid tussen hen.

Het was al een tijdje geleden dat een van beiden Thomas' handicap ter sprake had gebracht. Maar hun vakantie in Brugge in de zomer van 1931 stond hun nog helder voor de geest.

Het was begonnen als een uitje voor Elizabeth. Thomas had te hard gewerkt op kantoor en wilde zijn vrouw verwennen met een korte vakantie in het buitenland.

Ze waren de laatste week van augustus in Brugge aangekomen, precies tijdens een hittegolf. De smalle, pittoreske straatjes waren geplaveid met kinderkopjes, en boven verborgen steegjes staken imposante torenspitsen de lucht in. Door hoge zware deuren waren ze de beroemde kerken in gegaan, waar ze zich verwonderden over de zee van licht en ruimte binnen de gebouwen, die van buiten zo compact leken. Er waren hoge gewelfde plafonds en er viel een wit noordelijk licht op de gebeeldhouwde pilaren en gepolijste vloeren. Alle geluiden klonken gedempt en ze raakten in een plechtige, verheven stemming.

Wat is ze mooi, dacht Thomas telkens als hij naar Elizabeth

keek in het gefilterde kerklicht. Haar kastanjebruine haar glansde stralend en hij zag in haar gezicht het tere ivoor van de middeleeuwse schilderkunst.

Na afloop liepen ze in de drukkende warmte door de smalle straatjes, die nu wemelden van de toeristen. Er hing een dreiging in de lucht, alsof er storm op komst was. Als het zwaard van Damocles.

Op zoek naar verkoeling maakten ze een boottochtje, maar het stilstaande water in de grachten stonk en kon geen verlichting brengen. Terwijl Thomas zijn vingers door het water liet glijden, merkte hij dat zijn keel een beetje rauw en geïrriteerd was.

Op hun tweede dag doken ze de musea in om de hitte te ontvluchten. Ze brachten uren door tussen de blauwe vergezichten van Hans Memling, serene Madonna's met feodale landschappen op de achtergrond. De schilderijen waren zo gedetailleerd, zo kristalhelder dat ze de sfeer van een droom ademden. De vreemde blauwe luchten leken Thomas te overspoelen en zijn geest trad steeds verder uit zijn lichaam, alsof hij rondzweefde in een onderwaterwereld van levendige kleuren, lijnen en texturen. Hij was ervan overtuigd dat hij de zijden plooien van de mantel van de Madonna kon voelen. Terwijl hij rondliep over de koele stenen vloer van het museum, galmden zijn voetstappen in zijn hoofd als klokken die in de verte luidden.

'Gaat het wel goed met je?' vroeg Elizabeth hem.

'Het is maar een koutje,' zei hij en hij schraapte zijn keel.

's Avonds had hij een fikse keelontsteking en in de vroege ochtenduren lag hij bijna te ijlen van de koorts. Er kwam een dokter naar de hotelkamer, die algauw een ernstig gezicht trok.

'Het is polio,' liet hij Elizabeth weten. 'Er heerst hier op het moment een epidemie. U kunt beter geen kraanwater drinken.'

Waarom heeft niemand ons gewaarschuwd? dacht Elizabeth, terwijl ze Thomas steeds verder zag wegzinken in een soort droomtoestand.

Ze brachten hem naar het plaatselijke ziekenhuis. Twee dagen lag Thomas daar, slechts gedeeltelijk bij bewustzijn, incontinent en gevoed door een slang in zijn neus. Hij vocht voor zijn leven als een vis op het droge, totdat de dokters een buisje door zijn keel moesten prikken voor zuurstof.

Elizabeth was radeloos. Ze zag haar mooie man er bleek en uitgeput bij liggen, zo verzwakt dat hij ten dode leek opgeschreven – zoals de jongen twee bedden van hem vandaan, die was gestorven toen zijn longen aan het virus waren bezweken.

Dag en nacht zat Elizabeth aan Thomas' bed. In haar beperkte Frans sprak ze keer op keer met de artsen en bleef ze hartstochtelijk druk uitoefenen. Dit is niet zomaar een Engelsman, probeerde ze uit te leggen. Dit is Thomas Ashton, een diplomaat en erfgenaam van een groot landgoed. *Ce n'est pas possible de faire quelque chose?*

Na een week was er nog steeds geen verbetering opgetreden. Er was betere medische zorg verkrijgbaar in Brussel, maar daar waren de bedden vol. Elizabeth wilde hem dolgraag meenemen naar Engeland en de Belgen probeerden haar niet tegen te houden.

Thomas was zich nergens van bewust toen hij in het vliegtuig tussen leven en dood zweefde, met een zuurstofmasker over zijn gezicht. Het gedreun van de motor trilde door hem heen, terwijl hij daar slap als een lappenpop lag en zieltogend door zijn eigen lijf leek te zinken. Elizabeth zag Kent en Surrey als een bordpapieren bouwplaat onder hen langs schuiven. Met al dat gebulder in haar oren trok ze zich steeds meer in zichzelf terug, totdat Thomas alleen nog maar een lichaam naast haar was. Ze voelde hoe haar eigen hart zich voor hem afsloot.

In het St. Thomas Ziekenhuis schoven de verpleegsters Thomas meteen in een sarcofaagachtig apparaat dat eruitzag als een martelwerktuig.

'Deze machine forceert de beweging van zijn longen zodat zijn ademhaling machinaal verloopt,' legde de arts uit. 'Hij zou nu buiten gevaar moeten zijn.'

Een halfjaar lag Thomas in de ijzeren long, zwevend op het randje van de dood. Elizabeth was een vaste bezoeker op de polioafdeling, evenals Thomas' moeder en Norton. Ze smeekten hem allemaal om te blijven leven, maar heimelijk waren ze bang voor de verwoestende effecten van zijn ziekte. Ze konden hem nauwelijks zien, ingekapseld als hij was door de machine. Maar de verpleegsters die hem wasten zagen zijn lichaam wegteren, totdat zijn armen en benen slechts een stel magere staken met uitstekende knoken waren.

Voor Thomas, opgesloten in de ijzeren long, was het alsof hij door elkaar werd geschud door een oneindige storm. Soms leek hij uit zijn eigen lichaam te vallen en in een peilloze afgrond te storten. Toch was elke aanraking van zijn huid een schreeuw van pijn, alsof zijn hele lichaam één open brandwond was. Zijn ziel hield stand, terwijl het virus als een vuur door zijn lijf woedde en zijn zenuwen en spieren verteerde.

Alleen al zelf ademen en zijn longen uitzetten was een beproeving. Elke keer als ze hem uit de ijzeren long haalden om hem te wassen of voeden, werd hij happend naar adem overmand door paniek.

Van het ritmische geluid van de pomp raakte hij in zichzelf gekeerd. Zijn omgeving was niet meer dan een vage echo, die hij slechts gewaarwerd als door een onbereikbaar venster. Hij gleed weg in zijn eigen wereld van dromen en visioenen. Heel vaak dacht hij zijn zusje aan zijn zijde te zien, en samen keken ze op naar het flonkerende zonlicht dat door de bomen in Ashton Park scheen. Hij rook de geur van wilde knoflook. Soms was hij samen met zijn broers in de loopgraven, wadend door de modder en de lijken, totdat Claudia hem terughaalde naar de bossen van Ashton. Andere keren opende hij zijn ogen en zag hij zijn moeders verouderde gezicht met starende ogen op hem neer kijken, met achter haar zijn vader.

Hij wist dan niet of hij leefde of dood was.

Vaak was er geen ontkomen aan zijn eigen hartslag. Zijn bloed bonsde in zijn lijf. Zwetend en buiten zinnen rende hij over uitgestrekte, gebarsten vlakten. Het zand remde hem af, totdat hij geen weerstand meer onder zijn voeten voelde en wegzonk in drijfzand. Zijn vader en moeder, zijn broers en zijn zus, allemaal zonken ze met hem mee.

Op betere dagen gleed hij weg in serene vergetelheid, alsof hij was losgelaten in een eeuwig heden. Het licht om hem heen was dan heel bijzonder – het zong – en zijn ziel leek te zweven aan het firmament. Die momenten waarop hij buiten zijn lichaam trad – op de aarde neerkeek als een hemellichaam – waren zalig, euforisch. Er scheen dan een licht dat verbonden was met liefde, met de gezichten van geliefden, met het ochtendlicht in zijn kinderkamer en zomervakanties en het grijsgouden zonlicht van Oxford. Gelijktijdige herinneringen, die allemaal op hetzelfde moment werden beleefd en verlichting brachten.

Na een halfjaar was de storm uitgewoed en kwam Thomas naar de oppervlakte drijven. Stukje bij beetje leerde hij zelfstandig te ademen zonder de ijzeren long. De verpleegsters brachten hem naar een revalidatieafdeling, waar hij zich wentelde in een bed met kussens. De mist in zijn hoofd trok op en ze lieten hem rechtop zitten. Hij spande zich in om grappig en spraakzaam te zijn, hoewel zijn lichaam nog steeds uitgemergeld en zo slap als een vaatdoek was.

Nu hij de simpele kunst van het ademhalen weer onder de knie had, had Thomas het gevoel dat alles mogelijk was. Hij ging ervan uit dat zijn krachten zouden terugkeren wanneer hij herstelde en dat hij dan weer zou kunnen lopen.

De zaal waarin hij lag was blauwgroen geschilderd. Soms werd hij wakker van de blinkende zon die de kamer in een wit licht deed baden. Andere keren waren de muren in schaduw gedompeld en leken ze diep turquoise, als een kabbelend zwembad. De fletse gordijnen klapperden zachtjes maar aanhoudend in de wind, terwijl de geluiden van buiten – toeterende sleepboten, auto's in de verte, het geratel van treinen over de brug bij Charing Cross Road – hem bereikten alsof hij ze droomde. Door het raam voelde hij de aanwezigheid van de rivier de Theems en het trage in- en uitademen van zijn getijden.

In sommige opzichten was het een vredige tijd. De artsen hadden Elizabeth al lang geleden gewaarschuwd dat Thomas waarschijnlijk nooit meer zou kunnen lopen, maar hijzelf wist nog van niets. Pas toen zijn verwachtingen terugkeerden, lieten de pijn en ellende van zijn nieuwe toestand zich gelden. Sommige spieren waren volledig weggeschrompeld. Hij kon zijn benen nauwelijks bewegen en voelde geen sprankje kracht in zijn ledematen terugkeren.

Uiteindelijk vroeg hij het zijn arts op de man af.

'Denkt u dat ik volledig zal herstellen?'

De arts aarzelde even.

'U bedoelt: zult u ooit weer kunnen lopen? Dat zal de tijd moeten leren.'

'Blijf ik voor altijd verlamd? Ik wil het weten...'

'Tot mijn spijt kunnen we daar nog geen uitsluitsel over geven.' De arts ontweek zijn blik. 'Bepaalde zenuwbundels zijn beschadigd door het poliovirus. We zullen er pas geleidelijk aan achterkomen welke spieren kunnen herstellen en welke niet meer.'

Er volgden maanden van revalidatie. Dagelijks rekte en strekte een fysiotherapeut zijn krachteloze ledematen om te proberen de stijve knopen los te werken. Elk deeltje van zijn lichaam deed pijn: zijn botten, zijn spieren, zijn zenuwen. Het werd Thomas duidelijk dat hij zijn armen en handen op den duur wel weer zou kunnen gebruiken. Maar de spieren die hij nodig had om te lopen of rennen of zelfs maar rechtop te staan, waren onherstelbaar beschadigd.

Hij zou nooit meer kunnen lopen.

Zolang hij alleen was in het ziekenhuis, waar tientallen anderen in hetzelfde schuitje zaten, bleef hij er tamelijk onaangedaan onder. Maar als er bezoek kwam, voelde hij een steek van schaamte en vernedering om zijn fysieke verandering. Nooit had zijn bekende glimlach zo geforceerd geleken, zo vervuld van machteloze ironie.

Er kwam een externe verpleegster om een gipsvorm van zijn rug te maken en na een paar weken verscheen ze met een leren rugkorset. Ze paste hem het aan en hij ging ermee in zijn rolstoel zitten. Het korset gaf hem steun en een onnatuurlijk rechte houding. Toen Norton hem kwam opzoeken en Thomas uit het raam zag kijken, kromp zijn hart ineen. Daar zat zijn vriend dan in zijn rolstoel, met een kaarsrechte rug, pas geknipt haar dat naar achteren was geborsteld en een stel verlepte, onbruikbare benen. Wat zag hij er waardig en dapper uit, en tegelijk volslagen beroofd van zijn mannelijkheid.

Thomas hoopte dat hij met beugels zou kunnen lopen en tegen het advies van zijn artsen in deed hij keer op keer pogingen een paar wankelende passen te zetten in de loopbrug van het ziekenhuis. Maar hij had de kracht niet om zichzelf overeind te houden, zelfs niet met krukken, en uiteindelijk gaf hij het op.

In het begin was hij euforisch geweest over het feit dat hij nog leefde. Eén sprankje leven is beter dan geen, hield hij zichzelf voor. Hij zette zijn eigen tegenslag af tegen al het leed in de wereld en probeerde uit alle macht de hoop in zijn hart te laten terugkeren. Maar geleidelijk aan werd hij bevangen door afschuw van zijn eigen fysieke gesteldheid. Hij was een invalide, gekluisterd aan zijn rolstoel. Als de verpleegster zijn lakens verschoonde en hij zichzelf bekeek, walgde hij van de aanblik van zijn grote kniegewrichten en zijn iele dijen en kuiten.

Ook had de vage, onbestemde overtuiging bij hem postgevat dat hij de prijs betaalde voor het feit dat hij de oorlog had overleefd die zijn broers had weggenomen. Boetedoening.

Tien maanden na de noodlottige vakantie in Brugge was hij voldoende hersteld om het ziekenhuis te verlaten en afscheid te nemen van alle geduldige verpleegsters, die zijn natuurlijke terughoudendheid gerespecteerd hadden. Maar hij zag ertegen op om terug te keren naar de dagelijkse intimiteit van het getrouwde bestaan.

De avond voordat hij thuiskwam, inspecteerde Elizabeth hun huis aan Regent's Park. Ze had een overdaad aan bloemen besteld om hem te verwelkomen: vrolijke vazen tulpen en gele rozen. Ze had ook een foto van Thomas met zijn hardloopteam in Oxford weggehaald uit de zitkamer.

Thomas' maanden in het ziekenhuis waren ook voor haar een verschrikking geweest en ze had gemerkt dat haar hart zich steeds meer van hem afkeerde. Af en toe was ze volledig overstuur bij de gedachte dat hij misschien dood zou gaan – maar nu kwam hij thuis als een andere man. Vele avonden had ze om hem gehuild, maar ze had ook om zichzelf gehuild en om de dood van haar eigen geluk, ook al schaamde ze zich voor haar zelfzuchtigheid. Want ze had haar leven aan Thomas verbonden en vanaf nu zouden hun beider verwachtingen allemaal moeten worden bijgesteld. Zelfs op de feestelijkste momenten zou er altijd die rolstoel zijn.

Thomas verliet het ziekenhuis op een schitterende dag in juni. Hij zat beneden in de hal op zijn vrouw te wachten, gekleed in een nieuw flanellen pak dat om zijn benen fladderde. Elizabeth kwam aanrijden in hun grootste auto en Thomas werd op de achterbank getild door Carter, een stoere jonge chauffeur die was aangesteld als zijn lijfknecht.

De auto stopte voor het huis in Sussex Place en zijn moeder kwam naar buiten om hem te begroeten, samen met de butler, Ropner. Zelfs de bedienden waren nerveus om Thomas voor het eerst in zijn veranderde toestand te zien.

'Hallo Ropner... heel fijn je weer te zien.'

'Bijzonder fijn dat u weer thuis bent, meneer.'

Thomas kon wel door de grond zakken, maar hij glimlachte beleefd en haalde al zijn natuurlijke wellevendheid uit de kast om iedereen op zijn gemak te stellen. Carter hielp hem de auto uit en zijn stoel in, en daarna de trap op.

Zodra ze binnen waren, reed Thomas zichzelf rond over de benedenverdieping, waarbij hij even stilstond om de nieuwe lift te bewonderen die Elizabeth had laten installeren. Ze gingen ermee naar de zitkamer boven, waar Thomas de dienstbode, mevrouw Bruton, hartelijk bedankte voor de weelde aan tulpen op de rozenhouten tafel.

'Het was mevrouw Ashtons idee, meneer.'

'O, nou, dankjewel, Elizabeth. En dat is altijd al mijn favoriete tafel geweest,' zei hij, zoekend naar gemeenplaatsen.

Door de ramen zag hij weer het bekende uitzicht op het meer en de muziektent van Regent's Park. Late bloesem tooide de bomen en er gleden zwanen door het water.

'Is het een goed jaar geweest voor de bloesem in het park?'

'Het is me niet opgevallen dat er meer bloesem was dan anders...'

'Ik zie dat de zwarte zwanen er nog steeds zijn.'

'Ja, het zijn er twee, dit jaar.'

Hij glimlachte en keuvelde genoeglijk met Elizabeth en zijn moeder, hoewel hij zich mijlenver van hen verwijderd voelde. Daarna trok hij zich terug om de krant te lezen, terwijl zijn koffertje met spullen werd uitgepakt.

Later was het een hele toestand toen hij naar beneden ging om te lunchen. En wat moest hij in hemelsnaam daarna doen? vroeg hij zich af.

Hij vroeg of ze een uitje konden maken en Elizabeth nam hem in zijn rolstoel mee naar buiten om te genieten van de zomerse pracht van het park. Het stond nog steeds in Thomas' geheugen gegrift, zijn eerste uitstapje als een man in een rolstoel, en hoe het binnen de kortste keren was uitgelopen op een bezoeking. Terwijl zijn vrouw hem voortduwde langs de gazons en om het meer, zag hij de nieuwsgierige gezichten van alle mensen die ze tegenkwamen. Hij bespeurde hun verholen blikken van medelijden. Hij zat fier rechtop en babbelde opgewekt met Elizabeth, maar intussen voelde hij zich vernederd tot op het bot.

Hij wist nog goed dat hij zich gedwongen had gevoeld zich jolig en opgewekt voor te doen, hoewel hij zich het liefst in somber stilzwijgen had gehuld. Het was alleen al een opgave om een beetje comfortabel in zijn stoel te zitten. Hij moest zich omdraaien om met Elizabeth te kunnen praten, want het alternatief was dat hij voor zich uit keek en op onnatuurlijk luide toon sprak, alsof hij niet goed wijs was. Daar kwam nog bij dat hij merkte dat de stoel te zwaar voor haar was om te duwen, wat indruiste tegen zijn galante aard.

Later, na het eten, was er het angstaanjagende vooruitzicht van de slaapkamer. Thomas voelde zich door schroom bevangen: hij kon het niet verdragen dat zijn vrouw zijn rugkorset te zien kreeg, of zijn verwelkte benen. Hij kreeg hulp bij het wassen van Carter, wat vernederend was, maar altijd nog beter dan de zorg en toewijding van een echtgenote, wat pas echt zijn mannelijkheid aantastte. Toen hij klaar was, hees hij zich uit zijn stoel in bed. Elizabeth kwam even later haar kleedkamer uit en ging naast hem liggen.

Ze hadden een huwelijk dat gebaseerd was geweest op hun beider schoonheid. Nu deinsde Thomas terug voor elke vorm van lichamelijke intimiteit en werd Elizabeth gekweld door angst voor zijn veranderde benen. Tijdens haar ziekenhuisbezoeken was hij altijd door dekens of kleren bedekt geweest, maar nu was ze bang om zijn naakte lichaam te zien. Bang dat ze zich geen houding zou weten te geven. Ze prentte zichzelf in dat ze nog steeds van Thomas hield, maar nu schrok ze terug voor hun veranderde leven samen. Alle hoop op kinderen had ze opgegeven.

Thomas wist dat hij niet impotent was. Tijdens hun derde nacht samen, onder de dekmantel van de duisternis, rolde hij naar zijn vrouw toe en streelde hij haar totdat ze allebei hun verlegenheid hadden overwonnen. Ze greep hem stevig bij zijn schouders vast en slaakte een kreet toen hij in haar binnendrong. Na afloop lagen ze dicht tegen elkaar aan, allebei opgelucht dat ze hun gêne hadden doorbroken.

De volgende ochtend liet hij zich door haar aankleden. Toen ze zijn benen voor het eerst goed zag, was haar angst verdwenen. Het waren dezelfde benen, alleen wat dunner en slapper. Niet bijzonder afstotelijk of raar. Niet iets om bang voor te zijn. Ze lachten er samen om en liefdevol streelde ze zijn dijen.

Daarna probeerde Thomas zijn leven weer op te pakken. De hele zomer van 1932 werkte hij aan het herstel van zijn spieren, door elke mogelijke oefening te doen. Er kwam drie keer per week een fysiotherapeut langs om zijn spieren op te rekken en te masseren. Als hij alleen was in zijn studeerkamer kneep hij in een rubberen bal om zijn handen sterker te maken.

Al die tijd had hij het uitgesteld, maar uiteindelijk ondernam hij de reis naar Ashton Park, waar op de begane grond een aantal vertrekken was ingericht voor Elizabeth en hem.

Carter reed hen over de lange oprijlaan naar Ashton Park, waar Thomas met stoel en al de trap werd opgetild naar de Marmeren Hal. Zijn wielen piepten op de gepolijste vloer en vanuit zijn nieuwe zittende houding leken alle kamers ongewoon hoog. Hij had naar boven willen gaan, zoals hij normaal gesproken zou hebben gedaan, om vanuit zijn oude slaapkamer het uitzicht te bekijken, maar hij wilde niemand tot last zijn.

Hij realiseerde zich hoe diep de kloof was tussen zijn huidige leven en zijn verleden.

Hij bleef enkele maanden in Ashton om te revalideren en te proberen zijn aandacht weer te richten op zijn pachters en alle andere verplichtingen met betrekking tot zijn landgoed.

Om zijn handen en armen te trainen speelde hij 's ochtends vaak piano in de salon. Muziek gaf hem bovendien een excuus om alleen te zijn. Hij snakte naar eenzaamheid, maar was er tegelijktijd bang voor. Er waren vele lege uren waarin hij alleen in zijn hoofd was en zich probeerde in te stellen op een leven in een rolstoel.

Soms haalde hij het einde van de dag met een zekere mate van berusting in zijn situatie, maar werd hij de volgende ochtend weer onder aan de ladder wakker, vervuld van wanhoop. Dan moest hij helemaal opnieuw zijn weerzin tegen zijn fysieke toestand overwinnen en dat de rest van de dag zien vol te houden.

Hij begon zich terug te trekken in zijn eigen wereldje. Ondanks de stabiele indruk die hij dankzij zijn wellevendheid maakte, sloot hij zich steeds meer af. Hij probeerde open te blijven staan voor Elizabeth, maar de warmte tussen hen werd steeds meer toneelspel.

Als er tussen hen ooit al die ongedwongen, constante communicatie was geweest waarmee echtparen elkaar zonder iets te zeggen begrijpen, was die nu in elk geval verdwenen. Ze hielden elkaar op afstand, ondanks de glimlachjes en de kneepjes in het voorbijgaan.

Thomas voelde zich nog het gelukkigst als hij alleen in zijn studeerkamer zat. Daar kon hij zijn evenwicht hervinden en werden zijn pijn en verdriet verzacht door geestelijke inspanning. Hij haalde zijn klassieken weer van de plank en ging Marcus Aurelius' *Persoonlijke notities* lezen.

Het leven van een mens gaat in een flits voorbij, zijn vlees is vergankelijk, zijn begrip duister, zijn lichaam een prooi van wormen, zijn ziel een wervelwind, zijn lot onbekend, zijn reputatie onzeker... Wat kan dan dienen als gids voor de mens? Eén ding en niets anders: de filosofie. Wie een filosoof is, houdt zijn innerlijke goddelijke geest vrij van schade en schande, ongevoelig voor genot en pijn...

De 'goddelijke geest.' Thomas was stiekem altijd trots geweest op zijn solitaire openbaringen van pure vreugde, momenten waarop alles met elkaar verbonden leek, van de fijne nerven van een vergeet-mij-nietje tot het gesternte aan de hemel. Voor zijn gevoel waren het intuïtieve gewaarwordingen van een patroon, een ziel – bijna een vluchtig besef van de oneindigheid. Maar nu voelde hij zich vervreemd van dergelijke verheven ervaringen. Al die ongrijpbare natuurbelevingen leken nu niets meer dan de illusies van de gezonde jeugd.

Hij kon uren achter elkaar in zijn eentje in zijn studeerkamer zitten, alles vergetend en zonder zich te verroeren, terwijl het om hem heen steeds donkerder werd. Op een gegeven moment kwam dan Elizabeth binnen, die de lampen aanstak en zijn aandacht vroeg voor de zaken van alledag.

Hij probeerde zijn balans te hervinden door zich te richten op orde en rituelen, met gebeden aan de God van zijn schooltijd. Maar in plaats van Diens antwoord hoorde hij alleen maar de solipsistische herhalingen van zijn eigen gedachten, waardoor hij nog verder in zichzelf gekeerd raakte.

Omdat hij minder wilde voelen, dronk hij meer, hoewel hem dat 's nachts rusteloos maakte. De lichten bleven aan in zijn hoofd en rukten hem met helle flitsen uit zijn slaap. Een tijd lang behoedde slechts het vertalen van Griekse en Latijnse teksten hem voor de waanzin. Het bewust koppelen van een betekenis aan een woord bracht hem weer in contact met zijn eigen geest. Maar zelfs als hij een pen vasthield om te schrijven, voelde hij de wrijving tussen zijn lichaam en zijn ziel. Soms trilden zijn overspannen zenuwen van hoopvolle verwachting, zinderde zijn lichaam van overmatige alertheid en tintelden zijn vingertoppen van opwinding. Alleen al omhoogkijken voelde dan gevaarlijk, alsof de hemel kon breken, of vallen, of in zijn hoofd worden gezogen.

Intussen besefte hij dat hij Elizabeth op afstand hield en zich op subtiele wijze afsloot voor haar gebaren van tederheid en affectie. Als ze in het donker de liefde bedreven, deden ze dat machinaal, zonder elkaar in de ogen te kijken. Zijn eigen zelfverachting vergiftigde alle innigheid tussen hen, dat wist hij, maar hij kon het niet helpen. Hij kon nauwelijks meer naar haar kijken, zelfs niet bij daglicht.

Uiteindelijk zat er voor hem niets anders op dan erop te vertrouwen dat deze donkere periode vanzelf voorbij zou gaan en te wachten op hoop. Elke dag oefende Thomas op de piano door het spelen van de ordelijke preludes en fuga's van Bach. Geleidelijk aan haalde hij dieper adem en ging hij vaker de buitenlucht in, totdat de dreigende waanzin van de wanhoop vervloog en uiteindelijk plaatsmaakte voor de doffe pijn van een aanvaard verlies.

In november 1932 kwam het bericht dat Amerika Roosevelt als president had gekozen, een man die tien jaar daarvoor ernstig was getroffen door polio. Zijn voorbeeld gaf Elizabeth de hoop dat Thomas zijn energie en levenslust zou hervinden. Toen de depressie ten gevolge van zijn ziekte opklaarde, begonnen ze te praten over zijn terugkeer naar zijn werk.

Ze namen weer hun intrek in Sussex Place en Thomas bezocht zijn collega's van het ministerie, vastbesloten om te bewijzen dat hij fit genoeg was. Na enkele weken keerde hij officieel terug naar Buitenlandse Zaken, nu in zijn rolstoel. Op zijn eerste dag nam Norton de moeite om hem naar zijn werkkamer op de hoofdafdeling te duwen.

Thomas vond het vreemd om aan een bureau te zitten zonder een stoel nodig te hebben. De Europese politiek was radicaal veranderd sinds hij in zijn ijzeren long was verdwenen. Adolf Hitler, ooit een onbeduidende politieke oproepkraaier, stond nu op het punt rijkskanselier van Duitsland te worden.

'Het is een zegen dat we niet langer in Berlijn zitten,' zei hij tijdens het eten tegen Elizabeth.

'We zijn precies op het goede moment weggegaan,' beaamde ze. Allebei probeerden ze elke reden aan te grijpen om zich gelukkig te prijzen.

Sindsdien waren ze altijd voorzichtig met elkaar geweest. Over het bankroet van hun begeerte werd nooit gesproken.

18

De man van Roberta was nu gestationeerd in Noord-Afrika, in de buurt van Caïro, en ze schreef hem een brief om hem over haar nieuwe baan te vertellen. Ze vermeldde er niet bij dat ze dansmuziek ging draaien: dat klonk te lichtzinnig. In plaats daarvan wekte ze de suggestie dat ze zich met iets minder frivools bezighield, zoals de praatprogramma's.

Lewis antwoordde haar met droogkomische beschrijvingen van zijn inactiviteit onder de verzengende Egyptische zon. 'We luisteren heel veel naar de BBC,' schreef hij, 'dus nu kan ik me jou voorstellen achter elke uitzending – door de radio heen, aan de overkant van de zee, helemaal in Londen. Stuur me af en toe een gedachtegolf, liefje.'

Ze troostte zich met de gedachte dat hij voorlopig veilig was en dat nam al haar schuldgevoelens weg over haar nieuwe leven. Ze was begonnen als assistente bij de BBC Home Service, waar ze alles deed van archiveren tot en met het timen van opnames met een stopwatch. Alleen was haar opleiding niet erg gedegen, omdat de andere assistenten het altijd te druk hadden.

Ze wende al snel aan de dagelijkse sfeer van beheerste paniek bij het radiostation, waar iedereen met oogkleppen op door de gangen draafde en achter dubbele deuren verdween, met maar één doel voor ogen: blijven uitzenden.

'Continuïteit, daar draait het om,' legde Roberta's nieuwe baas uit, een man met een bril en een vlinderdasje. 'Het is ons aller streven de programma's zonder onderbreking door te laten lopen. Dat is in deze tijd onze voornaamste plicht jegens de luisteraars.'

Het programma waaraan ze meewerkte stond bekend als 'Muziek terwijl u werkt' en was bedoeld om de legioenen fabrieksarbeiders aan te vuren. Ze had al snel door dat er bepaalde regels golden omtrent de muziek die er gedraaid werd. 'Ongeschikte' nummers waren die met een lethargisch ritme of onvoldoende melodie, en walsen werden als te slaapverwekkend beschouwd. Veel nummers werden uitgevoerd door het dansorkest van de BBC, onder leiding van Geraldo, en het duurde niet lang voordat Roberta de nieuwe stopwatchassistente was in de opnamezaal beneden.

Ze was volledig betoverd door al dat nieuwe heerlijks. Daar, vlak voor haar neus, zat Geraldo's orkest in hemdsmouwen, en als de dirigent op de muziekstandaard tikte om een nieuwe verandering in de partituur aan te geven, schoten tientallen mannen die schijnbaar in hun stoel zaten te dutten plotseling overeind en produceerden adembenemende syncopen.

Binnen een week voelde het omroepgebouw als haar natuurlijke thuis. Ze genoot van de ingetogen sfeer. De vloeren waren zoals ze zich het dek van een oceaanschip voorstelde, met ramen als patrijspoorten naar de buitenwereld. Elk geluid klonk vreemd gedempt en er steeg permanent een kooklucht op vanuit de diepste diepten.

Serieus kijkende mannen en vrouwen verschenen en verdwenen weer op het linoleum in de gangen, maar zij, Roberta, danste de deuren door met een kwieke tred waar het geluk vanaf spatte. Ze rende de trappen op en af, en genoot alleen al van het feit dat ze nooit eerder had gewerkt voor een instituut met zulke grote trappenhuizen. Zelfs de trapleuning vond ze verrukkelijk. Als ze van de ene naar de andere verdieping dartelde, liet ze altijd haar handen langs de gladde spil glijden.

De muziek was overal en spoelde in golven over haar heen. Van de montere trompetten en koerende saxofoons kreeg ze zin om weer te dansen en ze voelde dat er elk moment vanuit de coulissen een nieuwe partner kon opduiken in haar leven. Er zat een kornettist in Gerardo's band die nadrukkelijk naar haar keek als ze door de zaal liep. Misschien werd hij het. Misschien iemand anders. Plotseling had ze al die nieuwe mannen om zich heen.

Omdat ze thuis geen verplichtingen had, ging Roberta na het werk vaak met haar BBC-collega's mee naar de pubs van Fitzrovia. Daar dronk ze bier en vertelde ze mensen haar eigen favoriete versie van haar levensverhaal, waarbij ze misschien af en toe liet doorschemeren dat ze niet helemaal tevreden was met haar man en dat hij haar ontwikkeling in de weg had gestaan. Wat voor onwaarheden ze ook vertelde, ze genoot van deze kans om zichzelf opnieuw uit te vinden.

De pubs in Fitzrovia gingen een voor een dicht en ze leerde al snel in welke volgorde. Na de laatste ronde in de Wheatsheaf verkaste iedereen naar de Duke of York verderop in de straat. Roberta ging het liefst naar de French, een pub die, zoals de naam al deed vermoeden, werd gerund door een Fransman, die beroemd was om zijn indrukwekkende snor. Dezelfde gezichten kwamen en gingen in elke kroeg. Had je elkaar drie keer gezien, dan was je vrienden.

Drank, sigaretten en een wisselend gezelschap van nieuwe gezichten stemden Roberta luchthartig. Ze wisselde blikken met vele mannen: soldaten met verlof, BBC-personeel, artiesten en muzikanten. Voorlopig had nog niemand haar bijzondere aandacht getrokken, maar ze was niet de kornettist uit Geraldo's orkest vergeten, die haar altijd met zijn ogen volgde als ze naar een repetitie kwam. Ze had gemerkt dat hij nu keurig rechtop ging zitten als zij in de zaal was.

Ze werkte de hele dag hard door en maakte daarna plezier met vreemden in kroegen, om wankelend naar huis terug te keren met de muziek van het orkest nog in haar hoofd. Maar intussen vergat ze noch haar man, die in Egypte zat, noch haar dochter, die in Ashton Park lag te slapen. Ze was zich ervan bewust dat bezoeken aan ecavués werden ontraden omdat ze 'verwarrend' zouden zijn, maar ze was er zeker van dat ze binnenkort verlof kon aanvragen en dan zou ze de trein naar Yorkshire nemen en haar dochter opzoeken.

Ze vroeg zich af of Anna nog steeds haar armen achter zich op haar kussen liet vallen als ze sliep.

19

Anna voelde zich heel vaak eenzaam. Wat hield het in: vrienden maken? Ze wist het nooit zeker. Soms zag ze alleen maar de gezichten van andere kinderen op een rijtje tegenover zich: Katy, Susan, Beth. Giechelend, lachend. Soms rende ze hand in hand met Beth een heuvel af. Maar dan draaide Beth zich om en liep weg, en dan keek Anna haar na zonder te weten of Beth nou nog met haar wilde spelen of niet. Waarom was Beth degene die dat bepaalde, en niet zij? Elke dag liep ze op kousenvoeten over het onbekende terrein van de gevoelens van andere kinderen, onhandig door haar eigen onzekerheid. Ze snapte niet waarom ze banger was voor andere kinderen dan zij voor haar. Het was gemakkelijker om het bos in te lopen en in haar eentje een boek te gaan zitten lezen.

Op een zaterdag kwam ze op weg naar de lunch Suzy West tegen. Suzy was een schuchter, onzeker meisje, dat bij het clubje van Katy Todd hoorde. Ze wiebelde van haar ene voet op de andere.

'Wat gaan we vanmiddag doen?' vroeg Anna vrolijk.

'Dat hangt ervan af,' mompelde Suzy.

'Waarvan?'

'Eh... ik weet het niet.'

'Wat weet je niet?'

'Of we allemaal gaan.'

'Wat bedoel je?'

'Heb je het niet gehoord?'

'Nee.'

'O, nou, misschien is het niet de bedoeling dat ik het vertel,' zei Suzy, wriemelend met haar vingers.

'Ah, toe, zeg het nou maar,' smeekte Anna op samenzweerderige toon.

'Dat mag ik niet.'

'Ah, toe nou!'

'Nou goed dan, als je belooft dat je niet verklapt dat ik het je heb verteld...'

'Ik beloof het.'

'We gaan naar de watertoren om slakken te verzamelen – het wemelt er daar van.'

'Wie zijn "we"?'

'Gewoon het clubje – een deel van het clubje: Billy, Mary en ik. En Katy, natuurlijk.'

'Waarom...' Anna viel stil.

'Ja?'

'Waarom mag ik niet mee?'

'Nou, volgens mij mag het wel, maar je gaat niet altijd mee, dus ik weet niet of je nu wel meegaat.'

'Zal ik het aan Katy vragen?'

'Nee! Dan weet ze dat ik het tegen je heb gezegd.'

'Wat moet ik dan doen?' riep Anna uit, vechtend tegen de tranen.

'Ga na de lunch ergens bij de deur naar de achtertuin staan. Dan vraagt Katy vanzelf of je meegaat als dat de bedoeling is.' Kleine Suzy was intussen bang geworden en wilde ervandoor. Anna liet haar gaan.

Maar tijdens de lunch kon ze nauwelijks een woord wisselen met de kinderen om haar heen. Ze voelde zich verschrikkelijk zielig en afgewezen.

Misschien had ze alleen maar de plannen van het clubje gemist omdat ze Katy en de anderen die ochtend niet had gezien? Ze hoefde hen alleen maar tegen het lijf te lopen en dan zouden ze vrolijk roepen: Hé, ga je mee?

Dan was alles weer goed. Of niet? Eigenlijk vond Anna er niet veel aan om te spelen met kinderen met wie ze verder niets had, die niet van dezelfde dingen hielden als zij of dachten zoals zij. Die gemener waren dan zij wilde zijn.

Ze besloot dat ze niet bij de tuindeur ging staan wachten om vervolgens niet gevraagd te worden voor het slakkenvangen. Dus na de lunch wandelde ze in haar eentje weg, zoals ze zo vaak deed, in de hoop dat niemand haar opmerkte.

Wat kan het mij ook schelen, zei Anna bij zichzelf, op weg naar haar schuilplaats in de opslagkamer. Maar toen ze daar tussen de rommel een oude tennisbal vond, bedacht ze dat het intussen waarschijnlijk wel veilig was om buiten te spelen zonder te worden opgemerkt door Katy's clubje.

Ze draafde de trap af en vond een perfect plekje in de kruidentuin om de bal tegen de muur te gooien.

* * *

Vanuit zijn studeerkamer boven hoorde Thomas iets bonken. Hij keek naar buiten en zag Anna Sands een tennisbal tegen de muur staan gooien, met haar ogen strak op de bal gericht. Hij hoopte dat ze uit eigen vrije wil alleen was.

Thomas was dat weekend zelf ook alleen, want Elizabeth was naar Londen. 'Ik heb wat in te halen,' had ze gezegd. Wat of met wie zei ze er niet bij en hij vroeg er ook niet naar. Hijzelf had zich eenzaam opgesloten met een vertaling van Vergilius die hij aan een tijdschrift in Oxford had beloofd.

Na al zijn jaren in de machinekamer van Buitenlandse Zaken vond Thomas het vreemd om zich nu aan Latijnse zinnen te wijden, terwijl zo veel anderen zich aan het front verzamelden. Achttien maanden geleden, toen het duidelijk was geworden dat Chamberlain volhardde in zijn verzoeningspolitiek jegens Hitler, had Thomas ontslag genomen bij de hoofdafdeling, uit solidariteit met zijn baas Vansittart, die geruisloos was weggewerkt als ondersecretaris van het ministerie vanwege zijn verzet tegen de strategieën van Chamberlain. De sfeer in Whitehall was ondraaglijk geworden voor tegenstanders van de verzoeningspolitiek en Thomas had zich gedwongen gevoeld om op te stappen. Hij had zijn collega's destijds verteld dat hij aan een nieuwe vertaling van de *Aeneïs* ging werken. Wat begonnen was als een bron van troost, was uitgegroeid tot een ware passie, en elk moment dat hij niet voor de klas stond, zat hij met zijn neus in Vergilius.

Maar hij wist dat hij zich ook soms in zijn studeerkamer terugtrok om zijn huwelijk te ontlopen. De laatste tijd was er een stilzwijgende wapenstilstand tot stand gekomen tussen Elizabeth en hem, waarin ze tegelijkertijd samen en gescheiden leefden. Hij had geleerd Elizabeth niet te vragen wat ze deed tijdens haar tripjes naar Londen.

Thomas twijfelde er niet aan dat ze geprobeerd had van hem te houden. In de loop der jaren had ze zich ontpopt als een sociale orchidee. Alles aan haar werd altijd volmaakt gepresenteerd aan de wereld: haar kapsel, haar nagels, haar kleren. Maar Thomas bevroedde dat ze vooral naar romantiek snakte: om over een dansvloer te worden gezwierd en aan de arm van een begerenswaardige man te lopen – behoeften die hij nooit zou kunnen bevredigen.

Misschien voelde Thomas dat nog beter aan dan zijzelf. Hij veroordeelde of minachtte haar er niet om. Hij nam het haar zelfs niet kwalijk. Ook hij stelde haar waardige perfectie op prijs. Mede daarom had hij zich destijds tot haar aangetrokken gevoeld. En toch: telkens als hij haar afstandelijke blik zag, voelde hij zich bedreigd door de ontevreden uitdrukking op haar gezicht.

Hij had in elk geval altijd zijn toevlucht in zijn werk kunnen zoeken: vroeger in de gebruikelijke crises van het ministerie van Buitenlandse Zaken en nu in het onderwijzerschap en in zijn vertalingen. Maar hij wist dat zij genoeg lege uren had om de gaten in haar leven te voelen. De oorlog had haar deze kans gegeven om zichzelf opnieuw uit te vinden, maar toch had zelfs hun school haar niet van haar rusteloosheid kunnen verlossen. Haar ongenoegen zat te diep en hij had gezien hoeveel ze soms dronk – eerst wijn en tegenwoordig ook sterkedrank.

Er waren nog steeds momenten waarop Thomas het jammer vond dat hij niet verliefd was op zijn vrouw, dat hij niet die tederheid voelde die het dagelijks leven glans kon geven. Terwijl hij hun huwelijk overpeinsde, drong zich met name de herinnering op aan één bepaalde mijlpaal in de dalende lijn van hun wederzijdse verwachtingen: hun vakantie in Venetië in de lente van 1935.

De trip was Elizabeths idee geweest.

'Venetië is makkelijk met de rolstoel,' had ze gloedvol betoogd. 'Geen heuvels. We kunnen op de piazza's wandelen en musea bezoeken.'

Geen van beiden was ooit eerder in Venetië geweest. Ze namen de trein en gingen op weg met de onbekommerdheid van vakantiegangers, beiden opgetogen over de luxe van de Oriënt-Express. Thomas was charmant en attent voor Elizabeth, die vreselijk haar best deed om hun kwijnende intimiteit nieuw leven in te blazen. Ze reden door de golvende heuvels van Frankrijk en de bergpassen van de Zwitserse Alpen, tot ze uiteindelijk in Venetië aankwamen, dat schitterde in de late augustuszon.

Ze probeerden hun teleurstelling over het hotel voor elkaar te verbergen. Hun kamer was donker en vochtig, en al bood het raam uitzicht over een kanaal, het zat te hoog voor Thomas om ervan te kunnen genieten. Maar toch, ze kleedden zich om en gingen in de schilderachtige straten op zoek naar een restaurant.

Die eerste avond zagen ze Venetië op zijn best. De kleuren van de gebouwen glansden en liepen in elkaar over in het late zonlicht: oker, roze, crème en koraalblauw. De bekoring van al dat nieuwe fraais bracht hen in een roes. Ze kwamen terecht in een trattoria met uitzicht over de lagune en aten fruits de mer terwijl ze de zonsondergang geleidelijk zagen vervagen totdat het helemaal donker was boven zee. Later die avond bedreven ze de liefde.

Maar de volgende dag stak Elizabeths gebruikelijke melancholie zonder aanwijsbare redenen de kop op en trok ze zich in haar schulp terug. Thomas merkte dat ze tijdens het ontbijt koel en afstandelijk was. Misschien lag het aan de eetzaal, die te schaars verlicht was, of misschien kwam het door het weer, want de zon was nu achter donkere wolken verdwenen. Thomas deed wat hij kon om haar op te monteren en lachte haar opgewekt toe: zijn oude bekende glimlach.

Ze gingen op weg met hun reisgidsjes om de beroemde stad te verkennen. Elizabeth duwde Thomas voort door het labyrint van piazza's en verborgen straatjes. Maar ze hadden buiten de hobbelige keitjes gerekend, die algauw hun effect hadden op Thomas' ruggengraat. Elizabeth raakte intussen uitgeput van het voortduwen van de rolstoel door de straten vol spleten en voren.

Elizabeth werd steeds geïrriteerder en Thomas steeds mismoediger. Venetië was ongetwijfeld prachtig, maar ze voelden zich nu al vervreemd van zijn schoonheid. In de basiliek van San Marco waren de mozaïeken dof en levenloos, omdat er nog geen sprankje zonlicht hun glans ophaalde, en zo was het met alle bezienswaardigheden. Ze bezochten de Galleria dell'Accademia en Thomas bezag de schilderijen van Bellini met een koude, doodse blik: zijn hart had zich afgesloten voor zo veel volmaaktheid.

Toen ze het museum uit kwamen begon het hard te regenen. Het water kwam met bakken uit de hemel, gutste langs de gehavende muren en liep in vieze stroompjes door de goten. Thomas zat hulpeloos in zijn stoel terwijl Elizabeth hem terugreed naar hun kamer. Zijn knieën waren doorweekt. Haar rug deed pijn.

De volgende ochtend werd Thomas snipverkouden en kortademig wakker. Omdat zijn longen verzwakt waren door de polio was hij bang om longontsteking te krijgen en bleef hij binnen. Hij lag in de donkere, bedompte hotelkamer en luisterde naar de regen die buiten in het kanaal viel.

Elizabeth ging in haar eentje wandelen. Ze dronk koffie aan de Piazza San Marco en keek naar verliefde stelletjes.

Zwermen duiven fladderden rond op het plein. Toen ze terugkeerde in het hotel, ademde ze zelfmedelijden uit al haar poriën en deed ze niet eens een poging om vrolijk te zijn.

Haar teleurgestelde gezicht spoorde Thomas in elk geval wel aan zo snel mogelijk beter te worden en hij pepte zich op om de volgende ochtend de deur uit te gaan. De kleuren van de gebouwen, die in de zon zo charmant waren geweest, zagen er onder een bewolkte hemel opeens schimmelig en treurig uit. Er steeg een zware, bedorven lucht op uit de kanalen en de stank benam hun bijna de adem. Ze lunchten in stilte, waarop Elizabeth Thomas terugreed naar het hotel. Een diepe somberheid daalde over hen beiden neer.

Er werd nog meer zware regen voorspeld, dus na een laatste, ongeïnspireerde dag gingen ze naar huis, drie dagen eerder dan gepland.

Hun huwelijk was op een dood spoor beland. Vanaf nu leefden ze zonder hoop en de verborgen kloof tussen hen werd alleen maar wijder. Als Thomas Elizabeths voetstappen hoorde, ging zijn hart niet sneller kloppen. Als zij zijn knappe gezicht zag, bleef ze onbewogen. Zo nu en dan leek de intimiteit tussen hen op te leven en er waren momenten waarop ze elkaar bijna vonden, meestal na afloop van een avond met wijn, als ze elkaar aanraakten in de duisternis van hun slaapkamer. Maar allebei stelden ze zich iemand anders voor, een ander leven.

Toch spraken ze nooit over een scheiding. Hoe kon Elizabeth haar invalide man verlaten, de erfgenaam van de Ashtons? Thomas liet doorschemeren dat hij haar haar vrijheid gunde door opmerkingen te maken over de affaires van andere vrouwen in Londen, met zo veel goedkeuring als nog net betamelijk was. Intussen hoopten ze allebei op een kind dat hen weer gelukkig kon maken.

Buiten hield het geluid van de stuitende bal abrupt op en Thomas besefte dat het meisje was weggelopen. De plotse-

linge stilte herinnerde hem aan de woorden waarover hij gebogen zat en hij probeerde zich weer te concentreren op de
omzwervingen van Aeneas.

We zijn ver uit de koers, rondzwalkend over blinde zee.
Zelfs Palinurus kan niet onderscheiden aan de hemel
of het nu dag of nacht is; weet ook midden op de zee
geen richting meer...

20

Toen Elizabeth die dinsdag terugkwam, respecteerde Thomas zorgvuldig haar privacy.

'Hoe was het in Londen?'

'Donker en leeg. Maar nog geen teken van een luchtaanval. Iedereen zit gewoon binnen te wachten tot het ergste gebeurt.'

'En het huis?'

'Alles nog hetzelfde. Of eigenlijk niet. Ze zijn het park aan het opgraven en alle hekken zijn weggehaald. De hele stad lijkt wel ontmanteld, heel bizar.'

'Dat wil ik liever niet zien, geloof ik.'

'Ik ben ook naar de galerie geweest. Er valt daar weinig te beleven op het moment.'

Ze maakte de laatste opmerking langs haar neus weg, alsof ze eventuele vragen voor wilde zijn. Peter Nortons galerie voor moderne kunst was de plek waar ze voor de oorlog had gewerkt en vrienden had gemaakt.

'Heel fijn dat je er weer bent, liefje,' zei hij en hij meende het.

'Ja,' zei ze gevoelvol en ze legde haar hand even op de zijne. Ze leek opmerkelijk monter en verkwikt.

De volgende ochtend stond ze vroeg op en keek in de eetzaal toe terwijl alle evacués zaten te ontbijten. Toen ze in een rij langs haar liepen op weg naar de dagopening, voelde ze een onverwachte kalmte over zich neerdalen. De gezichten van de kinderen straalden, alsof ze zich hier volledig op hun plek voelden, en ze was er plotseling trots op dat zij ze hier allemaal naartoe had gehaald en hun een thuis had gegeven. Eindelijk was ze erin geslaagd iets goed te doen.

Later die ochtend maakte ze een praatje met de hoofdtuinman, die enorm in zijn sas was: jarenlang had hij lijdzaam moeten toezien hoe zijn groenten onopgegeten wegrotten.

'Zesentachtig kinderen is goed. Ik kan nog wel meer monden vullen,' liet hij haar weten.

Terwijl ze de personeelsroosters doornam, besloot ze dat er genoeg was om blij mee te zijn.

Haar tripjes naar Londen, bijvoorbeeld.

* * *

Haar dubbelleven was drie jaar geleden begonnen, toen ze te vaak alleen was geweest in hun huis aan Regent's Park, zonder werk of kinderen. Er was iets in haar geknapt.

Haar overspel was in haar hoofd begonnen, toen ze op een dag in de woonkamer zat en zich afvroeg wat ze met zichzelf aan moest. Hun dienstbode had een cyclaam op de rozenhouten tafel gezet en Elizabeth was gebiologeerd door de kalme waardigheid van de plant.

Op straat gonsden de auto's voorbij. In het licht van de zon dansten er duizenden stofjes door de kamer. Vrijwel bewegingloos zat ze op de bank, met haar blik gevangen door de intense onverstoorbaarheid van de cyclaam. Zelfs de serene uitstraling van een plant voelde tegenwoordig als een verwijt, besefte ze met een schok.

Ze sprong overeind, plotseling ongeduldig, en liep door de kamer, langs spiegels, een telefoon en de stapels papieren op haar bureau. Misschien moest ze gewoon haar koffers pakken en Thomas verlaten: wegvaren en voor de armen in India gaan zorgen, of een ander heroïsch nieuw leven beginnen.

Ze vroeg zich af of de telefoon zou rinkelen. Of een jongeman haar onverwachts op zou bellen – iemand die haar begeerde, maar het haar nooit had durven zeggen.

Wat verborg ze voor zichzelf? Wat wilde ze? Een man? Of hoop? Of... extatisch genot?

Ze ging weer op de bank zitten en gleed met haar handen over de ronding van haar borsten.

Er moest toch ergens iemand zijn die haar zou willen aanraken. Ze wilde omhelsd worden door een man, haar hoofd op zijn schouders leggen. Ze wilde dat iemand zijn armen om haar heen sloeg en haar dicht tegen zich aan hield.

Thomas zou haar verlangens nooit meer kunnen bevredigen. Hij had haar afgewezen en dus voelde ze afkeer van hem. Van zijn perfecte gezicht, van zijn kilheid, van zijn afstandelijkheid. Haar hart raakte verstikt door wrok. Ze kon naakt door de slaapkamer lopen en nog keek hij niet op. Zijn fysieke ontoereikendheid had hem bevroren.

De fluistering van haar lege schoot was toen nog nauwelijks hoorbaar. Zelfs haar eigen hart hield zich doof. De angst om kinderloos te blijven was zo overweldigend dat ze de gedachte eraan wegdrukte. Elke maand geloofde ze er opnieuw in: dat er een kind zou komen om de jaren die voor haar lagen te vullen. Maar altijd kwamen de scherpe pijnscheuten en de zeurende kramp in haar buik weer die voorafgingen aan haar menstruatie. En met het bloed dat ze verloor, vervloog ook haar hoop.

Een paar dagen later vond Thomas haar huilend in hun slaapkamer, nadat ze net weer ongesteld was geworden. Hij probeerde oogcontact met haar te maken.

'Als we ons eigen kind willen om van te houden, zijn er ook andere manieren,' zei hij zacht. 'We kunnen adopteren.'

Haar hele lichaam hunkerde naar een baby. Wat wist hij daarvan? Ze kon hem niet aankijken.

'Ik zou nooit van een kind kunnen houden dat niet in mijn buik is gegroeid.'

'Maar op den duur misschien wel, zeker als het vanaf de geboorte bij je was...'

'Ik zou nooit van het kind van een ander kunnen houden.'

'Dat weet je niet,' zei hij zo teder als hij kon. Ze kromp ineen en staarde naar de grond.

'Ik wil mijn eigen kind in me voelen schoppen...'

Heel aarzelend stak hij zijn armen uit en voor één keer liet ze zich door hem vasthouden. Hij dacht bij zichzelf: ga toch op zoek naar een andere man, neem toch een kind met een andere man. Hij wilde zo graag dat ze een kind zou krijgen. Voor haar, voor hem, voor hen allebei. *Toe, vooruit, ik gun je jouw kind.*

Die nacht liet ze het bloed over de lakens vloeien en de volgende ochtend was hun bed besmeurd met korrelige rode vlekken, als een geschreven aanklacht. De lakens werden weggegooid, maar haar matras droeg de verborgen tekenen van haar lege schoot.

Toch had Elizabeth die avond Thomas' stille smeekbede begrepen. Sindsdien voelde ze zich vrij om bij elke man die ze tegenkwam te kijken of hij de blauwe ogen van de Ashtons had.

Niet lang daarna raakte ze onder de onverwachte bekoring van een revolutionaire nieuwe tentoonstelling in Londen. Het was de lente van 1936 en *The International Surrealist Exhibition* in de New Burlington Galleries zorgde voor een verrassende sensatie. Salvador Dalí verscheen gekleed in een duikerklok op publiciteitsfoto's en het publiek was geïntrigeerd door dat iconoclastische beeld.

Een aantal schilderijen was uitgeleend door Clifford Nortons vrouw Peter, die erop stond om Elizabeth een rondleiding te geven langs de werken van Dalí, Max Ernst en Paul Nash. Droomlandschappen bij schemerlicht, menselijke lichamen in vreemde gedaantewisselingen, onderbewuste beelden van begeerte en herinnering. De nietsverhullende schilderijen deden in hun naaktheid veel stof opwaaien.

Elizabeth was met tegenzin naar de tentoonstelling gekomen en stond ervan versteld hoe sterk ze erdoor werd geraakt. Ze liep in haar eentje nog een keer langs alle werken en de surrealistische beelden spraken haar direct aan met hun erotische geheimen en glimpen van vleselijke lust. De schilderijen hadden een oerbron in haar aangeboord.

Het overgrote deel van de werken was door mannen gemaakt en ze zag in hun schilderijen het overduidelijke perspectief van de mannelijke begeerte: hun fascinatie met het vrouwelijke lichaam en de irrationele geneugten die het vrouwelijke vlees te bieden had. Geprikkeld door verboden impulsen kwam ze na afloop weer naar buiten.

In haar rusteloosheid wendde ze zich tot de onvermoeibare Peter, die altijd een geëmancipeerde vrouw met een carrière was geweest. Met haar durfde ze wel te praten over de erotiek van de surrealisten.

'Waarom kom je niet bij mij werken, in mijn nieuwe galerie?' stelde Peter voor, aangemoedigd door Elizabeths waarderende woorden. Veel van Peters kunstenaarsvrienden waren Hitlers Duitsland ontvlucht en ze was vastbesloten hun werk tentoon te stellen in Londen, waar heel weinig moderne kunst te zien was. Dus had ze in Cork Street de London Gallery geopend, 'de eerste avant-gardegalerie in Groot-Brittannië,' zoals ze er vol trots bij zei. Ze had net een nieuwe manager gevonden in de kunstrecensent Roland Penrose en ze vroeg Elizabeth om mee te helpen de exposities te organiseren.

Twee jaar lang liep Elizabeth elke ochtend van Regent's Park naar Peters galerie in Mayfair, altijd even onberispelijk en chic gekleed. Ze stond de hele dag bezoekers en kopers te woord en voelde zich in verrukkelijk contrast staan met de sjofele kunstenaars die nieuwe schilderijen brachten of de exposities bezochten. Ze straalde koele perfectie uit, met haar sigaretten in die lange ivoren houder en haar op maat gemaakte mantelpakjes, en toch flirtten onwaarschijnlijk onconventionele schilders met haar. Ze ging met Peter naar cafés waar ze zich in het gezelschap bevonden van surrealistische dichters en Franse modernisten. In de onschuld van haar enthousiasme bewoog Peter zich onder hen met een argeloze geestdrift. Maar Elizabeth had ook minder eerbare bedoelingen.

Ze vond het een grappig idee dat Thomas in zijn keurige werkkamer over het Britse Rijk waakte, terwijl zij in cafés zat te roken met onbekende jongemannen die alleen geïnteresseerd waren in hun eigen gewaagde zelfexpressie.

Ze begon te genieten van haar eigen ongerijmdheid. De elegante en aristocatische mevrouw Ashton, die nu in dit soort kroegen in Mayfair rondhing. Ze liep met wiegende heupen, zich ten volle bewust van haar stralende huid en prachtige lange haar.

Wat wilde ze? Begeerd en verleid worden.

Er moest iets gebeuren.

's Avonds begon ze, zodra de galerie dicht was, de pubs van Soho te frequenteren. Eerst hield ze zich nog afzijdig, maar langzamerhand overwon ze haar schroom en legde ze het aan met mannen die met vrouwen wilden experimenteren.

In de Franse pub haalde een man een whisky voor haar, die ze niet lustte maar waar ze toch van dronk.

'Ik ben Luc,' zei hij en de mensenmassa duwde hen dicht tegen elkaar aan. Het was lastig een totaalbeeld van hem te krijgen. Ze ving alleen glimpen van hem op: zijn gezicht, een onderarm, een gebogen knie.

Hij was dichter. Jong, donker en slecht geschoren. Zijn vingers waren geel van de nicotine, zijn schoenen kaal en versleten. Met zijn grote intense ogen op Elizabeth gericht vertelde hij haar in gebroken Engels over zijn vlucht uit België naar de verfrissende zedeloosheid van Londen. De kroeg was afgeladen met rokers en drinkers, die allemaal wild gebaarden in de benauwde, rumoerige ruimte. Luc was absurd jeugdig – maar ook aantrekkelijk.

'Hier kan ik schilderen wat ik in mijn hoofd zie, omdat het me helder voor ogen staat. In Brussel had ik alleen verveling – en woede – en mijn moeders zwarte jurken. En kant. Er is te veel kant in België.'

Elizabeth nam een trekje van haar sigaret in de ivoren houder en lachte. Wat was het opwindend om in het gezelschap te verkeren van iemand die zo jong en arrogant was, die er geen idee van had dat zij Elizabeth Ashton van Ashton Park was. Ze keek hem recht aan. Zijn ogen waren blauw en konden doorgaan voor Ashton-ogen.

Later, in een achterafstraatje in Soho, liep ze achter Lucs stevige dijen aan een trap op. In zijn smalle kamer stond een ijzeren ledikant met grijze lakens. In het licht van een kaal peertje trokken ze hun kleren uit. Elizabeths tepels waren hard, haar schoot schreeuwde om een kind. Ze liet zich als een dier door hem vastgrijpen. Zijn benen waren gespierd en zijn volle erectie stak naar voren uit krullerig zwart haar. In een voortplantingsroes rolde ze op Lucs onopgemaakte bed en slaakte een kreet toen ze zijn warme stroom in haar voelde. Daarna ging ze achterover liggen om het vocht dat langs haar dijen lekte binnen te houden en gaf ze zich over aan de heerlijke gedachte dat er een kind in haar werd gevormd.

Maar er kwam geen kind. Aan het eind van de maand spoelde haar baarmoeder zichzelf net als altijd schoon met bloed.

In de maanden erna waren er Roberto, en Julius, en Stefan, en Billy, en zelfs een discrete regimentsofficier, Henry, die vroeger al een oogje op haar had, toen ze nog een debutante was. Maar over het algemeen gaf ze de voorkeur aan ontmoetingen met onbekenden in anonieme kamers, waar ze na afloop uit het raam kon kijken en een nieuw stukje van de Londense lucht te zien kreeg. De ene keer 's nachts, de andere keer tijdens een zeer lange lunchpauze. Peter Norton vroeg haar nooit waar ze was geweest als ze aan het eind van de middag terugkwam, even onberispelijk als altijd.

Maar in haar slaapkamer thuis etterde de ellende van haar kinderloosheid voort. Thomas was nog steeds bang dat het probleem bij hem lag, dat de polio hem onvruchtbaar had gemaakt. Maar Elizabeth begon zich nu te realiseren dat het waarschijnlijk aan haar lag.

Ze vroeg zich af of het een straf was voor haar overspel, voor haar geheime ontrouw aan haar invalide man. Was ze vervloekt? Ze leefde van maand tot maand. Haar hoop kwam en ging. Haar geluk hing af van de tijd van de maand.

Thomas had geleerd niet te veel aandacht te schenken aan haar buien, maar was opgelucht als ze zo vrolijk uit Londen terugkwam. Hij kon niet weten dat haar uitbundigheid was gebaseerd op de hoop, hoe gering ook, dat haar laatste rendez-vous in Soho dit keer succesvol zou blijken.

21

Anna ontdekte een nieuw gezicht in Ashton. Een Pool, vertelde mevrouw Robson hun. Een donkerharige man met zware wenkbrauwen, die Pawel heette en soms tijdens de lunch bij de Ashtons aan tafel zat. Hij zei niet veel. Anna hoorde van juffouw Weir dat hij tegen de nazi's had gevochten voordat hij uit Polen was gevlucht, 'maar binnenkort, als hij dankzij de gezonde lucht van Yorkshire weer hersteld is, krijgen jullie hem veel vaker te zien, want hij gaat jullie lesgeven'.

De kinderen fluisterden vol ontzag over hem. Een man die tegen de nazi's had gevochten! In Engeland had je alleen de schemeroorlog en leek er nooit iets dramatisch te gebeuren.

De Ashtons spraken Pawel Bielinski voor het eerst uitgebreid toen hij 's avonds met hen meeat tijdens zijn eerste weekend in het huis. Hij was door puur toeval in Ashton Park beland. Na de rampzalige nederlaag van Polen was hij door Peter Norton uit een van de Poolse vluchtelingenkampen in Roemenië gered. En na aankomst in Londen had Peter hem naar de Ashtons gestuurd om op krachten te komen.

'Hij is kunstenaar,' vertelde ze Elizabeth over de telefoon, 'dus hij kan teken- en schilderles geven.'

De jongeman die Thomas tegenover zich aan tafel zag, was mager, in zichzelf gekeerd en apathisch. Hij was duidelijk ook uitgeput, want hij was sinds zijn aankomst nauwelijks zijn kamer uitgekomen. Zijn hologige afwezigheid deed Thomas denken aan de gewonde veteranen die hij met zijn zusje had gadegeslagen, toen hun huis tijdens de vorige oorlog als hospitaal had gefungeerd.

Hij vroeg zich af of Pawel mensen had gedood aan het front, maar het was te vroeg om hem te vragen wat er daar was gebeurd. Hij bracht het gesprek op neutraler terrein.

'Laat je niet te zeer ontmoedigen door alle regen,' zei hij

tegen Pawel. 'November is altijd een natte maand, maar in december is het vaak verrassend mooi weer.'

'Liefje toch, vorig jaar heeft het de hele kerst geregend,' wierp Elizabeth tegen.

'Méést is het hier droog met Kerstmis.'

'In Warschau ligt nu een dik pak sneeuw,' meldde Pawel.

Hij sprak redelijk goed Engels, maar leek het liefst zo min mogelijk te zeggen.

Elizabeth deed nog niet veel moeite in gesprek te komen met hun nieuwe gast, maar nam hem wel heimelijk op. Zijn rechte houding en brede, voorzichtige handen ontgingen haar niet. Evenmin als zijn donkere ogen. Hij herinnerde haar aan die soepele, ongeschoren kunstenaars die voor de oorlog de deur platliepen bij de London Gallery. Intussen veinsde ze desinteresse.

Thomas noch Elizabeth maakte die avond veel indruk op Pawel. Voorlopig was hij al blij als hij een antwoord wist te geven op de vragen van dit voorname Engelse echtpaar, dat hem zo onverwacht onderdak had geboden.

Toen de koffie werd geserveerd, vroeg Thomas hem voorzichtig naar zijn vriendschap met de Nortons.

'Peter was buitengewoon enthousiast over je. Hoe heb je haar leren kennen?'

'Ze kwam vorig jaar naar mijn expositie in Warschau en heeft een paar van mijn schilderijen gekocht. Daar heb ik echt geluk mee gehad,' zei hij met zijn eerste glimlach en hij liet vervolgens aarzelend wat informatie los over zijn verleden. Dat hij was opgegroeid in een klein stadje, Sulejów, maar dat hij er altijd van had gedroomd in Warschau te gaan wonen, een echte stad, waar het wemelde van de kunstenaars en musici.

'En heb je altijd geschilderd?' vroeg Elizabeth, geïntrigeerd door iemand met een roeping.

'Ik had het geluk dat ik werd toegelaten tot de kunstacademie in Warschau,' zei hij schouderophalend.

Terwijl hij dit sobere verslag van zichzelf deed, ontbloot van alle emotionele details, herkende hij de persoon die hij beschreef nauwelijks. Hij vertelde hun bijvoorbeeld niet dat zijn moeder, een weduwe, liever had gezien dat hij dokter was geworden, of dat het voor hem als jood niet gemakkelijk was geweest om toegelaten te worden tot een goede kunstacademie.

'In 1938 had ik genoeg doeken bij elkaar geschilderd voor een kleine expositie. Lady Norton kwam ook naar de galerie. Ze was kort daarvoor op de Britse ambassade komen wonen.'

Ze was een opvallende verschijning, die hem meteen was opgevallen met haar beweeglijke gezicht, haar warrige korte haar en haar slungelige armen en benen. Ze had het kwikzilveren licht in zijn schilderijen bewonderd, precies wat hij wilde horen. Zijn metaforische taferelen deden haar denken aan Paul Nash, zei ze. Al die uitdagende landschappen en bergen van de menselijke geest.

'Ze kocht ter plekke drie schilderijen,' zei Pawel met een flauwe glimlach. 'Ik heb een paar keer bij de Nortons op de ambassade gegeten en toen kreeg ik de kans om haar kunstcollectie te bekijken. Onder andere schilderijen van Paul Klee, Leger en Kandinsky. Dat was heel leerzaam. Ze is een vrije geest...'

'En altijd boordevol enthousiasme,' voegde Thomas eraan toe.

'Zeker,' beaamde Pawel volmondig.

'Hoe heeft ze je geholpen te vluchten?' vroeg Elizabeth.

'Ik zat met een peloton in het oosten van Polen toen het bericht kwam dat de Russen waren binnengevallen. Er kwamen Sovjetsoldaten om ons gevangen te nemen, maar het was nogal een chaos en velen van ons wisten te ontsnappen door de rivier over te steken naar Roemenië, waar we in vluchtelingenkampen werden ondergebracht. Daar heeft lady Norton me gevonden.'

Hij had gehoord dat er een scheepslading hulpgoederen uit Groot-Brittannië onderweg was, met scheermesjes, zeep, sigaretten, medische voorzieningen en voedsel, en hij was de vrachtwagens gaan opwachten. Hij kon zijn ogen nauwelijks geloven toen de deur van een van de Fords openging en er een bekende figuur uitstapte – hoekig, energiek.

'Lady Norton!' had hij uitgeroepen.

Hij zag dat het heel even duurde voor ze hem herkende, maar toen lichtte haar gezicht op van vreugde.

'We moeten je hier vandaan zien te krijgen,' zei ze, terwijl ze hem omhelsde. 'Kom me helpen met uitladen en dan kun je samen met mij terug naar Engeland.'

Na haar eigen ontsnapping uit Polen had ze in Londen geld ingezameld voor de Poolse vluchtelingenkampen en vervolgens aangeboden zelf de goederen af te leveren.

Ze gingen nog drie kampen af, waarbij Pawel als haar assistent fungeerde. Daarna vergezelde hij haar in de vrachtwagen naar Italië, waar een Britse consul na een hoop gebluf en armgezwaai van haar kant een visum voor hem stempelde.

Ze reden terug door een stemmig Frankrijk, dat zich opmaakte voor de oorlog. Pawel sliep het grootste deel van de reis en Peter viel hem niet lastig met te veel vragen over de recente gebeurtenissen. Zodra ze in Londen aankwamen, nam ze hem mee naar haar huis in Chelsea om te herstellen en intussen smeedde ze het plannetje om hem te laten werken op de school voor evacués in Ashton.

'Het zal wel even duren voordat je helemaal op krachten bent gekomen, dus neem vooral je tijd voordat je gaat lesgeven,' zei Elizabeth tegen hem.

'Dank u wel, dank u voor alles,' zei Pawel en hij stond van tafel op. Terwijl hij zijn gastheer en gastvrouw goedenacht wenste, viel hem in het voorbijgaan de bedachtzame, onderzoekende blik van mevrouw Ashton op.

Hij liep terug naar zijn kamer, opgelucht dat hij van gezelschap bevrijd was. Hij had in geen maanden alcohol gedronken en de wijn die hij bij het diner op had, vloeide nog steeds door zijn aderen toen hij zich uitkleedde. Hij deed zijn nachtlampje uit en ging in het donker in bed liggen. Terwijl hij zijn ogen sloot, hoopte hij op een droomloze slaap.

22

Het duurde een week voordat Pawel lang genoeg boven water kwam om Ashton Park te verkennen. Tot die tijd was het landgoed aan hem verschenen als een reeks verre beelden, alsof hij door een dikke glaslaag keek.

Hij begon de kinderen die buiten speelden gade te slaan. Mooie kinderen, met lachende gezichten en wisselgebitten, mager en blond, heel anders dan de kinderen in Polen. Hij maakte ook kennis met de andere onderwijzers en de huishoudsters, hoewel het even duurde voordat hij een gedachte aan hen wijdde.

Wel was hij nieuwsgierig geworden naar het huwelijk van de Ashtons. En al snel had die nieuwsgierigheid zich uitgekristalliseerd tot medelijden met de echtgenote. Thomas Ashton was een knappe man, zeker, maar hij maakte een verdorde indruk: formeel, correct en gesloten. Elizabeth Ashton daarentegen was sensueel: ze wiegde een beetje met haar heupen als ze liep en elke beweging die ze maakte verried een onvervulde behoefte. Was hij nog gezond van lijf en leden toen ze met hem trouwde of was hij toen al invalide?

De andere docenten leken het of niet te weten of niet over de Ashtons te willen praten. Uiteindelijk was Joan, een dienstmeisje dat al jaren voor hen werkte, degene die het verhaal van Thomas' ziekte uit de doeken deed. Pawel was geraakt door hun ellende en had onvermijdelijk zijn bedenkingen bij hun leven samen.

Kon Thomas nog wel de liefde bedrijven met zijn vrouw?

Elizabeth had intussen al vanaf Pawels eerste dag bij hen zijn passie gevoeld. Klassenonderscheid zei de jonge Pool helemaal niets en ze voelde dat hij haar meteen vanaf het begin als een vrouw zag, zonder enig egard voor haar status. Ze had onmiddellijk door dat hij een man was die zich aangetrokken voelde tot vrouwen. Misschien ook wel tot haar?

Uit trots wachtte ze een tijdje voor ze hem bijzondere aandacht schonk, maar algauw kon ze de verleiding niet weerstaan hem in te palmen. Omdat hij een protegé was van de Nortons, en een buitenlander, voelde ze zich niet gehinderd door de Engelse reserve die haar op zekere afstand van de andere docenten hield. En Pawel was hun gast. Hij vervulde al snel de rol van Elizabeths oogappel, de leraar met wie ze tijdens de lunch praatte.

Thomas was iets terughoudender. Hij voelde vanaf het begin aan dat Pawel een man zonder banden was, roekeloos nu zijn toekomst in het ongewisse was. Hij was volledig ontworteld uit de oorlog tevoorschijn gekomen en zou misschien elke ervaring tot het uiterste willen najagen, alleen om het gevoel te hebben dat hij leefde. Thomas vroeg zich af hoe hij emotionele aanvaringen kon vermijden. Hij vond het niet prettig om voortdurend zijn vrouw en haar behoeften in de weg te staan. Maar hij wist dat ze snel uit balans was en wilde niet dat ze werd gekwetst.

Tot zijn verbazing voelde hij ook een steekje jaloezie. Hij zag dat ze elkaar nog niet in de ogen keken, althans waar hij bij was, maar hij voelde de begeerte van Elizabeth af spatten alsof ze onder stroom stond.

Thomas was vastbesloten vooral zijn kalmte te bewaren en geen enkele blijk te geven van zijn verdenkingen. Hij bleef gesprekken aanknopen met de jongeman, in het Duits dat hij tijdens zijn jaren in Berlijn had geleerd, omdat dat gemakkelijker was voor Pawel. Het schepte een band tussen de twee mannen die Elizabeth was ontzegd.

'Hoe lang denk je dat je bij ons wilt blijven?'

'Tot de Poolse troepen zich hier gehergroepeerd hebben, maar dat zal nog wel een paar maanden duren. Ik ben dankbaar voor de aanstelling dat u me hier hebt gegeven.'

'De kinderen zullen het prachtig vinden om les te krijgen van een echte kunstenaar. Heb je alle spullen die je nodig hebt?'

'Mevrouw Ashton is zo vriendelijk geweest voor alles te zorgen.'

Dat klopte. Ze was persoonlijk met Pawel naar York gereden, naar een winkel met een slinkende voorraad papier, verf en kwasten. Daar had ze indruk op Pawel gemaakt met de aanschaf van een buitensporige hoeveelheid schildermaterialen, waarna ze hem mee uit lunchen had genomen.

Ze had een restaurant uitgezocht waar ze tegenover hem kon zitten, om er zeker van te zijn dat ze elkaar aan moesten kijken. Onder het praten bestudeerde ze zijn vastberaden gezicht, met zijn donkere ogen en wenkbrauwen. Hij keek haar recht aan, bijna uitdagend.

'Denk je dat je je draai zult kunnen vinden in Engeland?'

'Als er één land in Europa vrij zal blijven, is het Engeland wel.'

'Dat is niet echt een antwoord op mijn vraag.'

'Ik ken nog niet veel mensen, maar ik vind het landschap heel mooi. Grijsgroen.'

Hun gesprek had een diepe onderstroom die verborgen bleef onder de oppervlakte van hun woorden. Pawel gaf zich niet bloot. Hij had nog geen vaste grond onder de voeten in dit nieuwe leven. Toch was hij geïntrigeerd door Elizabeth: hun geflirt gaf hem een kapstok voor zijn gedachten.

Het beviel hem hoe haar lichaam perfect werd omsloten door haar kleren. Er lag een belofte van verborgen volheid onder haar blouse. Hij popelde om de knoopjes los te trekken en naar haar gezicht te kijken terwijl hij dat deed. Hij vermoedde dat haar koele blik zou plaatsmaken voor een dankbare kwetsbaarheid.

Hun aarzelende intimiteit zette zich voorzichtig voort. Ze waren aan elkaar gebonden door de stilzwijgende bevestiging dat ze binnenkort geliefden konden zijn. Maar de vraag was hoe ze hun wederzijdse aantrekkingskracht de vrije teugel konden geven binnen de grenzen van Elizabeths leven, want Pawel had een onverwacht respect voor Thomas gekregen.

Hij werd van zijn stuk gebracht door de milde hoffelijkheid van de oudere man en diens begrip voor Pawels recente beproevingen. Op een avond dronken ze na het eten samen een glas madeira in de bibliotheek.

'Is het een succes voor u, deze school voor evacués?'

'Absoluut. Het huis is helemaal tot leven gekomen en ik heb mijn vrouw nog nooit zo gelukkig gezien.'

'Was het haar idee om deze kinderen een thuis te geven?'

'Ja, absoluut. Elizabeth beschikt over een geweldige... vitaliteit.'

Thomas reed in zijn rolstoel naar het raam om de gordijnen helemaal dicht te trekken en bood de jongeman een tweede glas madeira aan.

'Ben je... alleenstaand of heb je een gezin in Polen om je zorgen over te maken?'

Er flitste prompt een beeld door Pawels hoofd: hij zag het vuur in Sulejów, dat hij niet snel genoeg had kunnen bereiken. De herinnering was onuitwisbaar: de paarsrode gloed aan de nachtelijke hemel en de afgrijselijke wetenschap dat Sulejów in vlammen opging, terwijl hij door de velden liep om zijn moeder te zoeken. Hij rende naar haar huis, maar de hele straat lag in puin en was veranderd in een verzameling bomkraters en uitgebrande huizen. Alles was weg, misschien zelfs wel de ziel van zijn moeder.

'Nee. Geen familie. Zij zijn omgekomen.'

'Gecondoleerd,' zei Thomas zacht, zonder verder aan te dringen.

Onverwachts begon Pawel te vertellen.

'Ik maakte deel uit van een peloton aan de grens met Tsjechoslowakije. Onze divisie was versplinterd geraakt bij de invasie en we moesten op eigen kracht naar het oosten zien te komen. We kwamen door mijn geboorteplaats, maar er was een bloedbad aangericht. Sulejów zat vol joden, en nazistuka's hadden de stad gebombardeerd. De houten huizen brandden als fakkels. Toen de mensen het bos in probeerden te rennen, scheerden de vliegtuigen laag over en maaiden iedereen neer. Onder anderen mijn familie.'

Thomas aarzelde.

'Ik kan niets zeggen om je pijn weg te nemen, maar je hebt mijn diepste medeleven.'

'Dank u.'

Even keken de twee mannen elkaar aan.

'Je moet ervoor waken dat je jezelf voor anderen afsluit, Pawel. Dat kan gemakkelijk gebeuren. Maar je moet je ook niet meteen in een nieuwe relatie storten. Je moet goed op jezelf passen.'

Pawel was diep getroffen door Thomas' woorden, want hij wist dat ze onbaatzuchtig waren gesproken.

Hij nam het advies ter harte en gaf geen gehoor aan Elizabeths volgende uitnodiging om mee te gaan naar de stad op een of andere verzonnen missie. Hij hield haar nauwlettend in de gaten, maar liet zich niet uit de tent lokken, precies zoals Thomas hem had aangeraden, omdat hij er nog niet klaar voor was zich open te stellen voor nieuwe gevoelens. En hij zag haar ongeduld, haar verlangen om zich aan hem over te geven, elke keer als ze zijn blik ontmoette.

In plaats daarvan bracht hij vele uren door met het gadeslaan van de evacués in de tuinen. Hij was vergeten hoe tevreden kinderen met elkaar konden spelen. Jongens gooiden uren achter elkaar een bal tegen de buitenmuur, terwijl er na schooltijd in de Marmeren Hal voortdurend het tok-tok-tok van badmintonshuttles klonk.

Hij ontwikkelde beetje bij beetje zijn eigen stijl van lesgeven en begon daarbij met het schetsen van bomen in alle seizoenen. Hij liet de kinderen zien hoe ze takken moesten tekenen die uit een boomstam spruiten. Daarna vulden ze ze in met een herfstcascade van vallende bladeren, de bloesem van de lente of de volle groene pracht van de zomer. Zelfs de kale takken van de winter hadden hun charme. Bijna ieder kind maakte wel een paar tekeningen en Pawel zette in het tekenlokaal een tentoonstelling op die hij *De bomen van Ashton Park* noemde.

Ashton bruiste van het leven en Elizabeth runde de school met verbazingwekkende efficiëntie. De Nortons kwamen een weekend logeren en allebei stonden ze ervan versteld hoezeer het huis was veranderd door de aanwezigheid van de kinderen. Ze waren opgelucht Elizabeth zo rustig en tevreden te zien en enthousiast over Thomas' nieuwe rol als onderwijzer.

De Nortons bleven te kort om iets te merken van de rol die Pawel speelde bij Elizabeths hernieuwde elan. Maar Peter wakkerde wel het zelfvertrouwen van haar protegé aan met haar gulle complimenten over zijn talent, dat door alles wat hij had meegemaakt bijna was opgedroogd. Hij begon weer voor zichzelf te schilderen, waardoor hij zich op de een of andere manier beter in staat voelde Elizabeth op gelijke voet tegemoet te treden.

Hij had nieuwe hoop gekregen. Zijn genegenheid voor de kinderen groeide en zijn natuurlijke geluksgevoel welde weer in hem op. Over een paar maanden zou hij zijn bijdrage aan de oorlog leveren, maar voorlopig was hij van plan te genieten van zijn werk hier, met deze evacués.

Toch wilde hij ook iemand vinden om van te houden.

Er stond een boom met een grote schommeltak in het bos en op een kraakheldere middag in februari liet Pawel de tak op en neer deinen voor twee stoere jongens. Elizabeth kwam toevallig langswandelen en ging erbij staan. Pawel voelde dat ze ervan genoot hem zo in de weer te zien met de jongens, die na een tijdje wegrenden om krijgertje te spelen.

'Kan ik u een lift geven?' bood Pawel quasihoffelijk aan, en hij stapte op de boom af. Speels ging ze zitten en hij liet de tak zachtjes wiegen, maar na een tijdje verraste hij haar door hem opeens veel wilder op en neer te bewegen, met een kwajongensachtige twinkeling in zijn ogen.

'Hou op,' zei ze lachend en hij stopte.

Er viel een stilte. Geen van beiden wist wat ze moesten zeggen.

'Je geniet echt van de kinderen, hè, Pawel?'

'Natuurlijk.'

'Ze zijn dol op je, dat zie je zo.'

'Een huis als dit vraagt om kinderen,' zei hij gedachteloos. De pijn op haar gezicht sneed hem door de ziel.

'Ik bedoel: zolang deze oorlog gaande is, kan ik me geen betere plek voor ze indenken.'

'Ja,' zei ze. Toen ze haar evenwicht had hervonden, ging ze verder. 'Ik ben blij dat we de evacués hier hebben, want Thomas en ik kunnen zelf geen kinderen krijgen.'

Pawel wist niet wat hij daarop moest zeggen, dus vatte hij de opmerking zo luchtig mogelijk op en bleef de tak zachtjes op en neer wiegen.

'Wat een geluk dat er toch kinderen hun weg hierheen hebben gevonden.'

'Ja,' antwoordde ze en ze liep weg van de tak.

Tijdens de wandeling naar huis werd er niets meer gezegd. Ze ontweek zijn blik toen ze afscheid namen op de stenen trap.

Pawel was van slag toen hij haar achterliet. De intimiteit van haar onthulling had hem diep geraakt. Hij had automatisch de conclusie getrokken dat Thomas impotent was. Hij bleef buiten op het gazon wandelen, denkend aan Elizabeth en het verdriet in haar ogen. Hij vroeg zich af of de ongemakkelijkheid tussen hen ooit kon worden weggenomen door een omhelzing.

* * *

Elizabeth liep naar binnen, terug naar haar slaapkamer, om alleen te zijn. Haar gesprek met Pawel had haar van streek gemaakt en ze wilde nagaan wat haar nu precies dwarszat. Ze vreesde dat de opmerking over haar kinderloosheid te intiem was geweest. Maar het zat haar vooral niet lekker dat ze had valsgespeeld. 'Thomas en ik kunnen zelf geen kinderen krijgen,' had ze gezegd, in het volle besef welke conclusie Pawel zou trekken. Terwijl ze door haar mislukte avontuurtjes in Soho heel goed wist dat het probleem bij haarzelf lag.

Ze had het geprobeerd geheim te houden, maar ze zat nog steeds gevangen in haar eigen persoonlijke verdriet: haar ontroostbare verlangen naar een kind. Bij elke wandeling die ze maakte, voelde ze de vorm van haar baarmoeder in haar buik, die verwachtingsvolle leegte. Ze voelde zelfs haar eierstokken rijpen – en toch werd ze geplaagd door onvruchtbaarheid. Ze kon deze woestijn in haar lijf nog niet aanvaarden.

Ze verlangde naar dat sprankje leven vanbinnen, die innerlijke vonk die haar weer met de buitenwereld kon verbinden. Eén klein schopje in haar buik en alles zou goedkomen. Ze ervoer haar steriliteit als een scherp mes dat haar afsneed van alles wat groeide en bloeide. Bloemen en fruit, of welke metaforen van vrouwelijke schoonheid dan ook, blozend, bloesemend, bottend met zwellende knoppen – het ging allemaal aan haar voorbij. Zij zag alleen maar verwelkte rozen en bladerloze bomen. Een morsdode wereld.

Ze pakte een stapeltje brieven van haar bureau en besloot ze in het dorp te gaan posten. Ze trok haar jas aan tegen de winterkou en ging op pad, langs de doorweekte bladeren die nog steeds in hoopjes lagen weg te rotten op de oprijlaan. Alles herinnerde haar aan haar vruchteloze schoot. Bladeren in een plas. Lege kastanjebolsters, platgereden op de weg door het langsrijdende verkeer. Of zelfs alleen al het slechte weer...

Toen ze terugkwam door het park, was een groepje evacués op het gazon aan het spelen. In het laatste middaglicht leken ze wel engelen uit een andere wereld, volledig buiten haar bereik. In haar ogen bestond er niet zoiets als een lelijk kind: ze waren allemaal gezegend met een gaaf gezichtje en een gave inborst. Schijnbaar opgesloten in haar eigen gevangenis, afgesneden van alles en iedereen, stond ze daar te kijken naar drie kleine meisjes die tikkertje speelden tussen de heggen van de kruidentuin. Ze zag hun frisse gezichtjes. Hun dartele ledematen en stralende huid. Hun argeloze glimlach en de zelfbewustheid waarmee ze hun handen naar elkaar uitstrekten.

Ze wilde niets liever dan een kinderhand in de hare voelen. Maar dan dat van haar eigen kind, dat naar haar op zou kijken en zou zeggen: ik hou van je, mama.

Ze besefte intussen wel dat dat hoogstwaarschijnlijk nooit zou gebeuren, maar het verlangen ernaar liet haar niet los.

Niets hiervan kon of wilde ze met iemand delen, en al helemaal niet met Pawel. Daarom had ze tegenover hem de suggestie gewekt dat haar kinderloosheid aan Thomas lag – sterker nog: dat ze een vrijwillig offer had gebracht door in een kinderloos huwelijk te blijven.

Ze voelde zich er niet prettig bij dat ze hem zo had misleid, maar ze wilde dat Pawel haar zag als een vrouw zonder problemen.

23

In Ashton Park las Pawel elke dag aandachtig de krant. Week in, week uit volgde hij de sombere berichten over de oorlog, terwijl de Duitsers zich een weg door Europa bombardeerden en duizenden Britse troepen dwongen uit Duinkerken te vluchten. Kort daarna werd Hitler in een zegevierende pose vereeuwigd bij de Arc de Triomphe.

Maar aan Ashton Park ging de oorlog volledig voorbij. Pawel bleef gewoon teken- en schilderlessen geven in het gemoedelijke Engelse landhuis. Voor de jongste kinderen tekende hij boerderijen met varkens en kippen en een zwarte kat naast een windwijzer. Zijn papieren boerenerven waren oases van vrede en rust, veilige wereldjes waar oorlog en haat niet bestonden en waar hij de kinderen graag mee naartoe nam.

Op een ochtend ging Elizabeth bij een van zijn lessen zitten. Ze zag hoe geconcentreerd hij was en hoe recht hij zijn bovenlijf hield, zelfs als hij iets voor de kinderen tekende. Hij keek op.

'Ik kwam naar je les kijken,' zei ze zo nonchalant mogelijk. Pawel glimlachte. Hij was blij dat ze was gekomen.

'Wilt u onze tekeningen zien?'

Hij liep met haar de tafels langs en prees het werk van de kinderen. Een meisje had elke steen van haar boerderij een andere kleur gegeven. Samen bewonderden ze het harmonieuze resultaat.

Elizabeth straalde van plezier, zoals altijd wanneer Pawel in de buurt was. Al haar vorige geliefden waren vreemden geweest en zo had ze het ook gewild, maar deze aantrekkingskracht voelde anders en nieuw. Pawel woonde nu al een tijdje in haar huis, ze werkte met hem samen en at met hem samen. Hij werd zelfs gerespecteerd door haar man.

Ze voelde dat ze al weken om elkaar heen draaiden. De eerste aarzelende blikken die ze wisselden, de eerste keer dat hij in het voorbijgaan haar arm aanraakte – al die momenten hadden haar hart diep beroerd. Ze snakte naar een bevestiging van hun speciale band.

'Hebben jullie nog bepaalde spullen nodig?' vroeg ze.

'We hebben geen gele verf meer,' zei Anna Sands, opkijkend.

'Geen gele verf,' beaamde Pawel, met een glimlach.

Dus werd er een nieuw tochtje naar York georganiseerd, met opnieuw een bezoek aan de winkel in kunstbenodigdheden. En na afloop zaten ze weer tegenover elkaar aan een afgezonderd tafeltje in een restaurant. Haar ogen stonden zo belangstellend en haar bezorgdheid was zo oprecht dat Pawel dit keer besloot haar in vertrouwen te nemen en eindelijk zijn hart uit te storten over zijn recente verleden.

Hij vertelde haar over het gruwelijke moment waarop hij zijn moeders verkoolde huis in Sulejów had aangetroffen. Hij ging verder en schetste haar de chaos van de nazi-invasie, toen de Panzers zo snel door hun verdediging waren gebroken dat duizenden Polen werden uiteengedreven langs de grenslinie, afgesneden van hun eigen leger.

'Er waren zo weinig transportmiddelen dat honderden soldaten dwars door Polen naar het oosten moesten lopen om het leger te vinden, dat zich daar hergroepeerde,' vertelde hij haar. 'Ik had het geluk dat ik een paard-en-wagen naar Sulejów wist te bemachtigen, maar toen ik de hoofdweg van Warschau naar Lublin bereikte, leek daar wel een Bijbelse exodus aan de gang. De weg was afgeladen met soldaten en vluchtelingen. Ik zag één grote stroom auto's, vrachtwagens, karren, kinderwagens, fietsen en ezels. De zon brandde en we werden omhuld door stofwolken. De Duitse vliegtuigen kwamen zo vaak over dat we allemaal het gevoel hadden dat we van bovenaf werden bekeken, als mieren onder een opgetilde laars.

Ik hielp een vrouw en haar vier kinderen in mijn wagen. Ze heette Monika. Ze had ronde ogen en hield haar baby in haar armen geklemd. Als er stuka's overscheerden, renden we allemaal naar de berm. De bommen waren angstaanjagend, maar het machinegeweervuur was dodelijker – een ijzingwekkend geluid. Ik hoor het nu nóg.

Vlak voor Lublin verschenen er weer drie vliegtuigen. Monika's oudste kinderen renden snel weg, maar ze werden neergemaaid door geschutvuur. De jongens stortten prompt neer, zonder een kik te geven. Het meisje slaakte een gil, een wanhopige kreet...'

Hij sloot zijn ogen en hield even met duim en wijsvinger zijn neusbrug vast.

'Het verdriet van die vrouw... Ik had nog nooit zoiets gezien. Jammerend boog ze zich over hun lichamen. Ik schaamde me dat ik nog leefde. Ik zie nog steeds de donkerrode aderen uitpuilen op haar voorhoofd.' Hij viel weer even stil, met een korte blik op Elizabeth.

'Ik heb gedaan wat ik kon. Ik heb de moeder geholpen haar kinderen te begraven en daarna smeekte ze me verder te gaan. Dus ik heb gedaan wat ze vroeg en heb haar samen met haar baby en de wagen achtergelaten.'

Elizabeth probeerde zijn blik te vangen.

'Heb je ooit een nieuw peloton gevonden om je bij aan te sluiten?' vroeg ze.

Hij knikte. 'In Lublin. Ik hoorde dat er soldaten op het station waren, dus ik ben ernaartoe gegaan en vond er eindelijk wat reservisten, die op weg waren naar het zuiden om zich aan te sluiten bij het leger van generaal Sosnowski. Toen onze trein wegreed, was er geen plek om te zitten, dus bleven we allemaal op elkaar gepakt staan.

Op weg naar Lvov werden we meerdere malen aangevallen. Telkens als er een vliegtuig overscheerde, stopte de trein en sprongen we uit de wagons om dekking te zoeken.

Ik ben nog nooit zo intens bang geweest als toen ik daar

met die vliegtuigen boven mijn hoofd over dat open terrein rende, wachtend op de kogels die me zouden doorboren. Elke keer kwamen er een paar soldaten niet terug naar de trein... Het was puur toeval wie het wel redde en wie niet.'

Hij keek weg terwijl sprak.

'De rest weet u. Tegen de tijd dat we Lvov bereikten, was de stad omsingeld en moesten we ons overgeven aan de Russen. Ik vluchtte de grens over naar Roemenië en kwam terecht in een vluchtelingenkamp bij Boekarest. En daar ben ik gebleven totdat Peter Norton in haar vrachtwagen aankwam.'

Hij ontweek nog steeds Elizabeths blik.

'Pawel,' zei ze, terwijl ze haar hand naar hem uitstak. Fluisterend ging ze verder. 'Het is een zegen dat je het hebt overleefd...' En voor het eerst keken ze elkaar diep in de ogen.

24

Elizabeth en Pawel maakten niet lang daarna weer een tripje naar York, maar dit keer brachten ze de middag met z'n tweetjes door in het Royal Station Hotel. Elizabeth gaf Pawel geld om alvast voor de kamer te betalen en glipte vervolgens zelf de trap op, waarbij ze ervoor zorgde dat ze niet werd gezien.

Ze had al weken over Pawels uiterlijk gemijmerd en zich afgevraagd hoe het haar op zijn borst en armen en benen groeide. Toen hij zijn kleren uittrok, stond ze versteld van de realiteit van zijn lichaam.

Ze verborgen zich niet onder koude gesteven lakens, maar keken naar elkaar. De onverbloemdheid van haar verlangen ontroerde Pawel. Er was niets stijfs of verlegens aan hoe ze op hem reageerde. Nooit eerder had hij zo'n onbevangen intimiteit meegemaakt.

Na afloop hield hij haar in zijn armen en hij was vertederd door haar kwetsbaarheid. Ze vielen samen in slaap en werden net op tijd wakker om voor het eten terug te zijn in Ashton.

* * *

'Wil je misschien onze muntsaus proberen, Pawel? Munt, azijn en suiker, een Engelse specialiteit...'

Thomas gedroeg zich die avond zoals altijd vriendelijk en ontspannen. Hij sneed het vlees: gebraden lam, afkomstig van hun eigen landgoed. Een zeldzame traktatie. Kan ik dit doen? dacht Pawel. Speelt deze man een spelletje met me en drijft hij me willens en wetens in de armen van zijn vrouw, of ziet hij niet hoe we naar elkaar kijken?

In de volgende maanden ontstond er een vreemde driehoek van medeplichtigheid tussen Pawel en de Ashtons, en dat in een huis dat werd beheerst door het ingewikkelde rooster van schoolkinderen. Altijd ging er wel een bel die een nieuwe les of maaltijd aankondigde. Het was een komen en gaan in de gangen en de eetzaal. Pawel was dolblij met de constante drukte van mensen die overal om hen heen en tussen hen door krioelden en zo hun verhouding camoufleerden.

Verrassend genoeg begon de relatie tussen Elizabeth en haar echtgenoot op te bloeien. Nu ze tevreden was met een andere man, vond ze het fijn om Thomas' arm in het voorbijgaan te strelen en hem openlijk genegenheid te tonen. Zulke tekenen van echtelijke intimiteit vuurden Pawel alleen maar aan.

Hun vreugdevolle, roekeloze affaire zette zich week in, week uit voort en Pawels gretigheid had een verslavende uitwerking op Elizabeth. Elke dag wilde ze maar één ding en dat was bij hem zijn. Haar hoofd op zijn borstkas leggen en zijn gezicht strelen. Hem koesteren en adoreren. Een nieuw begin maken – ze was nog maar vierendertig. Ze waagde het zelfs ervan te dromen dat ze, als ze eenmaal de ketenen van Ashton Park had afgeworpen, zwanger zou worden van Pawels kind.

Maar naarmate ze zich zekerder voelde van haar geliefde, begon er iets te wringen. Nauwelijks waarneembaar, eerst nog onopgemerkt, woekerde er een gezwel: een verschil in de mate waarin ze elkaar begeerden.

Hij ontstond geleidelijk, deze barst in hun relatie. Misschien werd Pawel voor het eerst afgeschrokken door de buitensporige toewijding die Elizabeth uitstraalde. Hij bekeek haar opeens met iets meer afstand en zag een tomeloze urgentie in haar ogen die hem zorgen baarde.

Op een avond speelde Thomas piano, zijn geliefde Schubert, en de muziek klonk door de open schuifdeuren tot in de zuilengang. Het was na het eten en Elizabeth was een beetje dronken.

'Dans met me,' zei ze tegen Pawel, maar hij had geen zin.

Ze liep naar Thomas toe.

'De man wil niet met me dansen als je dat soort muziek speelt. Speel alsjeblieft iets anders. Voor ons.'

Thomas keek zonder met zijn ogen te knipperen op en terwijl hij hen gadesloeg, gingen zijn vingers feilloos van Schubert over op Jerome Kern.

Elizabeth lachte. Thomas en Pawel keken elkaar even aan. Toen vloog Elizabeth op de jongeman af en dansten ze samen op het terras.

Oh, but you're lovely, with your smile so warm
And your cheek so soft,
There is nothing for me but to love you
Just the way you look tonight...

Toen het liedje was afgelopen, liep Pawel de tuin in. Elizabeth ging hem achterna.

'Ga nou niet weg,' riep ze veel te luid. 'Hij speelt nog wel iets, maak je geen zorgen.'

'Ik wil niet dansen,' zei Pawel.

'Alsjeblieft...'

'Ik zei: ik wil niet dansen.'

'Komt het door hem? Maak je je zorgen om hem? Hij vindt het niet erg.'

Pawel keek haar aan met ingehouden woede.

'Laat me alsjeblieft met rust.'

Hij liep weg. Ze volgde hem niet, maar bleef hem in het schemerlicht van de tuin staan nastaren.

Thomas sloot de klep van de piano en vertrok discreet naar bed.

De volgende ochtend schaamde Elizabeth zich vreselijk voor hoe ze zich tegenover beide mannen had gedragen. Ze was berouwvol tegen Thomas en ging op zoek naar Pawel om hem om vergeving te vragen. Maar het was al te laat.

Pawel wilde nu weg. Hij wilde geen getuige zijn van een

uiteenvallend huwelijk. Hij was altijd al van plan geweest zijn weg te vervolgen zodra hij helemaal hersteld was, hield hij zichzelf voor. Zonder iets tegen Elizabeth te zeggen won hij informatie in over een Pools luchteskader dat gestationeerd was in Derby en waarbij hij als piloot kon trainen.

Een paar dagen later vertrok hij. Hij nam afscheid van de kinderen en stopte in een plunjezak de paar kleren die de Nortons voor hem hadden gekocht. Hij nam hoffelijk afscheid van Thomas, die, als hij al verbaasd was over Pawels besluit, daar in elk geval geen blijk van gaf. Als laatste ging hij op zoek naar Elizabeth en haalde haar uit een overleg met het keukenpersoneel.

'Ik kom afscheid nemen, Elizabeth...'

Ze trok wit weg.

Hij was bruusk en resoluut. Hij liet haar achter op een stoel in de gang, met een kinderlijke blik van verwonderd verdriet op haar gezicht. Ze stond op het punt om in tranen uit te barsten, maar daar bleef hij niet op wachten. Hij ging ervandoor en liep naar het dorp om de eerste de beste bus naar het zuiden te nemen.

Hij wist dat het wreed was om zo abrupt te zijn, maar hij zou het niet kunnen verdragen naar haar smeekbeden te luisteren. Niettemin voelde hij een steek van onderdrukt schuldgevoel: omdat hij haar hoop had gegeven en die vervolgens weer had weggenomen.

Elizabeth sloot zich verbijsterd op in haar kamer. Ze ervoer zijn vertrek alsof hij fysiek van haar was losgehouwen, afgehakt bij de wortels van haar hart. Ze begon over haar hele lichaam te beven. Thomas vond haar krampachtig opgerold op bed, zacht kermend van de pijn.

Ze schokte zo hevig dat ze hoge koorts kreeg en drie dagen in bed moest blijven, tussen lakens die doordrenkt waren van het zweet. Thomas bleef bij haar en depte haar met een natte spons.

Een paar weken verkeerde Elizabeth in een depressie waarin zwijgzaamheid werd afgewisseld door driftbuien, razernij en bitterheid. Thomas was de enige die werd toegelaten tot haar geheime verdriet en hij deed wat hij kon om haar te troosten. Ze praatte over haar geliefde alsof Thomas alles al had geraden. Omdat ze zo ziek was, maakte hij haar geen verwijten.

Hij wist niet wat hij voelde na de ontrouw van zijn vrouw.

25

Op een dag, toen Elizabeth nog steeds bedlegerig was, zag Thomas Ruth Weir in haar eentje door de tuin lopen. Terwijl hij haar gadesloeg door het raam van zijn studeerkamer, viel hem op hoe dromerig ze keek. Ze leek vaak volledig in haar eigen wereldje te zitten. Hij bedacht hoe weinig hij eigenlijk wist van deze jonge onderwijzeres. Hij hoopte dat ze niet te eenzaam was in Ashton. Ze was altijd beleefd tijdens stafvergaderingen, maar ook gereserveerd. Weinig toegankelijk.

Hij had van meneer Stewart begrepen dat Ruth een domineesdochter was die kortgeleden was afgestudeerd in Oxford en voordat ze naar Ashton was gekomen op zijn school in Pimlico had gewerkt. Ze was zwijgzaam, maar keek helder uit haar ogen. Met haar bleke gezicht en roodblonde haar was ze niet direct een opvallende verschijning, mijmerde Thomas. Hij was verbaasd geweest toen hij op een dag tijdens de lunch naar haar had gekeken en had ontdekt dat ze knap was, met een parelblanke huid en een vertederende glimlach.

Nu hij haar langs de fontein zag lopen, was zijn nieuwsgierigheid gewekt. Ze had iets onzekers en terughoudends, maar paradoxaal genoeg ook iets doorzichtigs.

Later die week, toen Ruth na afloop van een les zijn rolstoel voortduwde door de gang in de westvleugel, probeerde hij een beleefd gesprekje met haar aan te knopen.

'Hebt u hier genoeg gevonden om u niet te vervelen?'

'Eh, ja... Ik houd van wandelen.'

'Met dit heldere weer moet u echt een keer Rievaulx Abbey bezoeken.'

'Ik ben er vorig weekend door het dal naartoe gewandeld.'

'Prachtig is het daar, hè?'

'Ja,' zei ze gretig. 'Volgens mij heb ik nog nooit zoiets... zoiets moois gezien.'

Ze zei het met zo veel gevoel dat Thomas de neiging kreeg om te lachen. Maar in plaats daarvan stelde hij zich een moment open voor de oprechtheid van haar antwoord. Ze had nog een frisse blik op de wereld.

Ze raakten aan de praat over het park – de contouren van het dal, de uitgestrekte velden – en hij wees bij elk raam dat ze voorbijliepen bepaalde bomen aan. Tegen de tijd dat ze bij zijn studeerkamer kwamen, voelde hij een nieuwe verwantschap met Ruth.

Er volgden korte, oppervlakkige gesprekjes, in de onderwijzerskamer of bij de lunch. Beleefde vragen over waar ze was opgegroeid en welke boeken ze aan het lezen was. Hij moest glimlachen om de voorzichtige vormelijkheid waarmee ze elkaar bejegenden.

Hij begon zich te verheugen op elke gelegenheid waarbij ze hem misschien van het ene naar het andere lokaal zou brengen. Hij spaarde zelfs dingen op om tegen haar te zeggen, hoe idioot hij het zelf ook vond.

'Als u volgende week naar het lage bos gaat, kunt u de grasklokjes zien bloeien.'

'Ze komen nu al uit,' vertelde ze hem. 'De kinderen hebben ze me laten zien.'

'Ik denk dat u komend weekend versteld zult staan van de zee van blauw, daar.'

'Ik heb nog nooit een bos met zo veel grasklokjes gezien. En zulke stralende kleuren...'

Afgezien van die gedeelde momenten van enthousiasme leken ze elkaar weinig te vertellen hebben, maar dat weinige werd met onverwachte bezieling uitgewisseld.

De dagen lengden en ze konden er vaker en langer opuit. Thomas was ontroerd door de manier waarop Ruth naar de wereld keek. Ongemerkt deed ze iets in hem ontwaken: zijn onuitgesproken liefde voor de natuur. Hij merkte dat ze oog had voor de ongrijpbare charme van gewone dingen: de wind in de bomen, het licht op een meer, de golvende heidevelden.

Hij was zelfs vergeten dat die gevoeligheid ook voor hemzelf ooit belangrijk was geweest. Misschien kwam het gewoon door haar jeugdigheid, maar op de een of andere manier boorde ze de bronnen aan van zijn oude spontane ontvankelijkheid, die te lang afgesloten waren geweest.

Hij wilde haar laten zien dat er ook met zijn ogen niets mis was. Het werd plotseling absurd belangrijk om over de bast van een zilverberk te praten of over de vorm van een paardenkastanje in volle bloei. Hij wilde met haar het genoegen delen dat hij beleefde aan de trage avondsluiting van de hemel boven het park.

Op een donderdag verwachtte hij dat ze hem zoals gebruikelijk naar het huis zou terugbrengen, maar ze was er niet.

'Ze heeft zich ziek gemeld,' zei mevrouw Robson, die hem nu in plaats van Ruth terugreed. Voor het eerst moest Thomas tegenover zichzelf bekennen dat hij niet alleen diep teleurgesteld was over Ruths afwezigheid, maar dat hij zich ook bovenmatig ongerust over haar maakte. Het bleek maar een griepje en ze was binnen drie dagen weer op de been.

'Ik ben heel blij dat u er weer bent,' zei hij tegen haar, toen ze weer in de onderwijzerskamer verscheen.

'Het was maar een verkoudheid,' zei ze, opgelaten door alle aandacht. Maar de bezorgde blik in zijn ogen gaf haar een warm gevoel.

* * *

Ruth vertrok naar haar lokaal, blij dat ze weer kon lesgeven. Het was een van haar lagere klassen. Ze ging verder met voorlezen uit *Alice in Spiegelland* en verzamelde daarna de kinderen voor het raam om hun de beelden aan te wijzen van de leeuw en de eenhoorn aan weerszijden van de toegangspoort.

'Ze zijn uit het verhaal ontsnapt en hier in Ashton Park terechtgekomen, maar waarom?' vroeg ze aan hen. Toen liet ze hen hun eerste opstel schrijven, met als titel: *Een gesprek tussen de leeuw en de eenhoorn in Ashton Park*. De kinderen gingen met potlood en schrift aan de slag.

Ruth was aanvankelijk nerveus geweest toen ze naar Ashton Park kwam, een geïmproviseerde school-in-oorlogstijd. De kinderen waren er min of meer toevallig terechtgekomen uit verschillende delen van Londen, en op basis van leeftijd ingedeeld in klassen van ongelijke grootte. Maar ze had een ietwat uitzonderlijk lesplan opgesteld dat aansloot bij hun behoeften. Met de oudste kinderen las ze *De storm* van Shakespeare en *De Charge van de Lichte Brigade* van Tennyson. Voor de jongere kinderen had ze de sprookjes van Oscar Wilde gekozen.

Lesgeven maakte haar gelukkig. Ze was tevreden in Ashton omdat ze wist dat ze zich nuttig maakte. Wel vond ze het jammer dat ze geen vrienden had. Als ze na lestijd de vele trappen omhoogliep naar haar kamer, vroeg ze zich af of ze niet te introspectief werd van deze omgeving, misschien omdat er niemand was die ze in vertrouwen kon nemen. Ze putte troost uit haar nette slaapkamertje op de bovenste verdieping, dat net groot genoeg was voor haar kleren en boeken en een ladenkast, maar anderzijds maakte ze zich zorgen dat ze zich er al te gretig in terugtrok.

Haar komst in dit enorme, onbekende huis was heel onverwacht geweest. De oorlog had haar abrupt uit haar halfslachtige sociale leven in Londen gerukt. In sommige opzichten was ze opgelucht dat ze zich nog niet hoefde in te stellen op mogelijke relaties. Ze voelde zich hier veilig, alsof ze haar toekomst nog eventjes kon uitstellen.

En toch waren er bepaalde aspecten van haar spartaanse nieuwe leven die verborgen gevoelens oprakelden. Misschien kwam het doordat ze eenzaam was, of misschien maakte Ashton Place haar alleen maar bewust van haar ongezonde kluizenaarsneigingen.

Ze had er altijd aan getwijfeld of ze in staat was liefde te vinden, hoewel ze niet kon zeggen waarom. Op feestjes in Londen had ze gezien hoe mannen reageerden op zelfverzekerde vrouwen, maar ze wist niet hoe ze er zelf een moest worden. Ze had graag een sensuele uitstraling willen hebben, met gelakte nagels en zware make-up, maar ze ontbeerde het zelfvertrouwen om te streven naar allure. Ze was gewoontjes, onzichtbaar zelfs – misschien het resultaat van haar emotioneel teruggetrokken jeugd.

Ze was streng opgevoed en de relatie met haar ouders was formeel en afstandelijk. Er waren beurzen voor domineesdochters op een particuliere school in de omgeving en dus was ze al op haar achtste van huis gestuurd om het twijfelachtige voorrecht te genieten van onderwijs op een kostschool. Ze werd er gekweld door heimwee, die nog werd verergerd door een dagelijks schuldgevoel omdat ze niet dankbaar genoeg was voor de opleiding waarvan ze wist dat die niet goedkoop was geweest.

Ze herinnerde zich nog de eerste keer dat ze naar huis mocht: de stijve omhelzing met haar moeder, haar verlegenheid tegenover haar vader. Ze had hen tot nu toe als onderdeel van zichzelf beschouwd, maar plotseling kon ze hen alleen maar vanaf de buitenkant bekijken, los van zichzelf. Ze had geleerd in te spelen op de afstandelijkheid van haar ouders door beleefd en opgewekt te zijn, maar vanbinnen verborg ze diepe wonden. Op kostschool ontving ze slechts zo nu en dan een brief van thuis en er waren meerdere verjaardagen waarop ze niet eens een kaart kreeg.

Bij gebrek aan ouderlijke genegenheid had haar gevoeligheid voor fysieke nabijheid pijnlijke vormen aangenomen. Als iemand maar haar arm vasthield of een hand op haar schouder legde, liep er een koude rilling over haar rug en verstijfde ze. In Oxford was ze beduusd geweest van al die collegezalen boordevol jongemannen, maar haar verlegenheid had haar in de weg gestaan. Het grootste deel van haar tijd had ze alleen in haar kamer in Somerville doorgebracht, waar ze gedichten las en in geëxalteerde opwinding over een nieuw boek door haar studeerkamer ijsbeerde.

Later, toen ze voor de klas ging staan, realiseerde ze zich dat ze alleen in de buurt van kinderen open, ontspannen en haar liefdevolle zelf kon zijn. Ze was een spontane mentor, empathisch en geduldig. Door haar eigen ervaring met eenzaamheid voelde ze haar leerlingen goed aan.

Maar naast het lesgeven gebeurde er nog iets volslagen nieuws met haar in Ashton. Ze had Thomas leren kennen. Zo noemde ze hem in gedachten. Elke ontmoeting tussen hen verliep al wekenlang beleefd en vriendelijk, meer niet, maar voor het eerst in haar leven voelde ze zich dicht bij iemand staan, hoewel geen van beiden ooit iets zei over die vertrouwelijkheid tussen hen.

Het leek wel alsof ze zijn gedachten kon lezen. Ze had nooit eerder zoiets meegemaakt, zo'n onuitgesproken verbondenheid gevoeld. Maar speelde er echt iets tussen hen, zoals ze soms dacht, of beeldde ze het zich alleen maar in?

26

Ruth had net de laatste bladzijde van *De zelfzuchtige reus* aan haar klas voorgelezen. Anna's hart bonsde er nog van, zo had ze genoten van het verhaal: de jongen die zijn hand uitstak, het smeltende hart van de reus, de bevroren tuin die tot leven kwam. Het was nu al haar favoriete boek.

Ze stak haar vinger op. 'Mogen we alstublieft nog een verhaal?' vroeg ze.

'Vandaag niet,' zei Ruth glimlachend. 'Een ander keertje,' beloofde ze.

Anna was gewend aan de uiterst elementaire lessen op haar school in Fulham: tafels en rijtjes, en platen aan de muur met de koninklijke mijlpalen in de Britse geschiedenis. Hier in Ashton waren de lessen heel wat boeiender.

Het lag vast aan de onderwijzers, dacht ze, terwijl ze naar de eetzaal rende om thee te gaan drinken. Zoals gebruikelijk klopte haar hart eventjes sneller toen ze langs de studeerkamer liep van meneer Ashton, haar favoriete meester. Zijn ogen hadden een onweerstaanbare aantrekkingskracht.

Als hij hun Latijn of geschiedenis gaf, vertelde hij schitterende verhalen over het verleden, allemaal gebaseerd op zijn eigen huis. Vorige week nog had hij hen eropuit gestuurd om de twee Griekse tempels in het park te bekijken en Anna had bijna de arcadische wind tussen de zuilen door voelen waaien. Binnenshuis nam hij hen mee naar de Marmeren Hal en liet hij hun Apollo zien die op zijn harp speelde te midden van de geschilderde wolken van het koepeldak, terwijl Cupido boven de haard zijn pijlen afschoot en vervaarlijke griffioenen de schoorsteenmantels bewaakten.

Anna was geïntrigeerd door alle details en raakte in de ban van Ashtons opmerkelijke verleden. Ze was zich er sterk van bewust dat alles voor iemand anders was gedaan: de vergulde kroonlijsten aan het plafond, de lambrisering, de grote ge-beeldhouwde open haarden. Het was alsof ze alleen maar haar oor te luisteren legde in een andere tijd en op een andere plek. De boeken in de bibliotheek, de klokken in de salon, de bidbankjes in de kapel: alles, alles behoorde tot het leven van iemand anders. Ze wist dat ze hier alleen een toevallige bezoeker was.

Maar dat weerhield haar er niet van stiekem overal haar initialen te krassen: in hoekjes van plinten, onder de wasbak, in haar lessenaar. Ze wilde deel uitmaken van deze plek. Een rol spelen in zijn geschiedenis.

Tijdens haar eerste zomer in Ashton kreeg Anna langza-merhand het gevoel dat dit huis nu haar thuis was. Elke dag lokte het park hen naar buiten. Er waren boottochtjes op het meer en picknicks bij de rivier. Sommige kinderen pro-beerden te vissen in de poel bij de waterval. Eerst gebruikten ze een lap mousseline die ze uit de keuken hadden geleend, maar toen Thomas ervan hoorde, bestelde hij een voorraad hengels. Kort daarna regelde hij cricketbats voor de jongens en slagbalbats voor de meisjes en de hele zomer speelden ze op het grote verzonken gazon, onder de ogen van een afbrok-kelende vadertje Tijd.

13 juni 1940
Lieve mama,
Het is hier nu zonnig en we hebben soms les in de tuin.
Op woensdag is mijn lievelingsles, dan maken we onze
eigen gedichten...

* * *

Gedurende de zomer van 1940 waren Thomas en Ruth in elk geval één keer per week van elkaars gezelschap verzekerd, als ze na de thee het keuzevak poëzie gaven. Het was begonnen als een spontane, onvoorbereide les van Ruth, maar op een dag had Thomas gevraagd of hij erbij mocht komen zitten. Sindsdien deed hij er elke week aan mee.

De groep bestond uit zo'n twaalf kinderen, voornamelijk meisjes, maar ook een paar jongens. Het ging er informeel aan toe en ze zaten gewoon in het gras. Ruth en Thomas droegen elk een gedicht voor en daarna staken de kinderen hun vinger op om hun reactie te geven. Ook werd iedereen aangemoedigd zelf een gedicht te schrijven, over dieren, thuis, ouders of eten. De week erop kregen ze het dan weer terug van Ruth.

Aan mijn moeder

De tijd duurt niet eeuwig
En ook niet mijn leven met jou
Dus laten we samen gelukkig zijn
Of zo dicht bij elkaar als we kunnen.

Dat was Anna's eerste gedicht. Het ontroerde Thomas dat dit van een kind kwam dat haar moeder al bijna een jaar niet had gezien, een van de vele ontheemden als gevolg van de oorlog. Het luchtte hem op dat de kinderen deze uitlaatklep hadden voor hun gevoelens. Intussen was hij zich er terdege van bewust dat ook hij zo zijn redenen had om aan de poëzieles mee te doen.

Die zomer wachtte Thomas elke woensdag op Ruth, die hem kwam ophalen. Er was een onvermijdelijke nabijheid tussen hen als ze hem het hellinkje afreed naar de tuin en ze vervolgens over het witte paadje naar de Open Tempel gingen, waar de kinderen op een grasveldje zaten te wachten.

Ze waren een kleine tien minuten onderweg, maar die tijd was beladen met onuitgesproken intimiteit. Hij probeerde nonchalant te keuvelen, maar soms draaide hij zich uit beleefdheid naar haar om en kruisten hun blikken elkaar even. Er was die lichte druk van haar handen en armen als ze hem een heuveltje op duwde, maar intussen praatten ze over de schoolprestaties van de kinderen, over het weer of over de laatste berichten van het front.

'Ik zie vreselijk op tegen de dood van ouders van onze leerlingen...'

'Maar misschien zullen de luchtaanvallen minder gezinnen treffen dan we denken?'

'Ik vrees dat we binnenkort allemaal iemand zullen kennen die in deze oorlog is omgekomen.'

Ze konden wel over de dood in het algemeen praten, met betrekking tot de oorlog, maar Thomas durfde nog steeds geen poging te doen tot een persoonlijk gesprek.

Toch vond hun ontluikende intimiteit in de loop van de tijd haar weg via hun gezamenlijke les. Ruth koos eenvoudige verzen en legde de geheimen ervan bloot voor de kinderen. Als onderwijzeres stal ze de show. Thomas sloeg haar gade en hoorde haar waardering voor gewone dingen – of liever: haar religieuze beleving van het leven – in haar lessen doorklinken.

De zon valt; sterren flitsen op;
Ineens is daar de nacht...

Ze leerde hun *Het gedicht van de oude zeeman* en bracht Coleridges indrukwekkende beelden tot leven van een eenzame man op de zee van het bestaan, ten prooi aan de elementen. Thomas liet hen intussen kennismaken met de vreemde woordenmuziek van Gerard Manley Hopkins en diens tongbrekende ritmes.

Zoals ijsvogels vuur schieten, libellen vlam vatten;
Zoals over randen in rondige putten getuimelde
Stenen galmen; zoals elke getokkelde snaar slaat, elke gezwaaide
Luiklok zijn tong roert om wijd en breed zijn naam te werpen...

Anna was betoverd. Voor het eerst zag en ademde en proefde ze de wereld in woorden. De rest van haar leven zou ze zich vreemde regels en beelden herinneren, en zelfs nog een vage indruk van dat bijzondere middaglicht, dat soepel, vloeiend en weldadig op hen allemaal neerscheen.

Na afloop van de les reed Ruth Thomas terug naar het huis, soms vergezeld door de kinderen. Ze had het idee dat de zachte druk van haar handen tegen zijn schouders werd beantwoord met een lichte druk van zijn kant, maar net als Thomas vreesde ze dat haar verbeelding haar parten speelde.

Zou Thomas ooit de stap wagen? Aan het eind van elke rit was er een vluchtige ontmoeting van blikken, gevolgd door de galante dankwoorden van Thomas, die verlegen in ontvangst werden genomen door Ruth. Verder niets. Wat zou dit meisje in mij moeten zien? dacht Thomas. Wat zou deze getrouwde man, die een beeldschone vrouw heeft, in mij moeten zien? dacht Ruth. Maar 's nachts lagen ze allebei wakker en dachten ze aan elkaar.

27

Anna speelde een soort jeu de boules op het lange dressoir bij de voorraadkast, een intensief, repetitief spel met een rubberen balletje.

'Hier, lieverd, wil jij dit dienblad voor meneer Ashton naar buiten dragen?' Mevrouw Robson stond naast haar, met een schort voor dat een beetje scheef zat. Haar hoofd liep om van al het werk. 'Hij zit ergens in de buurt van de tuindeuren.'

Het was een warme middag, windstil met een blauwe hemel, en Anna droeg bereidwillig de thee naar buiten, heel voorzichtig. Meneer Ashton zat aan de rand van de rozentuin in het zonnetje huiswerk na te kijken. Er lag een stapel boeken op zijn tafeltje.

'Ik heb hier thee voor u, meneer, van mevrouw Robson.'

'Dank je, Anna.'

Hij glimlachte naar haar – een uitnodigende glimlach. Anna zette het blad neer en wachtte beleefd of ze kon helpen, dus liet hij haar de thee inschenken – 'één schepje suiker, graag' – en hem zijn kopje aangeven.

'Wat is dat, meneer?' vroeg Anna, wijzend naar de stenen zuil in het midden van de tuin.

'Dat is een zonnewijzer,' zei hij en hij zag haar niet-begrijpende blik. 'Als je naar de wijzerplaat kijkt, zie je de schaduwen van de zon de tijd aangeven. Vaak werkt hij niet, maar zelfs in Yorkshire schijnt de zon weleens.'

Anna ging op de stenen sokkel staan en zag de schaduwlijn lopen van een ijzeren stijl in het midden.

'En, werkt hij?' vroeg Thomas.

'Ja,' zei ze snel, omdat ze niet zou weten hoe ze precies de tijd moest aflezen.

'Er stond daar jaren geleden een waterput, maar die is gedempt. Te gevaarlijk voor kinderen. Iemand heeft er toen een zonnewijzer voor in de plaats gezet.'

'Zit er water onder deze tuin?' vroeg ze verbaasd.

'O, ja,' zei hij. 'Dit is allemaal kalksteengrond, vol verborgen bronnen. Ik denk weleens dat ik het gefluister van ondergrondse stroompjes hoor, maar dat komt misschien alleen omdat ik weet dat ze er zijn.'

Anna was in de wolken. Diepe putten en geheime bronnen, pal onder haar eigen voeten! En als hij ze kon horen, dan kon zij dat misschien ook.

'Kijk, een lieveheersbeestje,' zei meneer Ashton, turend naar zijn vinger.

'Dat brengt toch geluk?'

'Neem jij het maar...'

Anna kwam naar hem toe en zag het vuurrode kevertje over zijn hand kruipen. Hij hevelde het beestje over op de hare.

Anna had nog nooit echt goed gekeken naar een mannenhand. Er zaten zwarte haren op zijn knokkels waar het lieveheersbeestje kroop. De aanblik fascineerde haar en beangstigde haar ook. De lange donkere haren zagen er net zo uit als zijn wenkbrauwen.

'Het lieveheersbeestje kriebelt,' zei ze. Ze keek naar hem op en op hetzelfde moment vloog het kevertje weg.

'Vlieg maar gauw naar huis,' zei Thomas vertederd. Dat was waarschijnlijk ook wat het meisje zou willen, vermoedde hij. Hij keek naar Anna. Een lief kind, met die ernstige ogen van haar. Wat nam ze alles altijd serieus op.

'Dank je voor de thee, lieve kind. Je kunt het dienblad wel bij mij laten staan.'

Hij keek haar na terwijl ze wegrende door de tuin. Kinderen rennen altijd en overal, dacht hij. Toen leunde hij achterover om in de zon van zijn thee te genieten. Er hing een zoete geur van rozen om hem heen die hem ijl in zijn hoofd maakte – totdat het ineens tot hem doordrong dat hij belachelijk gelukkig was. Want hij kon zich er nu elke dag op verheugen Ruth weer te zien, in de onschuldige routine van het school-leven. Een onverwachte zegen, die hij aan de oorlog had te danken.

28

Elizabeth was weer aan het drinken geslagen en elke avond zocht ze in de kelder naar meer wijn. Toen Clifford Norton een weekend kwam logeren, waagde hij het een opmerking tegen Thomas te maken over het feit dat zijn vrouw misschien wel heel vaak dronken was.

Thomas wees zijn kritiek van de hand. Hij kon en wilde het zwarte gat van zijn huwelijk tegenover niemand toegeven. Norton drong niet aan, maar bespeurde een verandering in zijn vriend: een innerlijke kalmte die hij niet goed kon peilen. Hij vertrok in de veronderstelling dat Thomas' nieuw gevonden tevredenheid te danken was aan zijn rol als onderwijzer.

Intussen droomde Thomas regelmatig van Ruth en hij werd vaak wakker met haar aanwezigheid bijna tastbaar voor ogen. Soms zag hij haar zoals ze was: lopend, zich omdraaiend, naar hem glimlachend. Andere keren verscheen ze op een indirecte manier. Dan droomde hij van Ashtons diepe, door bomen omringde meer, dat het milde laatste daglicht uitwasemde. Hij liet steentjes over de spiegelende oppervlakte scheren, zodat er kleine golfjes ontstonden in het gladde water, totdat de steentjes het midden vonden en wegzonken naar de roerloze diepten van het meer, dat met zijn bedaarde stilte en vredigheid eigenlijk Ruth symboliseerde.

Andere nachten had Thomas het gevoel dat hij een luidruchtige waterval was die zich op de rotsen stortte voordat hij in een lagergelegen, kalme, diepe poel stroomde, die alle haast en vaart van het vallende water bedwong. En net op het moment dat hij zich voelde uitvloeien in deze stille poel, viel die samen met een gewaarwording van Ruth.

Hij klampte zich vast aan die heldere dromen, die zijn ledematen ontspanden met een weldadig gevoel van sensuele ontlading. Als hij dan wakker werd, zag hij zich geconfronteerd met de vreemde ontwrichting van zijn echte leven, de spagaat tussen zijn kille, mooie vrouw – die zo koud en afstandelijk tegen hem was als een porseleinen beeld – en de ietwat verlegen jonge onderwijzeres met sproeten op haar neus, die hem niet aan durfde te kijken of zich in dezelfde ruimte als hij kon bevinden zonder zich ongemakkelijk te voelen.

De situatie had bijna iets komisch. Soms moest hij er zelfs stiekem om grinniken. Maar omdat het niet waarschijnlijk was dat zijn liefde ooit zou worden uitgesproken of beantwoord, bleef hij zich naar hartenlust bezondigen aan zijn gedachten aan Ruth. Hij geloofde niet dat het kwaad kon alleen maar aan iemand te denken.

29

Er waren ochtenden waarop Anna wakker werd en zich niet kon herinneren hoe haar moeder eruitzag. Haar gezicht was ongrijpbaar geworden als een visioen, een spoor dat bijna was uitgewist: glimpen van een glimlach of oogopslag die al snel vervaagden tot nabeelden. Ze was dus opgetogen toen haar moeder in een brief aankondigde dat ze haar eindelijk kwam opzoeken.

In de zomer van 1940 arriveerde Roberta in haar gebruikelijke werveling van uitbundige vrolijkheid. Anna's vreugde bij het weerzien van haar moeder kende geen grenzen. Ze vloog haar in de armen en het tweetal huppelde ervandoor, moeder en dochter, hand in hand op hun wandeling door de velden langs de rivier.

Anna voelde zich enorm trots toen ze Ashton Park aan haar moeder liet zien: de rivier, het meer, de oude oranjerie in het bos, de vergulde salon die haar moeder zo prachtig vond, en de klaslokalen. Ten slotte liepen ze de trap op naar haar slaapzaal, waar haar moeder op haar bed neerplofte om de springveren te testen.

'Prima vering,' verkondigde ze, om vervolgens het uitzicht te bekijken. 'En je kunt vanuit je raam het park zien...'

'Mooi, hè?'

'Het is volmáákt.'

Haar moeder wist precies hoe je een huis moest bezichtigen. Haar oog viel op schilderijen en details van beelden en klokken waar Anna vroeger klakkeloos aan voorbij was gelopen. Alles kreeg een nieuwe charme.

Roberta had dat weekend haar eigen slaapkamertje in Ashton, en hun eerste dag samen was er een van onverdeeld geluk. Maar op zondagochtend wierp de pijn van het afscheid al een schaduw over Anna's blijdschap. Haar opgetogenheid over haar moeders aanwezigheid maakte plaats voor een tikkende klok die de minuten aftelde voordat ze haar opnieuw zou kwijtraken. Ze werd al misselijk bij het vooruitzicht. Bij het middagmaal kreeg ze geen boterham door haar keel, zo vreselijk zag ze op tegen haar moeders terugkeer naar huis.

Toen Roberta haar reistas pakte en afscheid nam, stortte Anna zich snikkend in haar armen. Haar magere lijfje schokte van het huilen.

'Ga alsjeblieft niet weg, mama, alsjeblieft, ga niet weg, alsjeblieft.'

'Er is nog maar beperkt treinverkeer, schatje, dus ik kan hier niet een-twee-drie naartoe. Maar ik kom terug, dat beloof ik. Wanneer ze me weer een keertje verlof geven van mijn werk. Héél gauw.'

Anna was ontroostbaar. Roberta probeerde al twintig minuten haar huilende dochter te kalmeren, toen meneer Stewart erbij kwam staan.

'Ze raken uit hun doen als ze hun moeder zien,' fluisterde hij tegen Roberta. Uiteindelijk was hij degene die Anna aan de hand meenam, zodat Roberta haar bus naar het station van York kon halen.

Daar nam ze zich voor een tijdje te wachten tot ze terugkwam: het ging prima met haar dochter en dit bezoek had haar alleen maar overstuur gemaakt.

Het was een opluchting haar zo vrolijk en blij te zien, schreef ze aan Lewis in de trein. *Wat een geluk dat ze in zo'n schitterend huis is terechtgekomen! Veel beter voor haar om veilig daar te zitten, ver weg van de Duitse bommen.*

Of was dat een excuus? Roberta voelde een steek van schuldgevoel. Ze dacht aan haar dochter die zichzelf in slaap huilde in haar slaapzaal, terwijl zij op weg was naar haar gouden baan bij de BBC, in een Londen waar geen vliegtuig te bekennen was.

Maar niet lang na haar bezoek werd de hoofdstad eindelijk aangevallen door een reeks Duitse bommenwerpers. De langverwachte blitzkrieg begon op de avond van 7 september 1940. Roberta hield de gebeurtenissen bij op haar keukenkalender. Eerst vonden de aanvallen nog ver van haar huis plaats, in het oosten van Londen en de havens. Maar in de weken erna bleef geen deel van de stad gespaard en zag je overal ingestorte gebouwen en straten vol bomkraters.

Roberta maakte haar bed op in de kelder, hoewel het moeilijk was om door de gillende sirenes en het gedreun aan de nachtelijke hemel heen te slapen. De bewoners van Londen gingen over op een schemerleven van onrustige slaap, doorweven met dagdromen, totdat ze van pure uitputting uit hun lichaam leken te treden. Nergens brandde licht en Londen was in volledige duisternis gehuld. Je zag geen hand voor ogen op straat en het nachtleven speelde zich alleen nog onder de grond af. Voor de hedonisten waren er clubs en dansvloeren die de hele nacht open waren. Voor de angstvalligen waren er ondergrondse perrons vol schuilende mensen.

Bij het eerste daglicht was de hemel weer leeg en werd de 's nachts aangerichte ravage in al zijn geblakerde bizarheid zichtbaar. De hele ochtend woedden er branden uit kapotte gasleidingen, die in het daglicht een blauwe waas van vlammen uitspuwden – als verloren zielen die in de lucht vervliegen, dacht Roberta.

Intussen leek iedereen in het Broadcasting House vastbeslotener dan ooit om te blijven uitzenden. Roberta maakte lange dagen en zette 's avonds met haar vrienden de bloemetjes buiten in de pubs van Fitzrovia, om uiteindelijk in het donker naar huis terug te keren en met tegenzin haar bed in de kelder op te zoeken, in afwachting van de volgende nachtelijke dodendans.

Nu was ze blij dat Anna niet bij haar was. Met genoegen dacht ze aan het prachtige park waar haar dochter vrij kon rondrennen.

30

Op de avonden dat Elizabeth laveloos was, voelde Thomas zich vrij om aan Ruth te denken zonder bang te zijn dat zijn gezicht hem zou verraden. Vanavond was Elizabeth al om tien uur op bed in slaap gevallen. Ze zou misschien in de vroege uurtjes wakker worden en zich dan wankelend uitkleden en in bed kruipen. Of anders zou ze gewoon zo blijven liggen tot de volgende ochtend.

Elizabeth wilde niet dat hij hulp voor haar ging zoeken. Ze was geen alcoholiste, hield ze vol. Ze gaf zich hoogstens een paar keer per week over aan de drank, alleen 's avonds en doorgaans in de slaapkamer. Na een fles wijn zonk ze algauw weg in dronkenschap. Nam ze ook sterkedrank, dan ging ze helemaal knock-out. Het was een geheim ritueel achter gesloten deuren, haar afhankelijkheid van alcoholische vergetelheid.

Terwijl ze sliep, zat Thomas stil in hun kamer en mijmerde hij in alle rust over zijn liefde voor Ruth. Op welk moment was hij zich ervan bewust geworden? Om Stendhals metafoor te gebruiken: wanneer had zijn liefde zich voor het eerst 'uitgekristalliseerd'? Het gevoel had hem bekropen, hij had het niet zelf nagejaagd. Aanvankelijk had hij alleen maar een deur in zichzelf op een kier gezet – maar toch had de tederheid postgevat, tot dat ene moment kwam waarop hij wist dat hij verliefd was.

Nu hij erover nadacht, meende Thomas dat het op een regenachtige dag in maart was geweest, toen de onderwijzers een bijeenkomst hadden in de bibliotheek. Hij herinnerde zich elke seconde van die middag. Iedereen verzamelde zich voor de stafvergadering en er werd druk met stoelen geschoven. Thomas kwam naast zijn vrouw te zitten, en daar, aan een tafel vlakbij, zat Ruth – toevallig net in zijn gezichtsveld.

Ze zei niet veel, maar zat heel stil en rechtop in haar stoel.

Hij keek naar haar en vroeg zich schuldbewust af of ze zijn gedachten kon lezen. Ze keek niet één keer zijn kant op en dat verwachtte hij ook niet, hoewel hij wel een vreemde aantrekkingskracht tussen hen beiden voelde – of beeldde hij zich die alleen maar in?

Vanuit zijn ooghoek staarde hij naar de kalme charme van haar gezicht; er leek zich een krans van licht ter hoogte van haar jukbeenderen te vormen, die hem volstrekt biologeerde.

De tijd stond stil terwijl de stemmen doorpraatten. Hij wilde nooit meer weg uit die bibliotheek, hij wilde dat de vergadering eindeloos bleef doorkabbelen, alleen maar opdat hij haar eeuwig kon blijven gadeslaan.

Hij vroeg zich af hoe hij ooit zonder dit soort gevoelens had kunnen leven. Haar haar, dat ze achter haar oren stopte, was aan één kant los gekomen. En toen ze haar hand bewoog, maakte zijn hart een sprongetje bij de gedachte gestreeld te worden door die vingers.

Dat was de dag waarop hij had beseft dat Ruth de eerste vrouw was die hij ooit had willen liefhebben. Hoe was het mogelijk dat hij dat niet meteen had gezien? Het had hem weken, maanden gekost om erachter te komen dat haar gezicht, haar ziel, haar doen en haar laten, alles waren waar hij ooit naar had verlangd in een vrouw.

Maar dat was nog maar het begin. Eerst waren er de vreugde der herkenning en de geheime verrukking van de liefde geweest, maar die werden algauw gevolgd door mismoedigheid, toen hij de dwaasheid van zijn gevoelens onder ogen zag.

Hij dacht aan andere mensen, doodnormale mensen op straat, die elkaar ontmoetten en het hof maakten, en wisten dat ze van elkaar hielden, en met elkaar trouwden en kinderen kregen. Misschien had het ook zo geleken tussen hem en Elizabeth, maar het was al die tijd valse schijn geweest. En nu... Nu voelde hij voor Ruth alles wat een man zou moeten voelen, maar moest hij het voor zich houden. Hoe kon hij het leven van deze jonge vrouw kapotmaken? Hij had haar niets te bieden. En toch kon hij het niet laten aan haar te denken en ernaar te verlangen haar in zijn armen te houden.

Elizabeth verschoof even op bed en Thomas wierp een onbewogen blik in haar richting. Hij had medelijden met haar en voelde zich ook medeverantwoordelijk. Maar het was een abstracte vorm van medeleven, die al heel lang losstond van zijn eigen verdriet. Hij zag haar fijne, donkere gelaatstrekken, maar die lieten hem nu koud, omdat ze buiten hem stond en geen plek in zijn hart had.

Al voelde hij zich schuldig over Elizabeth, ze kon nu nooit meer zijn gevoelens voor Ruth verstoren, hoe onverstandig die ook waren.

31

In de pauze rende Anna altijd naar de Marmeren Hal om op de post te wachten. Hillary Trevor, het oudste meisje, haalde de brieven op bij meneer Stewart en alle evacués dromden om haar heen terwijl ze hun namen afriep.

Maltby... Rothery... Price... Rimmer... Hill... Todd...

Armpjes gingen omhoog in het gedrang, brieven werden doorgegeven aan uitgestoken handen en kinderen glipten weg naar erkerzitjes of tuinbankjes om hun brieven van thuis te lezen.

Mijn lieve Anna,
We hebben deze week bewolkte dagen gehad, wat een zegen was, omdat ze het de Duitse vliegtuigen moeilijk maken. Weinig luchtaanvallen de laatste tijd en Londen is weer opgeleefd. Iedereen glimlacht op straat en helpt elkaar.

De rest van haar leven zou Anna het nooit meer kwijtraken: die kinderlijke dagelijkse hoop op iets bij de post. Brieven herinnerden haar altijd aan de oorlogsberichten van haar moeder, de gekoesterde bulletins die haar geruststelden dat er thuis nog steeds een ander leven op haar wachtte. Eerst was er de opwinding tijdens het afroepen van de namen, als ze elk moment haar eigen achternaam kon horen: *Sands!* Dan danste er via opgestoken armen een crèmekleurige brief in haar moeders handschrift in haar richting, die ze voorzichtig opende, om vervolgens haar moeders woorden te verslinden.

In de buurt van mijn kantoor ligt het Regent's Park en in mijn lunchpauze wandel ik daar vaak naartoe. Ik voer de winterse eendjes en denk aan alle keren

dat we dat samen hebben gedaan. Ik hoop dat het
goed gaat op school en dat je genoeg eet. Ik mis je,
lieve schat, en ik verlang ernaar om weer allemaal bij
elkaar zijn, wat vast binnenkort gaat gebeuren. Pas
goed op jezelf, Anna, en bid voor je vader. Hij schreef
me vanuit Egypte, waar hij drie dagen verlof had in
Alexandrië, en hij zei dat hij een cadeautje voor je
heeft gekocht.
    Schrijf me snel, schatje van me, heel veel liefs, mama.

Anna zag het gezicht van haar moeder doorschemeren in
haar handschrift en bij het lezen van haar woorden voelde ze
een golf van liefde door zich heen stromen. Ze stopte de stijve
envelop in haar zak, waar hij de hele dag in haar been prikte
en haar eraan herinnerde dat ze een brief had gekregen, dat
ze bij iemand hoorde.

Sommige evacués kregen nooit post, maar ze konden het
nooit laten om ook bij de groep wachtenden te gaan staan,
met een eenzame blik in hun ogen. Toch voelden ook degenen die wel brieven kregen altijd een zeurende pijn van heimwee, die nooit echt verdween en als een ondergrondse rivier
door hun dagelijkse leven liep.

Vooral december was een tijd waarin veel kinderen het
moeilijk hadden en de rest van haar leven zou Anna nooit die
kerstvieringen in oorlogstijd vergeten, zo ver van huis. Anderzijds zou ze ook nooit de gulheid van de Ashtons vergeten, die er altijd voor zorgden dat iedere evacué een cadeautje
onder de boom vond. En ook niet de uitgebreide lunch die
ze gezamenlijk aten op eerste kerstdag, met zeldzame heer-
lijkheden als geroosterde kip en krokante aardappeltjes en
allerlei groenten van eigen teelt.

Al schonk het enige troost, het kon de kerstavondtranen in
de slaapzalen nooit helemaal stelpen of compensatie bieden
voor het gemis van vaders en moeders thuis, voor de emotionele woestenij van hun levens zonder hen. Het zou voor

velen van hen nog jaren duren voordat ze weer durfden lief te hebben.

* * *

Nieuwjaarsdag 1941 werd gevolgd door een periode van slecht weer in Yorkshire, en Ashton Park was enkele dagen afgesloten van de buitenwereld door de zware sneeuwval. Thomas had er nauwelijks enig idee van wat er in Londen gebeurde en voelde zich verder dan ooit verwijderd van zijn vroegere collega's uit de diplomatie.

We zijn de boel hier aan het inpakken, meldde Norton in zijn laatste brief, *en bereiden ons voor op mijn nieuwe aanstelling in Zwitserland. We vertrekken over een paar weken.*

Het viel niet mee om op de hoogte te blijven van de ontwikkelingen in de oorlog met alleen een radio in een ondergesneeuwd Yorkshire, dacht Thomas, terwijl hij naar het raam van zijn studeerkamer reed. Maar misschien was dat wel een zegen.

De kinderen waren allemaal naar buiten gestormd om sneeuwpoppen te maken en grote sneeuwballen van de hellingen te laten rollen. Ze waren niet te stuiten, ondanks de kou. Thomas keek door het raam toe, hoewel zijn gedachten elders waren. Ruth was met Kerstmis op bezoek geweest bij haar ouders, maar sinds haar terugkeer had ze zich tegenover hem als een vreemde gedragen. Hun relatie, die toch al fragiel was, werd nu weer gekenmerkt door een stijve vormelijkheid, alsof elk sprankje gevoel was uitgedoofd.

'Maakten uw ouders het goed?' vroeg hij tijdens de lunch, op haar eerste dag terug.

'Ja, dank u, uitstekend.'

'En wat vinden ze van uw werk hier?'

'Ik denk dat ze opgelucht zijn dat ik weg ben uit Londen.'

'We hebben maar geluk gehad dat u hier bent terechtgekomen...'

'Excuseer me, maar ik moet nog wat werk nakijken.'

'Geen koffie?'

'Vandaag niet, dank u.'

Thomas slaagde er niet in tot haar door te dringen. De lessen begonnen weer en het schoolleven werd hervat, maar elke dag raakte hij meer van streek door haar afstandelijkheid. Hij verlangde ernaar wat uitgebreider met haar te praten, maar het slechte weer had allang een einde gemaakt aan de poëzielessen en er was weinig aanleiding voor een lang gesprek.

'Er ligt een nieuw exemplaar van *Horizon* in de bibliotheek, mocht u belangstelling hebben.'

'Dank u, maar ik heb al zo veel ongelezen boeken naast mijn bed liggen.'

'Er staat een artikel in over Hopkins dat u denk ik wel zal interesseren...'

'Ik zal erop letten. Dank u.'

Was hij haar kwijt? Tot tweemaal toe negeerde ze de lege stoel naast hem bij de lunch, zodat hij gekweld werd door het nare vermoeden dat ze hem probeerde te ontlopen. Hij had zich in geen tijden zo gefrustreerd gevoeld over zijn handicap; zijn benen voelden nutteloos, zijn armen slap. Hij spande zich in om zijn rug recht te houden en maakte er een gewoonte van zijn benen over elkaar te slaan in de stafvergadering, om te laten zien dat hij daar nog steeds gevoelens en zenuwen en leven in had.

Zijn onzekerheid verziekte al zijn gedachten. Hoe kon ze ooit om een man als hij geven? Hoe had hij ooit die illusie kunnen koesteren?

Hij keek naar haar als ze een kamer uit kwam of langs het raam liep. De lichtheid van haar tred. Ik kan mijn ogen niet van je afhouden, zei hij in stilte tegen haar toen ze in de eetzaal de andere kant op keek.

Hij dacht elke seconde van de dag aan haar en begon te vrezen dat hij langzaam gek werd. Hij zag haar in de kieren van de vloer, in de vensterbank en in de regels van elk boek dat hij las. Zijn hart deed pijn, zijn ziel deed pijn, zelfs zijn gedachten deden pijn. Op zijn netvlies verschenen alleen maar beelden van een lopende Ruth, Ruth die zich omdraaide, Ruth die glimlachte. De eerste euforie van de liefde was voorbij. Nu werd hij verteerd door verlangens waarvan hij bang was dat hij ze nooit zou kunnen uiten.

En toch droomde hij 's morgens als hij nog half en half sliep dat hij haar vasthield en dan bonsde zijn hart van stil genot.

Hij was wanhopig, maar niet écht wanhopig, hield hij zichzelf voor. Dat was hij pas als er geen hoop, geen betekenis, helemaal niets meer was. Hij kon nog steeds aan Ruth denken, ook al kon hij niet dicht bij haar zijn. Hij probeerde van een afstandje van haar te genieten, zonder haar per se voor zichzelf te willen hebben. *Hoe kun je het verlies voelen van iemand die je nooit hebt bezeten?* Hij schreef die zin in de marge van een boek, in een poging op zichzelf in te praten en zijn verlangen te temperen.

Soms gaf hij zich over aan veilige fantasieën waarin hij de liefde bedreef met Ruth, haar teder vasthield, de binnenkant van haar bovenbeen streelde, haar oogleden kuste en met zijn tong langs de rimpel in haar voorhoofd gleed, in het voortdurende besef dat het maar een droom was. Maar hij begon zich ook zorgen te maken dat hij in een krankzinnige waanwereld was terechtgekomen, die realistischer leek dan de werkelijkheid van zijn dagelijkse leven zonder haar.

Dag en nacht zag hij haar gezicht en hij beefde als ze in de buurt kwam. Hij lette op of ze ook maar enige respons gaf, enig mededogen toonde met zijn ellende. Maar ze kwam altijd even ongenaakbaar over. Was het verlegenheid? Was het onverschilligheid? Kon het zelfs een geheime verliefdheid zijn, zoals hij soms hoopte? Eindeloos herhaalde hij hun gesprekken in zijn hoofd en ontleedde hij alles wat ze had gezegd. Zelfs de onschuldigste opmerkingen probeerde hij uit alle macht te interpreteren als een bedekte toespeling.

Bovenal wilde hij haar in de ogen kijken en daarin zijn verlangen beantwoord zien. Hij wilde zijn hand uitsteken en haar met oneindige voorzichtigheid aanraken. Misschien was het mogelijk...

Maar dan realiseerde hij zich voor de zoveelste keer met een schok dat een jonge vrouw zoals zij nooit iets zou kunnen voelen voor een getrouwde man van veertig in een rolstoel. Alsof ze op hem zat te wachten! Hij werd gekweld door jaloezie op de onbekende mannen in haar leven. In zijn donkerste uren stelde hij zich voor dat ze liefdesbrieven schreef aan een denkbeeldige officier.

Ondanks alles weigerde zijn hoop te vervliegen. Hij maande zichzelf tot geduld. Hij moest wachten op de lente, wanneer de dagen zou lengen. Dan zou hij de poëzieklas nieuw leven inblazen en zou zij hem wellicht weer komen halen en brengen. Op den duur kon de intimiteit die ze hiervoor hadden opgebouwd opnieuw opvlammen. Vroeg of laat zou hij erachter komen wat ze voelde.

32

Op een nacht in de lente van 1941 was het lawaai van de bombardementen op Londen zo luid en indringend dat Roberta nauwelijks een oog dichtdeed. Tegen zonsopgang had ze de hoop opgegeven dat ze weer in slaap zou vallen, dus besloot ze haar kelder te verlaten en vroeg naar haar werk te gaan.

Ze liep door Olympia en Kensington, waar op dat uur een onnatuurlijke stilte heerste. Verschillende gebouwen waren binnenstebuiten gekeerd, met hun kamers vol in het zicht van de nieuwsgierige buitenwereld. Ze zag een ijzeren bad dat op driehoog was blijven hangen in een chaos van verwrongen leidingen. Er waren trappenhuizen die nergens heen leidden en flarden bloemetjesbehang die in de wind wapperden. Overal op straat lagen verkoolde balken en knerpte er glas onder haar schoenen.

Ze liep stevig door en bereikte de lege straten van Bayswater die naar Oxford Circus leidden, waar een paar uitgebrande huizen op half voltooide filmsets leken. De geraamteachtige casco's waren nog steeds huiselijk aangekleed met foto's en porseleinen aandenkens aan iemands gezinsleven. In het bedrieglijke licht van de vroege ochtend leek het alsof ze de geesten van de doden om zich heen voelde zweven en op de kapotte stoelen van verlaten huizen zag zitten – al die mensen wier leven abrupt was afgebroken en die nu geluidloos de straten bevolkten alsof er niets was veranderd. Roberta huiverde. Ze trok haar jas wat dichter om zich heen en versnelde haar pas.

Ze kwam langs een verlaten huis waar een kinderledikantje gevaarlijk balanceerde op de vierde verdieping. Heel even hoorde ze het denkbeeldige gehuil van een kind, de hoge, hulpeloze, onbeantwoorde kreten. Haar hart kromp ineen bij de gedachte aan Anna, die het spleetje tussen haar voortanden blootlachte.

Uiteindelijk bereikte ze de ingang van de BBC. Het oorlogsgeweld had de kameraadschap onder haar collega's versterkt: elke ochtend vierden ze dat ze weer een nacht hadden overleefd. Roberta bracht die dag door met het catalogiseren van oude grammofoonplaten, de sentimentele melodieën van een scala van dansorkestjes. Ze kwam een oud nummer van Al Bowlly tegen: 'The Very Thought of You', gevoelvol gezongen met zijn hartroerende, lyrische tenorstem. Ze legde de plaat opzij om hem toe te voegen aan haar speellijst.

I see your face in every flower,
Your eyes in stars above,
It's just the thought of you,
The very thought of you, my love...

Later die avond, in Egypte, lag Lewis op zijn rug in het zand en keek naar een wolkeloze sterrenhemel. Ergens in het kamp speelde een radio en terwijl hij naar het liedje luisterde, dacht hij aan zijn vrouw en vroeg hij zich af wanneer hij haar weer zou zien.

33

De lente had eindelijk Ashton Park bereikt. Thomas opende de ramen van zijn studeerkamer. Het nieuwe seizoen was een beetje naar zijn hoofd gestegen. Er huppelden lammetjes in de wei en er renden kinderen rond in het jonge gras. Hoe had hij zo veel lentes kunnen meemaken zonder zich bewust te zijn van al dat simpele genot?

Er viel een lichte regen op de nieuwe blaadjes. Werkend achter zijn bureau hoorde hij het zachte gespetter. Jarenlang had hij zitten verpieteren in zijn eigen privéwoestijn – maar hier was regen, zoete regen, die zijn wortels laafde en zijn hoop voedde.

Nieuwe lucht vulde zijn longen als hij uit het raam keek en van doodgewone dingen genoot: het groene gras, de glans van boterbloemen, het licht van de hemel. Dankzij Ruth straalde de wereld weer.

En toch hing al die vreugde nog steeds af van de hoop dat hij haar op een dag in de ogen zou kijken en daar zijn liefde beantwoord zou zien. Die gedachte – aan het eerste intieme oogcontact – benam hem de adem.

Maar stel nu dat hij zijn liefde verklaarde en ze hem alleen maar uitlachte? Of verwonderd, medelijdend of juist koeltjes reageerde?

De gebruikelijke spiraal van hoop en vrees wervelde door hem heen, terwijl hij in zijn studeerkamer een stapel huiswerk zat na te kijken. Elizabeth kwam binnen om wat schrijfpapier te halen en merkte dat hij zat te dagdromen.

'Waar zit jij met je gedachten?' vroeg ze. Thomas keek op naar het mooie, koude gezicht dat hij zo goed kende en hij voelde zich betrapt.

'Ik vroeg me af hoe het met de Nortons gaat op hun nieuwe ambassade...'

Hij reed van haar weg en deed of hij bij zijn boekenkast moest zijn. Laat me met rust, Elizabeth, dacht hij.

En toen schaamde hij zich. Hij wilde niet onaardig zijn of zelfs maar onaardige dingen denken. Over niemand.

Tenslotte hoefde hij maar twee lessen te geven en dan had hij alweer het heerlijke genoegen Ruth bij de lunch te zien. Er ontwikkelde zich nu weer een soort vriendschap tussen hen. En met de komst van het nieuwe seizoen zouden ze binnenkort ook de poëzielessen hervatten.

* * *

De langere, lichtere lentedagen waren ook voor Anna een opluchting. In plaats van met de anderen binnenshuis rond te hangen, kon ze er in haar eentje op uit gaan en naar de rivier of het espenbosje wandelen. Zonder dat iemand zelfs maar doorhad dat ze alleen was.

Op een zaterdag vroeg Katy Todd haar mee met haar clubje.

'We gaan naar de brug bij de zaagmolen,' zei ze, 'om kikkers te vangen.'

'Sorry,' zei Anna, 'ik kan niet.'

'Waarom niet?' vroeg Katy, met opgekrulde bovenlip. Er was geen waarom. Anna had gewoon geen zin.

'Omdat ik met wat mensen heb afgesproken bij de bliksemboom,' verzon ze ter plekke.

'Wie dan?'

'Dat is geheim,' mompelde Anna, maar haar gezicht verried haar. Katy liep geërgerd weg.

Anna schaamde zich over haar flauwe smoes en voelde zich plotseling diep terneergeslagen. Ze keek de groep meisjes na die in de richting van de rivier liepen en besefte met een schok dat het nu te laat was om zich bij hen aan te sluiten. Maar ik wilde toch al niet met ze mee, hield ze zichzelf stoer voor. Wat kan het me eigenlijk schelen? Ze struinde door het bos en gaf het kreupelhout ervan langs met een berkentak. Het was een bekende wandeling die uitkwam op een overgroeide open plek in het bos, waar de oude tennisbaan en het paviljoen er verlaten en verwaarloosd bij lagen. De wegrottende gravel was vergeven van het onkruid, dat welig tierde in het rode gebarsten oppervlak.

Anna liep de oranjerie binnen. De deur was een beetje scheefgetrokken en toen ze hem openduwde trilde het kozijn. Er lag een stenen vloer en het stonk er naar muffe oude geraniums. Er was duidelijk al heel lang niemand geweest. Er stonden alleen nog een achtergelaten trapleer en een ijzeren gieter, die onder de verfspetters zat. Ook stond er een oud gietijzeren bankje, waarvan het sierwerk schuilging onder een laag roest en spinnenwebben.

Ze slenterde naar de andere kant van het paviljoen en keek door de beslagen ruiten naar een overgroeid gazon, dat de sfeer van verwaarlozing nog versterkte. In het midden stond een fonteintje in de vorm van een cherubijn die op zijn tenen stond. Op een drab van rotte bladeren na was het leeg. Aan de rand van het gazon keek een hoekige, naargeestige apenboom grimmig neer op het desolate tafereel.

Anna ging op het bankje in de oranjerie zitten en liet haar benen lichtjes bungelen. In haar verbeelding hoorde ze achter zich het geklater van de fontein en werd er buiten een partijtje tennis gespeeld, met meneer Ashton die als jongeman over de baan rende en zich lang maakte om een bal terug te slaan.

Maar mevrouw Ashton kon ze zich hier niet voorstellen. Vrouwen die altijd op hoge hakken liepen kwamen toch nooit op een tennisbaan? Anna mocht haar niet meer zo graag. Mevrouw Ashton was heel mooi, maar ook angstaanjagend. Ze had een scherpe tong. En ze was niet altijd even aardig tegen haar man. Anna herinnerde zich opeens de vreemde nacht waarin ze haar in hun slaapkamer tegen hem had horen schreeuwen.

Ze bleef een tijdje in de stilte zitten en er maakte zich een neerslachtigheid van haar meester die haar ademhaling vertraagde, alsof haar hart een zwaar gewicht meesleepte. Toen ze plotseling werd opgeschrikt door het indringende gefluit van een merel, verliet ze het lege paviljoen.

Ze liep terug naar het huis en haalde een roman van Rider Haggard uit de bibliotheek. Ze ging ermee in de tuin zitten en liet zich meevoeren door het verhaal. Alles om Katy Todd en haar clubje maar niet tegen te komen.

Het was bijna acht uur toen ze weer naar binnen ging via de openslaande deuren van de salon. Na de stilte van de tuin maakte het sluiten van de deuren een onnatuurlijk kabaal. Ze liep snel naar de bibliotheek om haar boek terug te brengen.

'Hallo.'

Anna's hart stond stil. Meneer Ashton zat aan een van de bibliotheektafels, omringd door boeken.

'Hoor jij niet boven in je slaapzaal te zijn?' vroeg hij, maar hij leek niet boos te zijn.

'Ja, meneer, het spijt me heel erg.'

'Het geeft niet, hoor. Maar waar kom je vandaan?'

'Ik zat gewoon te lezen. Ik kon niet ophouden...'

'Aha! Echte boekenliefde kent geen tijd. Wat ben je aan het lezen?'

Anna stapte naar voren met haar boek.

'Het heet *Het verlangen van de wereld*. Het gaat over de laatste reis van Odysseus. Dat hij naar Egypte gaat en Helena van Troje ontmoet, die hogepriesteres is geworden...'

'Misschien gaan ze wel trouwen!' plaagde hij.

'Ik kom het terugbrengen,' zei Anna op verontschuldigende toon.

'Nee toch? Je moet het eerst uitlezen voordat je het teruggeeft. Ik sta erop. Ik vind het grandioos dat iemand deze bibliotheek gebruikt.'

'Dank u wel, meneer.'

'Kom gauw maar weer eens terug. Maar wacht... Nu je er toch bent, zal ik je de geheime trap naar de galerij laten zien, zodat je een boek voor me kunt halen.'

Hij gebaarde naar een smalle kast met dummyboeken en wees haar de geheime koperen hendel die zijn grootvader had laten aanbrengen. De deur zwaaide met een klik open en Anna klauterde de steile trap op naar de galerij. Met behulp van de aanwijzingen van meneer Ashton vond ze daar op een verre plank de atlas die hij zocht.

Ze kwam net vol trots met het boek naar beneden, toen ze een bekend geklikklak op de gang hoorde en de deur van de bibliotheek werd opengegooid. Ze verstijfde achter de boekenkastdeur.

Het was mevrouw Ashton.

'Nog steeds aan het werk?' ondervroeg ze haar man.

'Nog maar een paar bladzijden,' antwoordde hij kalm. Anna hield haar adem in. Mevrouw Ashton zou woedend zijn als ze haar betrapte, dus verschool het meisje zich achter de deur, doodsbang voor de veroordelende blik in die boze ogen.

Elizabeths hoge hakken tikten langzaam op de houten vloer in de richting van Thomas' tafel.

Thomas hield op met het ordenen van zijn papieren en keek naar haar op.

'Ik kom je zeggen dat ik niet gelukkig ben,' verkondigde Elizabeth, op een emotieloze, confronterende toon. Hij keek naar haar ogen om te zien of ze had gedronken.

'Ik zei dus: ik ben niet gelukkig.'

'Ik hoorde je wel,' zei hij.

'Wil je niet weten waarom?'

Thomas aarzelde. Hij kon alleen maar denken aan het kind dat zich achter de galerijdeur schuilhield. Elizabeth haalde diep adem en richtte zich op in haar volle lengte. Ze articuleerde opzettelijk zorgvuldig om niet met dubbele tong te praten.

'Door jouw schuld ben ik ongelukkig. Je bent mijn man en je bent een vreemde voor me.'

Thomas wist niet wat hij daarop moest antwoorden. Hij verschoof in zijn rolstoel, zich pijnlijk bewust van Anna, die een paar meter van hem vandaan stond. Het was nu te laat om haar aanwezigheid bekend te maken.

'Heb je daar niets op te zeggen?' Elizabeth klonk bruusk en bitter. Haar stem stokte bijna in haar keel.

'Niet hier, alsjeblieft. Straks, in de slaapkamer. Alsjeblíéft.'

Haar gezicht was verwrongen door de opwellende tranen.

'Jij... standbeeld. Jij kreupele. Jij vervloekte kreupele.'

'Alsjeblieft...' Hij stak zijn hand naar haar uit.

'Raak me niet aan!'

Haar stem klonk zacht, gesmoord. Ze sloeg haar handen voor haar gezicht en schokte van het huilen.

'Je wilt niet eens bij me komen zitten in de andere kamer. Ik wil intimitéít...'

'Natuurlijk kom ik met je mee.'

'Nu?'

'Natuurlijk.'

'Geen boeken meer?'

'Geen boeken meer.'

Hij reed naar voren en legde even zijn hand op de elleboog van zijn vrouw, in de hoop haar woede te verdrijven. Hij bood haar zijn zakdoek aan en ze veegde haar gezicht droog. Samen verlieten ze de kamer.

Anna bleef als aan de grond genageld staan. Ze durfde zich niet te verroeren. Ze wist dat meneer Ashton wist wat ze had gehoord en ze kon wel door de grond zakken.

Ze wachtte tot de kust vrij leek, liep op haar tenen door de galerijdeur en legde voorzichtig de atlas op de stapel boeken van meneer Ashton. Toen sprintte ze in één keer de trap op naar haar slaapzaal, in een poging ongezien langs de huishoudsters te komen.

'Waar heb jij uitgehangen?' vroegen de andere meisjes in haar slaapzaal.

'We hebben voor je gelogen,' zei Suzy.

'We zeiden dat je nog op de wc zat...'

In een paar tellen had Anna haar nachtpon aan en toen juffrouw Harrison verscheen, lag de voltallige groep meisjes in bed. De lichten gingen uit.

'We hebben een massa kikkers gevangen bij de rivier,' zei Katy Todd.

'Je hebt echt wat gemist!' zei een ander meisje.

'We hebben ze allemaal weer teruggezet.'

'Je zou het echt leuk hebben gevonden,' zei Katy, 'maar we wisten niet waar je was.'

'Dank je,' zei Anna, stiekem getroost, 'maar ik kon me niet losmaken van mijn boek.'

'Boekenwurm!'

'Stil zijn nu!' klonk de stem van de huishoudster.

Anna was opgelucht dat ze alleen in het donker kon nadenken over de woedeuitbarsting waar ze zojuist getuige van was geweest. Ze wist intussen dat meneer Ashton verlamd was als gevolg van polio, een ziekte die hij door pure pech had opgelopen. Hoe kon zijn vrouw daar dan zo gemeen over doen tegen hem?

Ze viel in slaap en droomde over geschreeuw en gehuil en boze mensen die elkaar zonder aanwijsbare reden uitscholden.

De volgende dag zag ze meneer Ashton in de Marmeren Hal. Hij zwaaide naar haar en ze liep naar hem toe. Hij keek haar aan met een bemoedigende glimlach.

'Heb je een momentje voor me?'

Ze reed hem naar zijn studeerkamer en hij sloot de deur achter hen. Ze was zenuwachtig, omdat ze niet wist hoe ze zich moest gedragen tegenover meneer Ashton zonder andere mensen erbij, achter een gesloten deur. Maar zijn gezicht stond vriendelijk, teder.

'Anna, ik kan je niet zeggen hoezeer het me spijt dat je getuige moest zijn van een gesprek tussen volwassenen waar je nog veel te jong voor bent.'

'Het geeft niet,' zei ze en ze aarzelde omdat ze niet wist wat ze verder moest zeggen.

'Ik had moeten zeggen dat jij er ook was, maar ik wilde niet...'

'Ik weet het,' zei Anna. Er viel een stilte.

'Soms maken echtparen ruzie, maar daarna maken ze het weer goed,' zei meneer Ashton zacht.

'Mijn ouders maken ook ruzie,' flapte Anna eruit, hoewel ze hen nog nooit had zien ruziemaken. 'Ik zal het tegen niemand zeggen,' voegde ze eraan toe.

'Echt niet?'

'Nee, want het is... Mijn moeder zou zeggen dat het privé was.'

'Nou, je moeder lijkt me een heel verstandige vrouw.'

'Ze houdt van... privédingen,' ging Anna verder, om maar iets te zeggen.

Er viel een langere stilte.

'Hoe dan ook: het spijt me, lieve kind,' zei hij. 'Dat was alles.'

Hij schonk haar een vriendelijke glimlach, waarmee het gesprek werd beëindigd. Ze vertrok en deed de deur achter zich dicht, vastbesloten zijn geheim te bewaren.

Ze herinnerde zich de voorliefde die ze in het begin had gekoesterd voor mevrouw Ashton. Zoals die ene keer toen ze haar knie had opengehaald en mevrouw Ashton haar in haar armen had genomen. Maar nu was ze bang voor haar. Mevrouw Ashton was opvliegend.

In tegenstelling tot haar man, die nooit onvriendelijk tegen hen was. Als hem in de klas iets werd gevraagd, hield hij altijd zijn hoofd schuin en luisterde hij aandachtig. Natuurlijk zou ze zijn geheim bewaren.

Het was niet Anna's bedoeling om partij te kiezen, maar ze wist dat meneer Ashton mild en rechtvaardig was en dat ze mevrouw Ashton niet langer mocht.

34

Het regende al de hele dag in Ashton Park. Als iemand niet lekker in zijn vel zat, kon hij het aan het weer wijten, dacht Thomas. Ruth en hij hadden net allebei in de westvleugel lesgegeven en nu reed ze hem naar de lunch.

'Zomerregen, zou ik het noemen,' zei Ruth, 'hoewel het voor juli wel heel bar is.'

'We hebben heel veel soorten regen in Ashton Park: langzame, snelle, zachte, zware. Persoonlijk geef ik de voorkeur aan de zo-weer-voorbijvariant.'

Ze lachte, maar kon niets gevats bedenken om terug te zeggen.

Hun gesprekken verliepen de laatste tijd wat minder stroef, maar toch vielen er soms nog stiltes. Het was alsof ze op de tegenovergelegen oevers van een diepe rivier waren gestrand, dacht Thomas. Er waren allemaal snelle onderstromen tussen hen in, onder de beleefde oppervlakte, en toch wisten ze niet hoe ze elkaar rechtstreeks konden bereiken.

'Wat bent u van plan te doen als u hier weggaat, na de oorlog?'

'Die tijd lijkt onvoorstelbaar ver weg.'

'Maar uiteindelijk komt hij toch, en wat gaat u dan doen?'

'Terug naar Londen, vermoedelijk.'

'Om weer les te geven? U bent een geboren lerares.'

'Dank u, maar ik heb het hier zo naar mijn zin dat ik me afvraag of een school in Londen daar ooit aan kan tippen.'

'Er valt daar wel meer te beleven voor u. Een jonge vrouw als u moet eropuit gaan en onder de mensen zijn.'

'Ik ben hier gelukkig. Tot nu toe kom ik niets tekort.'

'Maar als je nog zo jong bent, moet je je niet afsluiten voor nieuwe mensen.'

Wat probeerde hij haar te vertellen? Ruth vond hun indirecte gesprekken verwarrend. Tussen de regels door gingen er allerlei verborgen boodschappen over en weer. De ander moest de werkelijke betekenis maar zien te ontcijferen. Altijd als ze elkaar hadden gesproken, voelde ze zich tegelijkertijd nerveus en opgewonden, dacht ze, terwijl ze na de lunch de tuin in liep.

* * *

Vanuit zijn studeerkamer zag Thomas Ruth langs de zonnewijzer in de richting van het bos lopen. Hij was nog steeds van de kaart van hun gesprek van die ochtend.

Hij was verliefd op haar, zo simpel was het. Elke kamer zonder haar erin was leeg. Als zij er was, zong zijn hart.

Hij zag haar gezicht nu elke dag. Ze was de hemel en ze was het gras. Ze was het licht zelf. Al die jaren had hij gewacht met leven, had hij gewacht op een onbekende lichtbron, en nu was er eindelijk hoop. Een verlangen om lief te hebben dat zo intens was dat elke zenuw in zijn lijf gespannen stond. Liefde. Had er een hoger woord, een verder reikend woord bestaan, dan had hij het gebruikt.

Ruth. Ruth, Ruth. Keer op keer zei hij haar naam, soms hardop. Hij maakte zich zorgen dat hij het nog eens per ongeluk zou doen waar anderen bij waren, of in zijn slaap. Ruth.

Het deed er niet toe dat hij niet kon lopen. Het deed er niet toe als ze niet van hem hield. Niets deed ertoe, behalve de vreugde van de wetenschap dat ze bestond en dat hij haar elk moment kon tegenkomen. Haar gezicht, haar haar, haar handen. Niets kon afdoen aan de verwondering die deze liefde, deze vervoering in hem had opgeroepen. Hij was geraakt tot in het diepst van zijn ziel – tot aan de rand, tot over de rand, *mijn beker vloeit over*. Wat zo velen hadden gevoeld, maar hij nog nooit, was nu eindelijk gekomen.

Maar zijn euforie was onbestendig. Er waren ook andere

momenten, donkerder uren waarin zijn geluksgevoel kelderde. Dagen waarop ze zelfs niet naar hem keek in het voorbijgaan en zijn hoop verschrompelde.

Hij zou haar nooit aanraken. Met Elizabeth, van wie het hem niets kon schelen als hij haar nooit meer in zijn armen zou houden, kon hij de liefde bedrijven. Maar Ruth kon hij niet eens aanraken. Hij wilde haar wang strelen en zijn vingers door haar haar laten glijden. Hij wilde in haar ogen kijken en zien dat ze haar ziel voor hem openstelde. Hij voelde de verschoven kracht van zijn blik en durfde mensen niet meer aan te kijken uit angst dat ze doorhadden dat hij naar Ruth verlangde.

De pijn vertelde hem dat dit liefde was. Al die jaren had hij gehoopt dat hij iets zou voelen. Het had hem ertoe gedreven een valse schijn van liefde op te houden. Maar nu ervoer hij eindelijk deze spontane vreugde bij de gedachte aan een andere persoon.

Alles aan haar bekoorde hem. Haar gulheid, haar optimisme, haar geestkracht. De beschroomde buiging van haar nek, waaruit zo'n onzekerheid sprak. Haar aarzelende manier van praten. Haar ziel in haar vingertopje als ze iets zei. Haar onhandige oprechtheid, die erom vroeg dat hij haar in zijn armen nam. Haar tederheid.

35

Elke avond om zes uur vormden de kinderen een rij in de Marmeren Hal om vervolgens door de lange gangen naar de kapel te lopen. In stilte betraden ze de gewelfde ruimte met haar houten kerkbanken en eenvoudige glas-in-loodramen. De wanden waren met eikenhout betimmerd en licht omrand met blauw en goud. Het was een familiekapel, intiem en sober ingericht. Maar soms scheen de ondergaande zon door de hoge ramen en dan gloeide de eiken lambrisering op als een lamp, waardoor de suggestie van meer dan hout en steen werd gewekt.

Geeft d'eer aan 't eeuwig Opperwezen;
Zijn Naam wordt nooit genoeg geprezen.
Verheft Zijn deugden, blij te moe;
Brengt in Zijn huis Hem offer toe,
Hem, Die de volken moeten vrezen.

Anna hield van de kapel, de plechtigheid van de gebeden en het psalmzingen. Ze geloofde vurig in God en bad dagelijks tot Hem voor haar moeder, haar vader en het einde van de oorlog.

Er hing een eeuwenoude lucht van boenwas en muffe leren bidbankjes. Anna zat graag in de buurt van het gedenkteken voor William, de oudste broer van meneer Ashton, die was gesneuveld in de vorige oorlog. Zijn helm hing aan de muur en ze kon de kogelgaten zien zitten. Ernaast hing een houten schild voor Edward Ashton, 'Vermist'. En daarnaast hing een gedenkplaat voor hun zusje Claudia.

Anna voelde zich altijd een tikje schuldig wanneer ze naar die gedenktekens keek: als een pottenkijkster bij het verdriet van meneer Ashton. Toen hij hun in de les vertelde over de

Romeinse veldslagen, wilde ze alleen maar over zijn eigen broers en hun oorlog horen, maar ze durfde er nooit naar te vragen.

Ze schoof rusteloos heen en weer op haar bidbankje en keek naar juffrouw Weir, die altijd heel stil zat in de kapel en ieder oogcontact vermeed. Ze wisten allemaal dat ze een domineesdochter was. Misschien was dat het. Maar meneer Ashton keek ook nooit op of om, viel haar op.

Misschien wisten alle volwassenen hoe ze hun blik naar binnen moesten richten als ze in een kerk waren. Ze probeerde het zelf en bad met dichtgeknepen ogen dat ze snel naar huis mocht, midden onder het opzeggen van het Onzevader.

'...*Uw koninkrijk kome, Uw wil geschiede, gelijk in de hemel alzo ook op de aarde...*'

De woorden van hetzelfde bekende gebed drongen opeens door tot Ruth, die in haar kerkbank zat te piekeren over haar gevoelens voor Thomas. *Leid ons niet in verzoeking.* Hij liet haar niet onberoerd – hoewel het haar maanden had gekost dat onder ogen te zien. Ze wist dat het verkeerd was om aan hem te blijven denken en toch kon ze zich met geen mogelijkheid schuldig voelen.

Ze was zich er nog niet ten volle van bewust wat er met haar gebeurde. Ze wist dat ze het fijn vond om in dezelfde ruimte te zijn als Thomas en dat ze blij was als hij haar aansprak. Haar armen en benen gingen altijd een beetje trillen als ze met elkaar praatten en ze hechtte aan zijn mening over haar. Maar die gevoelens waren vast niet meer dan natuurlijke tekenen van respect voor iemand die ouder en welbespraakter was dan zijzelf, en bijzonder hoffelijk bovendien, zelfs jegens haar.

Al vanaf het begin was Ruth vol ontzag geweest voor Thomas. Ze had zich geïntimideerd gevoeld door de enorme afmetingen van zijn huis, en hijzelf leek zo bedachtzaam en onafhankelijk – verre van hulpbehoevend. Ergens was ze bang voor hem, misschien omdat zijn handicap haar te sterk aangreep en ze niet goed kon omgaan met dergelijke gevoelens. Dus bewaarde ze een zekere afstand en wilde ze nauwelijks aan zichzelf toegeven dat ze zich verheugde op hun ontmoetingen.

Misschien was Thomas' schijnbare hulpeloosheid wel precies datgene wat haar in eerste instantie had aangetrokken, omdat ze bij hem geen last had van haar tekortkomingen in romantisch opzicht. Of misschien was het gewoon de vriendelijkheid waarmee hij haar bejegende. Hoe dan ook, op een gegeven moment merkte ze dat ze snakte naar gelegenheden om hem te spreken. Toen ze op een ochtend onderweg was naar haar lokaal, besefte ze dat ze in gedachten met hem liep te praten: in haar hoofd was hij haar geheime vriend, met als gevolg dat ze nu al oefende wat ze straks tegen hem zou zeggen en haar meningen bijstelde met het oog op de zijne.

Ze zagen elkaar dagelijks, maar er was weinig gelegenheid voor een echt gesprek. Je had de lunch, waarbij hij in de grote eetzaal at, en dan waren er nog de stafvergaderingen. En twee keer per week moest ze hem terugrijden naar zijn studeerkamer, nadat ze allebei hadden lesgegeven in een van de verafgelegen lokalen. Als ze dan door de lange gebogen gang naar het huis terugkeerden, vond hij altijd manieren om met een grapje haar verlegenheid weg te nemen.

'Ik ben Elizabeth Bowen aan het lezen,' vertelde Thomas op een dag. 'Hebt u ooit een van haar romans gelezen?'

'Jammer genoeg niet, nee.'

'Ze schrijft over sombere huizen met geheimen.'

'Is er een boek dat u me in het bijzonder aanraadt?'

'Ik wil u graag *The House in Paris* lenen. Er komt een opmerkzaam meisje in voor dat me doet denken aan een van onze kinderen hier...'

Hun gesprekken leken met zo veel stiltes gepaard te gaan dat ze vaak na afloop probeerde hun zinnen af te maken.

Op een gegeven moment besefte ze dat ze continu gesprekken in haar hoofd voerde met Thomas. Ze betrapte zich erop dat ze hele teksten voorbereidde. '*Is er een moment waarop ik die roman van Bowen in je studeerkamer kan ophalen? Ik weet zeker dat ik elk boek goed zou vinden dat jij bijzonder vindt.*' Ik ben blijkbaar eenzaam, dacht ze bij zichzelf.

Toen ze op een dag naast hem zat bij de lunch, hadden ze het net over het Russische front, toen ze naar Thomas keek en zag dat hij heel aandachtig haar gezicht bestudeerde. Eventjes ontmoetten hun blikken elkaar met een bijzondere intensiteit, die haar een schok gaf alsof ze onder stroom was gezet. Het was de eerste keer dat ze een glimp opving van iemand die echt naar haar keek, alsof hij over haar nadacht, alsof ze toch niet zo onzichtbaar was als ze zich voelde. Of was het niets?

De rest van de week lette ze telkens als ze met iemand praatte op hoe en wanneer mensen elkaar aankeken. Ze kon met geen mogelijkheid de juiste hoeveelheid oogcontact bepalen. Maar toen ze die dag Thomas' blik had opgevangen, had dat persoonlijk en intiem gevoeld. Of had ze hem verkeerd begrepen? Ze verlangde ernaar hem weer in de ogen te kijken, maar durfde niet.

Dacht hij ooit weleens aan haar? vroeg ze zich af. Soms herinnerde hij zich dingen die ze had gezegd en herhaalde hij ze weken later. Dat verbaasde haar. Ze werd steeds banger voor hem, voor de grenzen van hun gesprekken. Neem nu die ene keer dat hij haar vertelde dat hij Thomas Hardy's treurdichten voor zijn overleden vrouw aan het lezen was en hij terloops hun erotische energie noemde. *Erotisch.* Nooit eerder had er iemand zo'n woord tegen haar gebruikt. Hij had vast gemerkt dat ze zich opgelaten voelde, en de adem in haar keel horen stokken. Ze schaamde zich een beetje dat ze nooit eerder dat soort gesprekken had gevoerd. Ze vroeg zich bezorgd af of ze misschien te preuts was.

Ze begon erover na te denken hoe het zou zijn om hem te omhelzen – aanvankelijk als een soort experiment. Ze was niet bang voor zijn rolstoel. Haar intuïtie vertelde haar dat hij nog steeds in staat was tot 'erotisch' gevoel. Het was tenslotte zijn eigen woord.

Toch voelde ze zich in de schaduw gesteld door zijn vrouw. Ruth was bang voor Elizabeth, die zo zelfverzekerd was en zo vlijmscherp uit de hoek kon komen. Ongetwijfeld zou ze alleen al het idee bespottelijk vinden dat een lompe domineesdochter een band zou kunnen opbouwen met haar man. Wanneer Ruth zichzelf bekeek in de goedkope bobbelige spiegel op haar kamer, zag ze alleen maar een frisgeboend, ietwat sproeterig, saai gezicht. Nog niet eens het gezicht van een vrouw. Ze voelde zich... onvolkomen.

En toch bleef ze aan Thomas denken, ook al was het verkeerd. Maar ze kon zich voorstellen dat hij vreselijk in verlegenheid zou worden gebracht als ze voor haar gevoelens uitkwam en dan zou ze moeten vertrekken. De gedachte aan die scheiding was zo pijnlijk dat ze haar onmiddellijk liet varen, dus bleef ze haar liefde voor Thomas koesteren, maar wel in het geheim.

36

Het was een bijzondere avond voor Roberta. Ze danste voor het eerst van haar leven in het Savoy, in de chicste ballroom van heel Londen. Carroll Gibbons dirigeerde zijn orkest, de Savoy Hotel Orpheans, en de dansvloer was afgeladen met gelegenheidsstelletjes die hun kans grepen nu het oorlog was.

Ze was uitgenodigd door Billy, de kornettist in Geraldo's orkest die haar zo vaak was opgevallen tijdens de repetities bij de BBC. Soms speelde hij ook voor de Savoy Orpheans en daardoor had hij op zijn vrije avonden gratis toegang tot het Savoy. Ze was in haar mooiste satijnen jurk gekomen.

Ze waren allebei geboren dansers. Hun lichamen wreven langs elkaar en met zijn vingers door de hare gevlochten zwierden ze soepel over de gladde vloer, opgetogen dat ze elkaar hadden gevonden.

Haar verhouding met Billy was heel snel gegaan. Na alle bestudeerde blikken in de repetitieruimte waren ze elkaar tegen het lijf gelopen in een van de pubs in Fitzrovia. 'Kennen jullie elkaar al?' vroeg iemand en ze glimlachten allebei, omdat het inderdaad zo voelde.

Hun eerste gesprek verliep voorzichtig, omdat ze elkaar allebei op hun gemak probeerden te stellen, bijna alsof ze elkaar hun medeleven wilden betuigen over hun respectieve levens. Beiden waren getrouwd, vanzelfsprekend 'gelukkig'. Hij woonde in Brockley, dat gemakkelijk bereikbaar was met de trein vanaf London Bridge, en hij was gek op zijn vrouw hoewel ze 'haar belangstelling voor hem was verloren'. (Roberta luisterde met samenzweerdersogen. Ze was zich er volledig van bewust dat ze bezig waren zichzelf te rechtvaardigen.) Diabetes had hem uit het leger gehouden. Hij diende zijn land met zijn muziek.

Dat was toch genoeg, hielden ze elkaar voor. De nazi's hadden jazz verboden als zijnde 'zwart' en 'entartet'. Alleen al het spelen van dansmuziek stond gelijk aan in opstand komen. Alleen al de muziek als een panter door je lijf voelen sluipen was een daad van verzet tegen Hitler, een daad waar Roberta zich met enthousiasme aan overgaf. Ze danste verleidelijk, zwoel en sensueel, met een soepele swing in haar heupen en armen, die elke man met wie ze danste opwond.

Billy was smoorverliefd en wilde een plekje voor hen samen vinden in Londen. Hij zei tegen zijn vrouw dat hij een kamer in de stad moest huren voor de nachten dat hij de laatste trein naar huis miste. Er was genoeg woonruimte, nu er zo veel mensen weg waren. Het was opwindend om net te doen alsof ze getrouwd waren en zich uit te geven voor meneer en mevrouw Smith, 'omdat het zo overduidelijk een leugen was'. Een verhuurder liet hun wat studio's zien in Maida Vale en St. John's Wood. Verlaten huizen, met een overdaad aan lege kamers. Uiteindelijk huurden ze iets in Notting Hill, een eenkamerwoning in Linden Gardens, ingericht met een groot bed en versleten stoelen. Ze hadden er uitzicht op de achterkant van andere gebouwen, waar een vrouw op haar brandtrap de duiven zat te voeren. Het vogelvrouwtje, noemden ze haar.

Ze deden de deur op slot en bedreven de liefde voor een spiegel die ze tegen de muur hadden gezet om elkaar nog meer te prikkelen. Op haar zevenendertigste genoot Roberta met volle teugen van de late bloei van haar seksualiteit. Ze keek met intense voldoening naar haar volle borsten, die opzwollen onder zijn aanraking. Voor het eerst voelde ze haar eigen aangename rondingen en maakte ze zich niet druk om haar onvolkomenheden – haar iets te mollige dijen, die Billy alleen maar opwindend leek te vinden. Zijn taille was ook niet meer zo slank als die geweest was en het haar op zijn borst werd al grijs, maar dat ontroerde haar alleen maar.

Het leek zo zonde om niet samen te zijn, als het elke dag

maar weer afwachten was of ze nog in leven waren. Dat zeiden ze als ze 's ochtends afscheid van elkaar namen en alweer plannen maakten voor hun volgende rendez-vous.

37

In de zomer ging de school in Ashton Park vroeger uit, zodat zowel de kinderen als de onderwijzers ten volle konden genieten van de lange dagen buiten.

Het was een heldere dag en Ruth maakte een lange wandeling door de tuinen. De wind waaide door haar haar en blies haar sombere gedachten weg. Alles om haar heen zag er smetteloos en nieuw uit, schijnbaar pas ontloken. De vergeet-mij-nietjes aan haar voeten leken wel stralende blauwe ogen, blij verrast door al dat verrukkelijks. Ze plukte er een en nam het mee naar haar slaapkamer, als aandenken aan die dag. Ze legde de bloem op een velletje papier en schreef er de datum en een boodschap bij. Een bladwijzer bij haar eigen verliefdheid. *Bedenk wat je voor me hebt betekend.* Ze vouwde het papiertje dubbel, met de bloem naast de vouw, en drukte het voorzichtig plat in een dichtbundel.

Het was tot Ruth doorgedrongen dat ze gelukkig was in dit huis omdat ze maar één ding wilde: in de buurt zijn van Thomas. Ze dacht nu onophoudelijk aan hem. Het duurde iets langer voordat ze ook wilde toegeven welk woord hier van toepassing was. *Liefde.* Ze hield van deze man.

Tegelijkertijd was ze bang dat ze zich dom aanstelde – maar ze kon er nu niets meer aan doen. Het gevoel had al bezit van haar genomen voordat ze in de gaten had wat er gebeurde. Hij was doorgedrongen tot haar ziel.

Ook al kon ze het hem nooit vertellen, dan nog was er de vreugde dat ze hem kon zien. De hele dag koesterde ze de gedachte aan hem, zelfs als ze voor de klas stond. 'Thomas' – in gedachten noemde ze hem bij zijn voornaam. Na al die denkbeeldige gesprekken voelde ze zich elke keer als ze hem zag schuldig. Stel dat het aan haar gezicht was af te lezen...

Ze voelde een onzichtbare band tussen hen beiden, maar

hield zichzelf tegelijkertijd voor dat die alleen maar inbeelding was. En toch... Soms gunde ze zichzelf het geschenk van de hoop. Elke uitdrukking in zijn ogen, elk gebaar dat hij maakte, raakte haar diep. Ze durfde nauwelijks naar hem te kijken, maar als ze dat wel deed en hun blikken elkaar in het voorbijgaan kruisten, beefde ze vanbinnen. Ze ervoer zijn aanwezigheid nu zo intens dat ze niet wist waar ze moest kijken als ze zich in dezelfde ruimte bevonden.

Een felbegeerd moment van onthulling nestelde zich in haar hoofd en hart. Ze droomde dat ze Thomas durfde aan te kijken en liefde in zijn ogen zag. Ze wilde zijn wang strelen, ze wilde zeggen dat ze van hem hield. Dat had ze nog nooit eerder tegen iemand had gezegd.

Na zo veel jaren alleen te zijn geweest verlangde ze naar intimiteit. Ze geloofde dat ze, als ze alleen maar naakt in Thomas' armen kon liggen, voor het eerst van haar leven rust zou vinden. Samen ademen. Met alle geheimen, alle angsten blootgelegd. Haar hoofd op zijn borst. Maar dat was een punt dat ze nooit zou kunnen bereiken, dat wist ze heel goed.

38

Anna was nu al bijna twee jaar in Ashton Park en ze was intussen één geworden met haar nieuwe omgeving – met de rust en de stilte en de afzondering.

's Avonds zat ze op het bankje onder het raam van haar slaapzaal en staarde ze uit over het vredige parklandschap met zijn eiken en olmen. Soms volgden haar ogen de gestaag doorgrazende schapen. Wat voor weer het ook was, het uitzicht was onveranderlijk sereen: een naar binnen gekeerd landschap – totdat de vervagende hemel was verdampt in het licht van de herinnering.

Anna en de anderen verzonnen talloze spelletjes en activiteiten in het park. Ze maakten hutten in het bos en een geheim kamp in de verlaten watertoren, ook al was dat laatste ten strengste verboden. Ze speelden in groepjes tikkertje in de tuinen en verstoppertje met de zonnewijzer als buutplaats.

Een van de meisjes had een paar rolschaatsen en op regenachtige dagen brachten ze uren door met op en neer rijden door de gladde stenen gangen van de westvleugel. Toen de leren riempjes knapten, bonden ze de rolschaatsen vast met touwtjes.

In de winter hadden ze het vaak koud en waren ze voortdurend op jacht naar eten. Iemand vond een oud en roestig blik suiker in de provisiekast en de kinderen strooiden de zoete korreltjes op hun boterhammen totdat de suiker op was. Tijdens al die kille maanden hielden ze hun sokken en truien aan in bed, om zich te weren tegen de vorst. Totdat de lente kwam, met een overvloed aan wilde bloemen, die de verhoogde gazons in een felle gloed zetten: boterbloemen, narcissen en paarsblauwe ereprijs. Ook vergeet-mij-nietjes en verwilderde groepjes azalea's.

Als het eenmaal zomer was, lieten de kinderen hun voetstappen achter in het verse, ongemaaide gras. Het bos stond vol wilde knoflook, die ze plukten om erop te zuigen, vanwege de frisse, zoete smaak. En op zomeravonden, als de huishoudsters hen na bedtijd niet stil konden krijgen, werden ze naar buiten gestuurd om rondjes te rennen om het gazon aan de zuidkant, net zolang totdat ze uitgeput waren.

Een van die keren, in 1941, keek Anna uit over de tuinen in het lage avondlicht en ging ze op in een moment van volmaakt geluk.

Ze hield van deze plek, dat was het gewoon. Het lichte ruisen van de bomen, de weidse avondhemel, het vochtige gras. De hoge gevel van het huis, de stilte. Haar hart sprong op van een vreugde die ze niet kon bevatten, een opwelling van blijdschap die haar als aan de grond genageld deed staan om het uitzicht in zich op te nemen.

'Kom op, Anna!' riep Mary Heaney, die wilde dat ze doorrende om de meisjes voor hen in te halen. Er maakte zich een schrijnend besef van haar meester dat het licht straks zou wegvloeien en de dag ten einde zou lopen – en hoe moest ze zich dit alles dan herinneren?

Ze bleef stilstaan en keek achterom, in een poging dit moment in haar hart vast te leggen, om het dicht bij zich te houden.

39

Zodra Thomas het gedicht vond, wist hij dat hij het moest voorlezen aan Ruth. Eindelijk had hij gemoedsrust, omdat hij nu een manier zag om op indirecte wijze zijn liefde te verklaren. Het was van e.e. cummings, een dichter die hij was tegengekomen in een recente bloemlezing. Voor de vorm vouwde hij ook de bladzijden om bij een aantal andere korte gedichten.

Twee dagen later was het veelbelovend mooi weer toen Ruth hem kwam halen voor hun poëzieles. Ze streek haar rok glad en klopte aan op zijn studeerkamerdeur.

'Binnen!'

Alleen al als hij haar zag, raakte hij vervuld van hoop, hoewel hij zijn vervoering verborg achter zijn normale manier van doen.

Ze duwde hem het hellinkje naar het tuinpad op. Thomas was stil en leek in gedachten verzonken, en Ruth zweeg om hem niet uit zijn concentratie te halen.

Toen ze bij het groepje kinderen kwamen en ze allemaal klaarzaten, vertelde Thomas hun over e.e. cummings: een Amerikaanse dichter die op zoek was naar nieuwe manieren om zijn gevoelens rechtstreeks te uiten, door bijvoorbeeld hoofdletters en een deel van de interpunctie af te schaffen.

'Spontaniteit – daar is hij op uit,' zei Thomas. 'Het moment meteen vangen, niet als een gedachte achteraf.'

Nadat hij de aandacht van de kinderen had gewekt met het idee van een dichter die alle regels overtrad, begon Thomas voor te lezen. Hij koos als eerste een gedicht over de maan als een ballon en daarna een waarin de lente met een hand werd vergeleken. Het boek werd doorgegeven en de kinderen bekeken de excentrieke opmaak van de regels.

'Het volgende is een liefdesgedicht. Hij overtreft hier zichzelf...' zei Thomas, terwijl hij het boek weer aannam en de juiste pagina opsloeg. Hij begon voor te lezen, licht en speels, naar de geest van het gedicht.

ergens waar 'k nooit gereisd heb,blij voorbij
alle ervaring,hebben jouw ogen hun stilte:
in jouw breekbaarst gebaar zijn dingen die mij
insluiten,of te dichtbij zijn dan dat 'k ze aanraak

jouw minste blik ontsluit mij moeiteloos
al heb 'k mezelf als vingers toegesloten,
steeds open jij mij blad voor blad als lente
(vaardig beroerend,raadselig)haar eerste roos

of als 't jouw wens is mij te sluiten,zullen
'k en mijn leven,plotseling,heel mooi dichtgaan,
zoals wanneer 't hart dezer bloem zich voorstelt
hoe overal de sneeuw voorzichtig neerdaalt;

niets dat wij mogen gewaarworden in deze wereld
haalt bij de kracht van jouw intense broosheid:
waarvan mij 't weefsel drijft met de kleur van haar landen,
en met elke adem dood en voorgoed herleidt tot

(wat het aan jou is dat zich sluit en opent
weet 'k niet;een enkel iets in mij slechts kan de
stem van jouw ogen verstaan als dieper dan rozen)
niemand,zelfs de regen niet,heeft zo kleine handen

Toen hij het gedicht uit had, viel er een stilte. Normaal gesproken zou Ruth een discussie op gang hebben gebracht, maar zij zweeg in alle talen.

Thomas besefte meteen dat hij een vergissing had begaan.

Dit was duidelijk geen gedicht voor kinderen. Hij was te onbezonnen geweest.

'Ik vond de bloem in de sneeuw mooi.' Anna Sands was degene die de opmerking maakte. Thomas was nog nooit zo ingenomen geweest met een van de kinderen.

'Absoluut. Een roos in de sneeuw. Een prachtige gedachte, al valt het nog niet eens zo gemakkelijk te zeggen waarom. Dat is nu de magie van poëzie.'

'Maar ik dacht dat het een droevig gedicht was,' zei Anna.

'Waarom?' vroeg Thomas.

'Omdat het over droevige liefde ging,' zei ze.

'Waarom denk je dat?'

'Het was allemaal van een afstand, alsof ze nooit samen konden zijn.'

'Misschien is het een gedicht om haar het hof te maken...'

'Maar het klinkt alsof hij denkt dat hij haar nooit zal bereiken.'

'Beter liefde verloren dan haar nooit bezeten te hebben,' riep een meisje met vlechtjes, Sarah. Stilte.

'Tennyson. Heel goed,' zei Thomas.

Hij durfde niet naar Ruth te kijken. Had ze begrepen wat hij haar probeerde duidelijk te maken? Ze zei niets totdat de kinderen haar erbij betrokken.

'Gaat u ons ook voorlezen?' vroeg Anna.

'Ik heb iets griezeligs voor jullie meegenomen,' zei ze, 'van Walter de la Mare.'

Het was een spookgedicht: 'De luisteraars'. Daardoor kwam het gesprek op de spoken van Ashton Park: de Blauwe Dame, het Meisje met het Schoothondje... Er kwam geen einde aan de spookverhalen die de kinderen verzonnen. In zijn stemming van nerveuze lichtzinnigheid lachte Thomas met hen mee. Ruth ook.

Te midden van alle vrolijkheid kruisten hun blikken elkaar even. Zijn hart stond stil. Hoe kon ze zich niet bewust zijn van zijn gevoelens voor haar? Er was een onzichtbare band tussen hen; ze hoefde hem alleen maar naar zich toe te trekken. Hij had het gedicht speciaal voor haar voorgedragen, dat had ze toch wel begrepen? Hij hoopte uit alle macht op een respons, maar durfde niet meer naar haar te kijken.

De grappen bleven over en weer vliegen en de les duurde Thomas veel te lang. Maar eindelijk kwam het moment waarop ze ermee ophielden en Ruth hem terugreed naar het huis. Terwijl ze hem voortduwde, besefte hij dat hij het niet langer erg vond dat hij in een rolstoel zat, omdat hij voelde dat ze van hem zou houden zoals hij was. Of verbeeldde hij zich dat maar?

Toen ze bij zijn studeerkamer aankwamen, stak hij zijn hand uit naar de deurklink en probeerde intussen een geestige opmerking te bedenken. Maar de klink bleef even steken. In een poging hem los te krijgen kwam haar hand neer op de zijne. Hij keek naar haar op en ving haar blik. Vergiste hij zich of zag hij liefde in haar ogen? Samen openden ze de deur.

'Kom binnen, alstublieft.' Ze volgde hem. Stoutmoedig deed hij de deur achter haar dicht. Voor het eerst waren ze alleen samen in een kamer met een gesloten deur. Ze vermeed zijn blik, maar hij keek haar recht aan. Ze kroop in haar schulp voordat hij de kans kreeg iets te zeggen.

'Het spijt me,' zei ze. 'Het spijt me heel erg.'

'Waarom?' antwoordde hij, verbijsterd. 'Wat zit u dwars?'

'Ik ben te... te vrijpostig geweest.'

'Ik zie niet in hoe,' zei hij.

Ze staarde met gebogen hoofd naar de grond, niet in staat zijn blik te beantwoorden.

'Het spijt me heel erg.' Ze kon niets anders bedenken om te zeggen.

Hij wist niet hoe hij moest reageren.

'Zeg me alstublieft wat u dwarszit,' vroeg hij vriendelijk.

'U was geweldig, vandaag,' zei ze en ze probeerde zijn blik te beantwoorden. Hij vroeg zich af of ze alleen maar beleefd was. Hij was vertwijfeld. Wat ging er werkelijk in haar om?

'Ze hebben ervan genoten, hè?' zei hij zo luchtig mogelijk, terwijl hij zijn ene been over zijn andere sloeg. De ergste spanning tussen hen ebde weg en hij wist dat hij nu door moest blijven praten om te voorkomen dat ze zich meteen uit de voeten maakte.

'Anna zou best aardig kunnen dichten als ze zich erop toelegde,' ging hij verder.

'Ze schaamt zich niet voor haar eigen gevoelens, dat is zeker.'

'Ik vraag me af wat er moet worden van de Anna's op deze wereld.'

'Ze vinden het moeilijk om iemand tegen te komen die het leven net zo serieus neemt als zij.'

'Is dat zo?'

'Het is maar een vermoeden.'

Waar kon hij het verder nog eens over hebben? Hield ze hem uit onverschilligheid of uit verlegenheid op afstand? Want het kon toch niet anders of ze wist wat hij voelde.

Ze maakte aanstalten de kamer uit te lopen.

'Dank u.' Zijn stem klonk te hard. Ze draaide zich om.

'Ú bedankt,' zei ze en één moment waagde ze het hem echt aan te kijken. Hij verbeeldde zich dat hij tederheid in haar ogen zag, maar hij had nu geen enkel benul meer van wat ze voelde. Misschien had hij het allemaal gefantaseerd?

Toen was ze weg. Hij zat in zijn stoel en probeerde de tekenen te interpreteren. Duidde haar verlegenheid op liefde of gêne?

40

Ruth trilde over haar hele lijf toen ze terugkeerde naar haar kamer.

Toen hij dat gedicht had voorgedragen, kon ze alleen maar aannemen dat hij zijn vrouw voor ogen had en bij de gedachte aan hun langdurige intimiteit werd ze verscheurd door jaloezie.

En toch koesterde ze een heel klein sprankje hoop dat hij het gedicht misschien voor haar had uitgekozen. Of was het waanzin om dat te denken? Ze wilde met hem praten en met hem samen zijn en hem voor altijd blijven zien. Maar een ander stemmetje fluisterde haar in dat ze de kluts kwijt was, dat ze weg moest uit Ashton Park, dat ze zichzelf voor de gek hield door liefde te zien in alles wat hij zei, terwijl er alleen sprake was van hoffelijkheid en vriendelijkheid.

Ze ging zitten en schreef hem een brief. En toen ze hem af had, schreef ze een nieuwe, in de wetenschap dat ze ook die zou herschrijven. Toen stopte ze de brief in een boek, klaar om hem de volgende ochtend te herzien. Misschien dat ze nooit de moed zou kunnen opbrengen om hem aan Thomas te geven, maar het was al een troost om hem te schrijven.

De volgende dag ontweek hij haar blik in de eetzaal. Hij leek haar zelfs met de nek aan te kijken en dat deed pijn. Heel erg pijn. Was hij bang dat hij gevoelens in haar had wakker gemaakt en moest hij haar nu laten zien dat er niets tussen hen speelde? Maakte hij haar duidelijk dat ze afstand moest bewaren?

De rest van de dag voelde ze zich zo terneergeslagen in de klas dat ze nauwelijks rechtop kon blijven staan. Terwijl ze de kinderen lesgaf, leek het alsof haar stem van buiten haar klonk. Toch flitsten er bij alles wat ze deed beelden door haar heen van Thomas die verwachtingsvol naar haar keek, naar haar glimlachte of zijn hand naar haar uitstak.

Tijdens een wiskundeles stokte haar adem bij een plotselinge herinnering aan zijn ogen en verloor ze haar concentratie. Ze was écht gek geworden. Hij dacht helemaal niet aan haar, nog geen seconde. De kinderen waren verbaasd over de plotselinge stilte die ze liet vallen, maar ze kwam tot bezinning en praatte verder.

De dagen erna waren al net zo erg. Ze probeerde zo veel mogelijk alleen te zijn, omdat ze haar lichaam onder de druk voelde bezwijken. Ze dacht: ik moet hier weg voordat ik echt helemaal instort. Maar ergens wilde ze nog steeds de brief aan Thomas afmaken, wilde ze hem nog steeds vertellen wat hij voor haar betekende. Buiten lestijd zat ze in haar kamer op haar bed onder het zwakke licht van de gloeilamp en werkte ze eraan verder. Keer op keer schreef ze hem uit in een keurig handschrift.

Drie dagen lang veranderde ze niets aan de brief en las ze hem alleen over. In die dagen nam ze haar besluit: dat ze moest weggaan voordat ze zich met haar gedrag te schande maakte. Ze vertelde mevrouw Ashton en meneer Stewart dat ze ander werk wilde zoeken in St Albans om dichter bij haar ouders te zijn. Natuurlijk begrepen ze het, hoewel ze het jammer vonden dat ze wegging omdat ze zo'n capabele en toegewijde onderwijzeres was – zoals ze haar allebei lieten weten.

Het duurde een dag of twee voordat Elizabeth eraan dacht dit nieuws bij het eten aan Thomas door te geven. Hij deed zijn best om onverschilligheid te veinzen, maar was als door de bliksem getroffen. Ruth weg aan het eind van de week? Wat moest hij, wat kón hij zonder haar beginnen?

Hij was haar kwijt. Hij had haar weggejaagd met zijn gedicht, hij had haar lastiggevallen, terwijl hij maar één ding wilde en dat was haar vasthouden en beminnen. Hoe had hij zo dom kunnen zijn, terwijl zijn dagelijkse hoop eruit bestond dat hij haar kon zien? Hij stortte in een diep dal van ellende en lag de hele nacht wakker, piekerend hoe hij haar te spreken kon krijgen en zijn liefde aan haar kon verklaren. Elke zenuw in zijn lichaam leek bloot te liggen.

Hij zag haar de volgende dag bij de lunch en bleef na afloop wat langer zitten om haar aan te kunnen spreken.

'Ik hoor dat u ons gaat verlaten?' Hij keek naar haar op.

'Ja.'

'Wat ontzettend spijtig.'

Hij keek haar zonder te knipperen recht in de ogen, haar heldere ogen. Ze moest haar handen ineenvouwen om ze stil te houden. Zag ze teleurstelling in zijn blik – of zelfs spijt?

'Mijn vader kwakkelt nogal met zijn gezondheid en ik denk dat het fijn voor hem zou zijn als ik wat dichter bij huis werk.'

'Denkt u dat u bij ons terugkomt, of vertrekt u voorgoed?'

'Ik denk dat het beter is als ik ergens anders een nieuw begin maak.'

'We zullen u allemaal vreselijk missen.' Hij zweeg even en keek naar haar op. 'Ík zal u missen.'

'Ik zal ook iedereen missen...' Meer dan dat kreeg ze niet over haar lippen, hoewel haar gezicht misschien iets anders suggereerde. Ze draaide zich om en liep naar haar volgende klas. Thomas keek haar na en reed toen terug naar zijn studeerkamer.

Zijn hart hamerde in zijn keel; hij was doodsbang dat hij haar niet meer onder vier ogen te spreken kreeg voordat ze wegging. Maar wat moest hij zeggen? Hij had haar niets te bieden, behalve zijn fantasieën.

Hij zat alleen in zijn studeerkamer, gekweld door zijn onvermogen zich te uiten. Jarenlang was hij vanbinnen dood geweest, maar nu hij eindelijk iemand had gevonden om van te houden, werd hem de mogelijkheid ontnomen uiting te geven aan zijn gevoelens. Hij had altijd liefde willen geven, hij wilde niets liever, maar nu had hij Ruth weggejaagd en vertrok ze. Binnenkort was ze er niet meer en zou hij haar nooit meer zien.

Hij wist niet hoe hij zonder haar verder moest leven.

41

Toen ze die avond klaar was met lesgeven, ging Ruth in haar eentje in haar kamer zitten. Ze was nog steeds van slag, maar voelde nu ook iets anders. Het was haar niet ontgaan dat Thomas teleurgesteld was dat ze wegging. De pijn in zijn ogen toen hij met haar praatte, sprak boekdelen. Al was het maar een bescheiden genegenheid, als die van een mentor voor een pupil, ze wist nu in elk geval dat hij iets van tederheid voor haar voelde.

Dus wilde ze hem haar brief geven. Misschien zou hij geschokt zijn, maar ze vertrouwde er ook op dat hij wist wat liefde was en begrip zou kunnen opbrengen voor de intensiteit van haar gevoelens. Ze las de brief twee keer over, totdat ze uitgeput was en er niet meer naar kon kijken. Daarna stopte ze de velletjes papier zonder ze te ondertekenen in een envelop, die ze dichtplakte.

De volgende dag ging ze naar beneden om haar laatste ochtendlessen te geven. Haar tassen waren al gepakt. Na de lunch zou ze een bus naar York nemen en vervolgens een late middagtrein naar huis.

Ze had haar brief nu af en door haar besluit voelde ze zich heel kalm. Ze zou hem wel persoonlijk moeten overhandigen: hierbij kon beslist niemand anders worden betrokken. Ze kende zijn rooster en wist dat hij direct na de lunch een vrij uur had, dus ze hoopte hem dan alleen aan te treffen in zijn studeerkamer.

Toen het zover was, klopte ze trillend bij hem aan. Ze had de brief in haar hand.

'Binnen!'

Zijn gezicht lichtte op toen hij haar zag.

'Ik kom gedag zeggen.'

'Dank u,' zei hij. 'Dank u wel, wat fijn. Ik had het heel erg gevonden als ik u niet meer had gezien...'

'Ik heb een brief voor u,' zei ze.

'Een brief?'

'Ja, ik eh...' haar stem stokte.

'O, Ruth,' zei hij.

Hij keek naar haar op met ogen die alles zeiden, maar ze kon zich er niet toe zetten zijn blik te beantwoorden. Ze werd overweldigd door verlegenheid en een combinatie van angst en hoop, maar overhandigde hem wel de envelop. Hij pakte hem aan.

'Mag ik hem nu meteen lezen?' vroeg hij.

'Ga uw gang,' zei ze, maar ze draaide zich om en schuifelde in de richting van de deur.

'Dank je!' zei hij, maar ze was al weg.

De deur stond nog open toen hij de envelop openscheurde en de velletjes papier openvouwde.

Lieve Thomas,
Ik ben bang om je deze brief te geven, omdat ik besef dat ik te ver ga. Maar ik wist niet hoe ik Ashton Park moest verlaten zonder echt afscheid van je te nemen.

Voor wat het waard is: ik wilde je vertellen dat ik van je houd. Nooit eerder heeft iemand me zo diep geraakt: je hebt mijn leven veranderd en ik koester alles aan jou. Je eindeloze begrip. Je gulheid en vriendelijkheid. Je levendige geest. Je rechtvaardigheid en vastberaden optimisme en je milde hoffelijkheid. Het is me allemaal vreselijk dierbaar.

Ik heb nooit een gezicht meer liefgehad dan het jouwe en ik zie het overal. Alles wat me ontroert, doet me denken aan jou.

Hoewel ik weet dat mijn gevoelens ongepast zijn, ben ik bang dat dat me niet belet om van je te houden. Maar het laatste wat ik wil, is je leven nog erger verstoren dan deze brief al doet. En daarom ga ik nu weg,

*voordat mijn gevoelens zich op zo'n manier uiten dat
ze je in verlegenheid brengen.*

*Mijn liefde voor jou heeft zich na al die tijd diep
in mij geworteld. Als ik haar nu zou opgeven, zou ik
daarmee mijn eigen ziel losrukken, dus de tederheid zal
blijven. Al zie ik je niet in eigen persoon, je zult altijd
in mijn gedachten zijn.*

*Bovenal wilde ik, voordat ik vertrek, tegen je zeg-
gen: ik houd van je met heel mijn hart en dat zal ik ook
altijd blijven doen. Ik wil je bedanken voor de intense
vreugde die ik heb beleefd aan de gedachte aan jou en
ik wens je alle goeds.*

Thomas had de brief nog nauwelijks geopend of zijn hart
stond stil. Voor zich had hij zwart op wit, ondubbelzinnig, de
woorden die al zijn verlangens vervulden.

De brief was waarachtiger, dieper gevoeld dan hij ooit had
durven dromen. Maar Thomas snapte er niets van dat ze zijn
gevoelens voor haar zo verkeerd had kunnen uitleggen. Hoe
was het mogelijk dat ze de blik in zijn ogen niet had begrepen?

Nu voelde hij zich als een klok die te ver was opgewonden
en elk moment kon knappen. Wat als ze vertrok voordat hij
hierop kon reageren? Hij reed zijn studeerkamer uit, de gang
door en de Marmeren Hal in. Er speelden twee kinderen badminton tijdens hun vrije uurtje voor de middaglessen: Anna
Sands en Mary Heaney.

'Anna!' fluisterde hij dringend. Ze kwam.

'Anna, ik wil heel graag juffrouw Weir nog even zien voordat ze vertrekt. Is ze hier langsgekomen met haar bagage?'

'Nee, meneer.'

'Mag ik jou vragen om haar voor me te halen? Ik heb geen
idee waar ze is, maar ik moet haar dringend spreken.'

Anna keek naar meneer Ashton en zag hoe geagiteerd hij
was. Ze liet haar racket vallen en rende er meteen vandoor.

'Anna...'

'Ja, meneer?' zei ze, omkijkend.

'Ga alsjeblieft door met zoeken totdat je haar gevonden hebt. Ik ben in mijn studeerkamer...'

'Ja, meneer.'

Hij glimlachte en Anna zwol op van trots. Ze vond het altijd heerlijk als meneer Ashton haar dit soort opdrachten gaf en ze iets bijzonders voor hem kon doen. Ze rende naar de onderwijzerskamer, maar daar was juffrouw Weir niet. Ze rende langs de keukens en buitenom naar de lokalen, waar sommige kinderen al stonden te wachten op de volgende les.

'Waar is juffrouw Weir?' riep ze en ze stond even stil om op adem te komen.

'Ze heeft haar laatste les al gegeven,' zei een kind.

'Ze is naar huis,' voegde een ander kind eraan toe, overtuigd van haar gelijk.

'Heb je haar kamer geprobeerd?' riep een jongen, maar Anna was er alweer vandoor gesprint, op weg naar de trap, bang dat ze al te laat was.

Hijgend bereikte ze de bovenste verdieping van het grote huis, waar Ruth in een van de dienstbodekamers verbleef. Ze klopte haastig aan.

De deur ging open en daar stond juffrouw Weir, die nog bezig was haar laatste boeken in te pakken.

'Meneer Ashton heeft me gestuurd, hij zegt dat het dringend is, hij moet u spreken voordat u weggaat...'

Ruths hoofd tolde en haar hart ging tekeer toen ze het meisje de trap af volgde naar beneden.

Anna was enorm in haar sas dat ze had gedaan wat er van haar was gevraagd. Ze wilde juffrouw Weir eigenlijk tot aan de deur van meneer Ashton begeleiden om zich door hem te laten bedanken, maar de bel voor de volgende les ging en dus liep ze naar haar klas.

Ruth was nu alleen en ze klopte op de deur van Thomas' studeerkamer. Er renden wat kinderen langs, op weg naar hun lokaal, en ze moest haar oren spitsen om zijn stem te horen.

'Binnen!'

Ze stapte zijn kamer in, zenuwachtiger dan ze ooit van haar leven was geweest. Ze deed de deur achter zich dicht en wendde zich naar hem toe.

Hij kwam in zijn rolstoel op haar af rijden.

'Dank je voor je brief, maar je hebt me helemaal verkeerd begrepen...'

Hij haalde even diep adem en keek naar haar op.

'Ik houd al heel lang van je, maar ik had nooit gedacht dat het wederzijds was.'

Ze kon geen woord uitbrengen, maar ze pakte zijn hand vast en bij die aanraking maakte haar hart een sprongetje. Ze knielde naast hem neer en drukte haar hoofd tegen zijn schouder. Toen vielen ze elkaar in de armen. Hij hield haar vast, streelde haar haar en keek haar vervolgens diep in de ogen. Hun blikken smolten samen en toonden nu alle tederheid en begeerte die al die tijd verborgen waren gebleven. Toen ze elkaar uiteindelijk kusten, waren hun gezichten zo dicht bij elkaar dat ze elkaars wimpers en elke porie konden zien en elk dierbaar detail wekte steeds weer hun verwondering.

'Ik houd van je,' zei Ruth. Iets anders volstond niet, alleen dat ene zinnetje dat ze nu voor het eerst kon uitspreken.

'Hoe is het mogelijk dat je niet wist dat ik van jóú houd?' zei hij en er brak een glimlach door op zijn gezicht. *Ik houd van je* – hij kon het wel van de daken schreeuwen. Alle pijn die hij ooit had gevoeld werd op dat moment gelenigd. Hij hield haar in zijn armen en ademde zo diep in als hij kon.

'Ik dacht dat ik je kwijt was. Ga niet bij me weg,' zei hij. 'Ga alsjeblieft niet bij me weg.'

42

Een van de keukenbedienden was de roodwangige Sarah, een meisje uit Newcastle. Na vele maanden op de school te hebben gewerkt, was ze het zat om zo ver van het stadsleven vandaan te zitten, omringd door tientallen kinderen. Toen ze een baan in een wapenfabriek kon krijgen, diende ze haar ontslag in.

Ter vervanging werd er een meisje uit het dorp aangenomen, dat alleen overdag kwam. Sarahs kamer bleef dus leegstaan.

De kinderen gingen voortdurend op onderzoek in het oude huis en waren altijd op jacht naar eten. Nadat Sarah was vertrokken, namen Anna en Beth stiekem een kijkje in haar kamer. Hij was leeg, op een stoel, een afgehaald eenpersoonsbed en een oude klerenkast na.

Anna zwaaide de krakende kastdeur open en daar vonden ze tot hun vreugde een koekjestrommel van Huntley & Palmer, die ze onmiddellijk openrukten. Er lag een laag koekjes in die nog eetbaar waren. Anna en Beth namen er elk drie. Ze zetten het blik weer uit het zicht in de kast en renden naar de tuin om hun buit op te smikkelen.

Niemand had hen gezien. Het was hun geheim. Elke keer als ze trek hadden, gingen ze naar Sarahs kamer en aten ze nog een paar koekjes.

Op een najaarsmiddag, toen de meeste kinderen buiten in de tuin waren, had Anna honger en besloot ze een bezoekje te brengen aan de koekjestrommel. Ze draafde door de gang naar het afgelegen gedeelte van de westvleugel waar zich de lege kamer bevond. Ze deed de deur achter zich dicht en haalde het blik tevoorschijn. Toen ging ze in de open kast zitten en deed zich te goed aan de laatste koekjes, terwijl ze zich afvroeg of ze er misschien een paar voor Beth moest bewaren.

Plotseling hoorde ze voetstappen in de gang. Paniekerig

deed ze het deksel op de trommel. De geluiden kwamen dichterbij. Ze schoof naar achteren en probeerde de kastdeur naar zich toe te trekken. Ze kreeg hem niet helemaal dicht – hij stond nog op een kiertje – en ze ging zo ver mogelijk in de hoek zitten.

De kamerdeur ging open en er kwam iemand binnen. De deur ging weer dicht. Iemand deed hem op slot. Anna keek door de kier en heel even kwam de rolstoel van meneer Ashton in haar blikveld, met daarachter juffrouw Weir. Ze verdwenen uit het zicht aan de andere kant van het bed. Ze kon alleen maar luisteren.

Het bloed suisde zo hard in Anna's oren dat ze bang was dat ze haar zouden horen. Ze wilde uit de kast stappen en zich opgewekt verontschuldigen voor het feit dat ze de koekjes had opgegeten, maar ze hadden de deur op slot gedaan. Ze zou zich verborgen moeten houden en oppassen dat ze niet hoestte. Doodsbang hield ze haar adem in.

Plotseling hoorde ze een zacht gezucht en gekreun, een gejaagde ademhaling, het kraken van het bed – geluiden die ze nauwelijks begreep, maar waarvan ze toch wist dat ze geheim waren.

Anna zat trillend in de klerenkast met haar hoofd in haar handen. Ze was nog nooit zo overweldigd geweest door schaamte. Ze wilde geen luistervink zijn, ze wilde het uitschreeuwen. Door de spanning kreeg ze vreselijke kramp in haar hele lijf, maar ze bleef stijf in elkaar gedoken zitten wachten tot het allemaal voorbij was.

Ze draaide haar hoofd opzij en door de kier ving ze een glimp op van witte naakte schouders op het bed. Ze keek snel weg, maar hoorde nog steeds vreemde geluiden – zachte intieme kreetjes die ze nog nooit had gehoord.

Zo'n twintig minuten hield ze zich schuil, duizelig en misselijk, als een rat in de val. Toen was het voorbij. De geliefden kleedden zich aan, zonder veel te zeggen. Ze hoorde de deur van het slot gaan en weg waren ze.

Anna bleef nog een tijdje stilzitten, bang om zich te verroeren. Uiteindelijk kroop ze de kast uit en ging er als een haas vandoor. Ze rende de gang door en de tuin in. Ze rende langs het verhoogde gazon en bleef rennen tot ze bij haar geliefde espenbosje kwam. De bomen wiegden in de wind en troostten haar met de diepere, kalmere lucht van het leven waar geen mensen waren.

Meneer Ashton en juffrouw Weir? Dat kon toch niet waar zijn? Nooit zou ze tegen iemand durven zeggen wat ze had gehoord.

* * *

Voor Thomas en Ruth was dit slechts één rendez-vous van vele in een gepassioneerde relatie. Voor hen beiden bracht nu elke dag de hoop de ander te kunnen aanraken. Ze moesten dat soort momenten bij elkaar sprokkelen, altijd overdag, in die lege kamer, maar ze waanden zich in de zevende hemel.

Voor twee mensen die zo innig naar elkaar hebben verlangd, dacht Thomas, kan er nooit een vreugde zo compleet zijn als de aanraking van huid op huid, vingers langs vingers, de warmte van een omhelzing. Wat met Elizabeth uiterlijke schijn was geweest, was nu, met Ruth, een passie van waarachtig verlangen. Ogen die elkaar vonden, zijn hart dat met haar samensmolt, de eenwording van hun beider lichaam en ziel: ze waren volledig met elkaar verstrengeld in hun geheime extase van wederzijdse liefde.

De ontdekking van een lege dienstbodekamer waar Ruth hem zonder probleem naartoe kon rijden was een geschenk uit de hemel geweest. Hij was degene die zich als eerste realiseerde dat ze daar een moment privacy konden vinden en Ruth ermee naartoe nam.

Toen ze bij de kamer aankwamen, troffen ze een sleutel in het slot aan, klaar voor gebruik. Thomas deed de deur aan de binnenkant op slot.

De erotische spanning tussen hen was bijna tastbaar. Dit was de eerste keer dat ze ongestoord samen konden zijn en de stilte gonsde alsof de lucht was aangetikt met een stemvork. Ruth sloot de luiken en draaide zich om naar Thomas; hun intimiteit begon.

Wanneer ze maar een kans zagen, zetten ze, in dezelfde kamer, hun liefdesspel voort, waarbij ze telkens een stapje verder gingen. Ze belandden al snel op het krakende eenpersoonsbed en streelden elkaar, eerst nog beschroomd. Tot de dag van de liefdesdaad. Daarna gaven ze zich volledig en ongegeneerd over aan hun begeerte.

Hij had haar al verteld dat hij geen kinderen kon verwekken, dus om anticonceptie bekommerden ze zich niet.

43

Roberta zorgde ervoor dat niemand haar gangen kon nagaan met Billy in Londen. Ze werkte op heel onregelmatige tijden: soms overdag en soms de hele avond. Intussen bracht ze af en toe op zondag een beleefdheidsbezoek aan Lewis' ouders. Ze mocht hen erg graag.

'Zodra Lewis thuiskomt, gaan we het vieren,' zei ze en dat meende ze ook. Ze verheugde zich erop haar gezinsleven te hervatten; ze miste alle bijbehorende rituelen.

Maar voorlopig putte ze troost uit de tijd die ze met Billy doorbracht. Zoals gebruikelijk op dinsdagavond deed ze een brief aan haar dochter op de bus en wandelde ze naar Notting Hill, waar hij op haar wachtte in hun flat. Ze maakte een omelet voor hen beiden, met eieren die ze voor de gelegenheid had opgespaard. Daarna bedreven ze loom de liefde en vielen ze in slaap voordat hij zich zelfs maar uit haar had teruggetrokken.

Maar even voor middernacht schoot Roberta abrupt wakker. Ergens in een ander deel van Londen klonk het bekende geluid van sirenes en bommenwerpers. Ze schudde Billy wakker.

'We moeten de schuilkelder in,' zei ze.

Hij liet zich uit bed rollen en ze liepen de trap af naar de kelder van hun gebouw. Billy viel al snel weer in slaap op zijn veldbed, maar Roberta was nu klaarwakker. Ze had morgen aan het begin van de dag een gesprek met haar baas en wilde haar beste kleren aantrekken, die thuis in de kast hingen. Ze zou vroeg op moeten om zich daar eerst om te kleden.

Om twee uur sliep ze nog niet en de bombardementen namen geleidelijk af. Toen ze het eindsignaal van het luchtalarm hoorde, fluisterde ze tegen de half slapende Billy dat ze naar huis ging om haar kleren klaar te leggen voor de volgende ochtend. Toen glipte ze de duisternis in.

Het was een bewolkte nacht en in de verte klonk nog steeds het gerommel van luchtafweergeschut. Maar boven Kensington was er geen Duitse bommenwerper te bekennen.

Ze liep door Notting Hill in de richting van Holland Road. Waarom 'Holland Road'? vroeg ze zich af. Wat had die straat met Holland te maken? Ze had hier al zo vaak gelopen en nog nooit had ze stilgestaan bij die naam.

Plotseling dook er een vliegtuig ronkend uit de wolken en enkele seconden later hoorde ze een paar straten verderop een bom ontploffen. In paniek keek ze om zich heen, op zoek naar de dichtstbijzijnde schuilkelder. Ze zette de pas erin.

Er kwam een tweede vliegtuig over, en nog een. Allemaal op weg naar elders, maar toch angstaanjagend. Ze had het intussen op een drafje gezet. Ze zag nergens een schuilkelder, maar passeerde wel hekken waarachter zich keldertrappen bevonden. Ik zal bij een vreemde moeten aankloppen, dacht ze.

Ze rende een paar treden af en klopte op een kelderdeur. Geen reactie. De vliegtuigen scheerden nog steeds over. Alsjeblieft, alsjeblieft, laat me erin. Ze rende naar het volgende huis en naar het huis daarnaast. Geen antwoord.

Toen ze de kelderdeur van het vierde huis bereikte, hoorde ze een vreemd gefluit boven haar hoofd, gevolgd door een oorverdovende klap.

Toen ze bijkwam, kon ze zich niet bewegen, hoewel haar hoofd vrij was en ze het naar links en rechts kon draaien. Het duurde een paar minuten voordat het tot haar doordrong dat ze niet ernstig gewond was: ze had alleen een pijnlijk kloppende linkerschouder.

Ze wriemelde met haar tenen. Het is een wonder dat ik nog leef, dacht ze. Ik leef en alles zit er nog op en aan. Ik moet alleen wachten tot iemand me hier uitgraaft. 'Help!' riep ze, en nog een keer: 'Help!'

Maar er kwam geen antwoord. Niets dan doodse stilte. Als ze riep, moest ze hoesten en proesten van het stof. Ze lag compleet begraven onder aan de souterraintrap voor de kelder van een rijtjeshuis.

Ze ging ervan uit dat ze elk moment joviale stemmen zou horen roepen en bevrijd zou worden door galante brandweermannen die haar een kopje thee met een scheutje melk zouden aanbieden. Maar er kwamen geen stemmen. Ze bedacht dat de brandweerwagens waarschijnlijk bij de pakhuizen aan de rivier waren. Een paar verdwaalde bommen op Kensington waren niet echt aanleiding om met een hele ploeg brandweermannen uit te rukken. En het huis zag er zo verlaten uit; misschien hadden de buren aangenomen dat er niemand gevaar liep.

'Help! Help!' Ze riep totdat ze schor was, en bij elke kreet kreeg ze meer stof naar binnen en werd haar adem verder afgesneden.

Ze raakte verstikt door claustrofobie en de angst dat ze zou doodgaan, terwijl ze zo gemakkelijk kon worden gered. 'Help! Help me!'

Ze dacht aan Billy, iets verderop in de schuilkelder. Aan Lewis, in Egypte, die zich voorbereidde op weer een nieuwe dag in de Westelijke Woestijn. Aan haar dochter, die lag te slapen in haar slaapzaal in Yorkshire. Geen van hen was zich bewust van wat misschien wel haar laatste uren waren in een willekeurige straat in Londen. Ze was er nog niet klaar voor de wereld te verlaten. Ze kon toch niet zomaar worden weggerukt uit het leven?

De minuten tikten weg en een groeiende paniek maakte zich meester van haar verstijfde lichaam. Haar longen zwoegden en het zweet liep langs haar gezicht. Ze was misselijk en draaierig. Zou iemand haar vinden? Natuurlijk wel. Nog even en ze zou pikhouwelen en spaden het puin horen weggraven. Ze moest geduld hebben, gewoon geduld hebben.

Nog steeds doodse stilte.

Haar paniek kwam en ging in golven. Zou ze Anna ooit nog zien? Haar geliefde dochter die ze zo... in de steek had gelaten. Ze hadden samen op straat kunnen dansen en pret kunnen maken, maar dat bleef Anna nu voor altijd ontzegd.

Ze vroeg zich af of dit Gods manier was om haar te straffen. Een steek van wroeging ontlokte haar een kreet, maar daar schoot ze niets mee op. Haar eigen egoïsme had haar dochters leven verwoest. In een flits zag ze Anna's ogen voor zich. Ze zou nooit een moeder hebben die vrouwengeheimen met haar deelde of haar ontluikende schoonheid prees.

Hoe had ze haar dochter kunnen laten gaan? Ze had haar vaker moeten opzoeken in Yorkshire of werk en onderdak voor hen beiden buiten Londen moeten zoeken. Maar ze had alles opgegeven. En waarvoor? Voor een affaire die haar zinnen had geprikkeld.

Ze had altijd gedacht dat er nog tijd genoeg zou zijn om met Anna door te brengen. Tijd genoeg om weer ijs met haar te eten, uit hoge glazen coupes...

Ze kreeg steeds minder zuurstof en zakte weg. Terwijl het leven uit haar wegvloeide, voelde ze zich kalmer worden. Lewis zou uit de oorlog terugkomen en voor hun kind zorgen, die hoop was er nog. Ze dacht met liefde aan hem en bad voor zijn veiligheid in Egypte. In haar laatste bewuste momenten herhaalde ze alle litanieën die ze zich kon herinneren, in een lang ritmisch gebed, waarbij ze al haar krachten op Anna concentreerde en God smeekte om haar liefde door het nachtelijk duister haar slapende dochter te laten bereiken.

Intussen slibde de lucht steeds meer dicht met stof, totdat Roberta niet meer kon ademen. Na vier uur onder het puin vast te hebben gezeten, werd ze eindelijk uit haar lijden verlost en gaf ze de geest.

Het duurde een aantal dagen voordat ze werd gevonden en tegen die tijd verkeerde haar lichaam al in beginnende staat van ontbinding. Haar papieren werden in haar jaszak aangetroffen, vochtig maar nog leesbaar. Haar buurman, een bejaarde postbode, hielp de politie met hun onderzoek toen ze bij haar thuis kwamen aankloppen.

De dinsdag erop wachtte Billy op haar in hun flat. Toen ze niet kwam opdagen was hij eerst bezorgd, maar viel toen in slaap in de veronderstelling dat ze haar werkrooster had veranderd. De volgende dag probeerde hij haar te bellen bij de BBC en kreeg hij het vreselijke nieuws te horen.

44

Toen juffrouw Weir Anna in de tuin vond en vroeg of ze met haar mee wilde komen naar de studeerkamer van meneer Ashton, was het meisje meteen bang dat ze iets verkeerds had gedaan. Ze vroeg zich af of ze misschien toch was betrapt met haar koektrommel in de kast en de schrik sloeg haar om het hart. Maar juffrouw Weir leek niet boos. Ze legde een hand op haar schouder en leidde haar het huis in.

Achter de zware deur van zijn studeerkamer wachtte Thomas met beklemd gemoed op Anna. Ruth had gezegd dat ze het nieuws het best van hem kon horen, in de rust en privacy van zijn studeerkamer. Maar ze was zo'n zorgeloos kind en hij zou willen dat hij haar nog wat langer in onwetendheid kon houden.

Er werd zachtjes op zijn deur geklopt.

'Binnen!' zei hij, zo geruststellend als hij kon. Het kind kwam zijn kamer in met een gespannen, nerveuze uitdrukking op haar gezicht. Hij zag dat ze trilde en herinnerde zich zijn eigen angst op school, voor de hoofdmeesters en de slaag met het rietje.

'Maak je maar geen zorgen,' zei hij. 'Je hebt niets verkeerds gedaan, Anna.'

Hij bewoog zijn hand, alsof hij op het punt stond iets te zeggen, maar er kwam niets. Anna dacht dat ze haar eigen hart luider hoorde tikken dan de klok op zijn bureau.

'Ik moet je iets heel moeilijks vertellen en je zult heel dapper moeten zijn.'

Hij hoorde zichzelf in gemeenplaatsen vervallen. Moet ik het nieuws geleidelijk brengen of zeg ik het juist meteen? vroeg hij zich af.

Het kind keek verwonderd, een tikje afwezig, bijna alsof ze met haar hoofd heel ergens anders was. Er welde een golf van tederheid in hem op.

'Je bent een heel bijzonder meisje, lieve kind, dat moet je goed onthouden. Je bent gezegend met vele talenten en er staat je een... een prachtig leven te wachten. Je moet goed voor jezelf zorgen en in jezelf geloven.'

Anna was even opgetogen als verbaasd. Ze voelde zich duizelig en belangrijk. Zou ze een studiebeurs krijgen?

'Ik, eh... ik moet je helaas vertellen dat...' Hij keek even naar de grond.

Mijn vader is dood, dacht Anna met een schok. Mijn vader is dood in de woestijn.

Hij keek op.

'Je moeder is omgekomen bij een luchtaanval in Londen...'

Mijn moeder is dood. Mijn moeder.

Anna was zo overrompeld dat de adem haar werd benomen, alsof haar longen waren doorgeprikt.

'O,' zei ze. Haar ogen stonden wijd opengesperd. Meneer Ashton keek haar aan, met ernstige, milde ogen – maar het was alsof ze hem door een paar dikke lagen bobbelig glas zag.

'O, nee,' zei ze en ze begon te beven, met gebalde vuisten en knikkende knieën, trillend over haar hele lijf.

'Ik vind het heel erg voor je,' zei hij. 'Heel, heel erg.'

Ze had niet het gevoel alsof haar moeder dood was. Ze was immuun voor de betekenis van zijn woorden. Het nieuws ging dwars door haar heen en ze gehoorzaamde eenvoudigweg een blinde reflex om niet in te storten, om geen tranen te laten vloeien, om alleen maar dapper te zijn.

'Hoe weet u dat?' vroeg ze.

'Wat bedoel je?'

'Hoe weet u dat ze dood is?'

Hij aarzelde.

'Ze hebben haar papieren gevonden.'

'Waar?' Ze moest het weten, ze wilde een beeld, details.

'Ze lag.... begraven onder een gebouw dat was ingestort. Waarschijnlijk 's nachts op weg van haar werk naar huis.'

'Denkt u dat het pijn heeft gedaan?'

'O, nee, ik weet zeker van niet – ze zal op slag en zonder pijn zijn overleden.'

Anna stond daar maar te trillen, zonder de informatie echt op te slaan. Meneer Ashton zát tenminste, maar haar hele gezicht en lichaam voelden blootgesteld aan de omgeving, als een kale rotswand. Ze wist niet wat ze moest doen of zeggen, of waar ze moest kijken of haar handen moest laten. Ze voelde een glimlach doorbreken op haar gezicht en was vreselijk bang dat ze in lachen zou uitbarsten.

In plaats daarvan huiverde ze. Meneer Ashton haalde een zakdoek tevoorschijn – een grote witte zakdoek met gestreken vouwen – en ze drukte die tegen haar gezicht. Ze liet zich in een stoel zakken en begroef haar gezicht in de zakdoek, zodat meneer Ashton niet kon zien dat ze giechelde in plaats van te huilen. Ze voelde hem dichterbij komen en zijn hand op haar schouder leggen. Bij die aanraking ontlaadde haar eigenaardige vrolijkheid zich in tranen en opeens zat ze ritmisch schokkend in de zakdoek te snikken.

Een paar minuten zaten ze daar samen zonder iets te zeggen. Hij liet zijn hand stevig op haar schouder liggen totdat haar tranen waren opgedroogd, maar haar gezicht bleef verborgen in zijn zakdoek.

Wat zeg je tegen een meisje dat net haar moeder heeft verloren? Hij kon nauwelijks een woord over zijn lippen krijgen.

'Wil je hier een poosje blijven zitten? Je hoeft vanmiddag niet naar de les...'

Er schoten wat losse kreten door haar hoofd: *geen Latijn meer, geen Frans meer, nooit meer op de oude schoolbank zitten.* In elk geval mis ik nu mijn wiskundeles, dacht ze.

'Het gaat wel weer,' zei ze tegen meneer Ashton. Ze probeerde op te kijken en hoopte dat er niet weer een lachbui kwam opzetten. 'Ik ga nu maar.'

'Weet je het zeker?'

'Ja, dank u wel,' zei ze, terwijl ze opstond.

Haar beleefde glimlach stak hem: gebood de etiquette haar echt hem te bedanken voor het bericht van haar moeders dood?

'Denk eraan: als we je ergens mee kunnen helpen, hoef je het maar te vragen...'

Ze stond nu te popelen om ervandoor te gaan. Moest hij haar hier houden en haar een koekje geven of iets dergelijks? Ze reikte hem zijn zakdoek aan.

'Nee, nee, houd die maar,' zei hij. Ze trok zich weer terug in de richting van de deur en probeerde zich uit de voeten te maken, terwijl ze hem bedankte voor de zakdoek, die ze ineengefrommeld in haar hand klemde.

Gelukkig kwam ze niemand tegen toen ze de tuin in schoot en vervolgens het bos in glipte. Ze was buiten adem, maar bleef doorrennen totdat ze bij haar geliefde espenbosje aankwam. Niemand kon haar hier zien. Ze hurkte neer en kwam langzaam op adem, terwijl ze de zakdoek keurig in vieren vouwde.

Daar bleef ze zitten, schuddend van de lach. Ze wist niet waarom.

* * *

Anna kwam pas tegen etenstijd het bos uit. Ze zag erg op tegen de onderzoekende blikken van de andere kinderen. Ze liep de eetzaal in, zich ervan bewust dat ze allemaal het nieuws hadden gehoord.

'Waar was je?' vroeg Katy Todd.

'In het bos.'

'Je hebt de wiskundeles gemist. Staartdelingen.'

'Dat weet ik. Ik snap niks van staartdelingen.'

'Ik kan je wel helpen,' zei iemand anders.

Hulp met staartdelingen. Een dode moeder.

Ze zag het in de nieuwsgierige gezichten van de andere kinderen: hun schuldbewuste gretigheid om te weten hoe het was om je moeder te verliezen. Op de een of andere vreemde manier voelde ze zich heel belangrijk: de koningin van de rouw. Maar ze werd ook verlegen onder al die belangstelling. Ze was blij toen juffrouw Weir plotseling verscheen en haar meetroonde.

'Heb je zin om met mij tomaten te gaan plukken? De kokkin heeft me gevraagd om er een paar voor haar te halen.'

Dat deed ze met alle plezier.

Ze liepen de oprijlaan af naar de victoriaanse kas. Juffrouw Weir wandelde in een rustig tempo en stelde Anna op haar gemak.

'Wist je dat de Ashtons een van de eerste families in Engeland waren die bloemen en fruit in hun kas hadden?'

'Waarom was dat?'

'Ze hadden een verlichte tuinman. Hij gaf hun sinaasappels en vijgen en druiven. En de heren in die tijd hadden altijd een anjer in hun knoopsgat.'

'Maar wij gaan tomaten plukken?'

'Tja, op anjers zit tegenwoordig niemand meer te wachten, Anna.'

Ze lachte en Anna ontspande. Ze liepen de kas in, waar het drukkend warm was en een typische lucht van overrijp fruit hing. Anna plukte de tomaten voor juffrouw Weir. Ze legde ze in haar mandje en deed toen de roestige deur achter hen dicht.

Op de terugweg ging het heuvelopwaarts en geen van beiden sprak een woord. Maar toen ze bij de laatste bocht van de oprijlaan kwamen, wendde juffrouw Weir zich tot Anna met haar kalme, vriendelijke gezicht.

'Als je ooit over je moeder wilt praten, Anna, kom dan vooral naar me toe. Vergeet niet dat we er altijd zijn om je te helpen...'

Anna was onthutst door de blik van haar onderwijzeres. Er welde dankbaarheid in haar op en heel even was ze verbonden met haar diepste gevoelens, zodat haar ogen vol tranen sprongen. Maar ze klemde haar kaken op elkaar en ze liepen verder, waarbij juffrouw Weir wilde bloemen aanwees die Anna nooit eerder had opgemerkt.

Pas drie dagen later, toen de andere kinderen gewend waren aan haar nieuws en niet langer fluisterden als ze voorbijliep, huilde ze 's avonds in bed en probeerde ze zich haar moeders gezicht voor de geest te halen.

Ze kon zich niet meer de laatste woorden herinneren die ze tegen elkaar hadden gesproken. Had ze niet alleen maar gehuild bij hun laatste afscheid? Ze dacht: er zijn zo veel dingen die ik je nog had willen vertellen.

Anna zou nooit weten of haar moeder haar laatste brief had gekregen. Erger nog, ze kon zich niet herinneren waar ze haar moeders laatste brief had gelaten. Ze had hem een paar keer gelezen, maar kon zich nu nauwelijks meer herinneren wat erin stond. Er speelde een nieuw dansorkest bij de BBC. Ze vroeg zich af of de lentezon net zo heerlijk in Yorkshire scheen als in Londen. Was dat alles?

Ze dacht: ik heb nooit afscheid genomen. Ik zal haar nooit meer zien. Ik zal haar nooit de tekening sturen die ik bij de tekenles heb gemaakt.

Ze durfde de onderwijzers niet te vragen naar een begrafenis, omdat ze vermoedde dat ze het haar wel verteld zouden hebben als er een was om naartoe te gaan. Wat zou haar vader denken? Zouden ze hem terugroepen uit Afrika?

Dagenlang zocht ze naar haar moeders laatste brief: in kastjes, lessenaars, overal. Elke ochtend ging ze opnieuw op zoek, maar hij was en bleef weg.

In plaats daarvan liep ze rond met de witte zakdoek van meneer Ashton als het symbool van haar verlies.

45

Zoals hij al vreesde, zei Thomas soms Ruths naam in zijn slaap. Normaal gesproken was Elizabeth te dronken om dat soort dingen op te merken, maar op een nacht hoorde ze hem toch. Het bevreemdde haar en ze begon hem in de gaten te houden.

Het was nooit bij haar opgekomen dat Thomas iets voor een andere vrouw kon voelen. Maar nu viel het haar op dat hij innerlijke tevredenheid uitstraalde en dat hij warm en ge-animeerd was als hij tijdens de lunch met Ruth praatte. En dat ze angstvallig elkaars blikken vermeden.

Was er soms iets tussen hen? Ruth leek zo'n preuts en verle-gen meisje dat Elizabeth het moeilijk kon geloven dat ze zou durven flirten met haar man.

Maar haar nieuwsgierigheid was nu gewekt. Ze begon Thomas 's avonds weer tot seks te verleiden en dan was hij ontvankelijk en gepassioneerd. Maar ze zag dat hij zijn ogen dichthield en ze vroeg zich af of zijn begeerte werd opgewekt door gedachten aan een ander lichaam, een andere vrouw.

Ze begon de jonge onderwijzeres te observeren. Ruth was stijf en ouderwets en Elizabeth kon niets bekoorlijks aan haar ontdekken. Het was ondenkbaar dat Thomas iets in haar zag. Maar diep in haar hart was ze jaloers, omdat ze wist dat Ruth intelligent was. Ze gaf niet graag toe dat mannen scherpzinnigheid in vrouwen aantrekkelijk konden vinden, maar intussen zag ze dat Thomas genoot van zijn serieuze, intellectuele gesprekken met de jonge onderwijzeres.

Op een dag kon ze het niet nalaten Ruth bij de lunch een compliment te maken over de doodgewone jurk die ze aan-had.

'Hij staat je zo beeldig,' zei ze. Ruth bespeurde het venijn en verbleekte. Thomas ontging de belediging volledig.

Na de klap van het vertrek van Pawel was Elizabeth langzamerhand weer wat opgefleurd. Ze had opnieuw de praktische leiding over de school op zich genomen en het werk vormde een nieuwe stimulans in haar leven. Maar ze kon vlijmscherp uitvallen tegen iedereen die haar irriteerde; ze had een bittere arrogantie over zich die zowel het keukenpersoneel als de onderwijzers angst aanjoeg. De kinderen bleef haar sarcasme doorgaans bespaard en soms maakte ze in de pauze grapjes met hen. Maar ook zij waren op hun hoede voor haar, omdat ze wisten dat haar stemming zonder enige aanleiding kon omslaan. Dan draaide ze zich abrupt om en beende weg.

Thomas was als de dood voor haar onvoorspelbare uitbarstinkjes van geweld. Soms kwamen ze voort uit frustratie door een van hun gesprekken in de slaapkamer. Andere keren borrelden ze op uit de wrokkige draaikolk van haar stilte. Dan smeet ze plotseling een fles parfum of een porseleinen bord op de grond, omdat ze gewoon iets wilde breken en haar melodramatische neigingen niet kon weerstaan. Daarna liep ze doodkalm weg, om iets anders te gaan doen. De glas- of porseleinscherven liet ze liggen.

Misschien werd haar gedrag uitgelokt door de kille balans van haar huwelijk, of misschien was ze bang dat Ashton Park niet altijd vol zou zitten met geëvacueerde kinderen. In de herfst van 1942 leek het tij van de oorlog eindelijk te keren: de geallieerden hadden een grote overwinning behaald bij El Alamein, terwijl Hitlers leger zware verliezen leed in Rusland, waar het geconfronteerd werd met Stalins schijnbaar onbeperkte krijgsmacht.

Er vielen niettemin nog steeds veel doden aan het thuisfront en dus moesten de evacués voorlopig in Ashton blijven. In januari berichtten de kranten over een tragedie van een school in de buurt van Londen die was gebombardeerd terwijl de kinderen naar een voorstelling zaten te kijken van *Een midzomernachtsdroom*. De school werd vol getroffen en stortte in, waarbij drieëntwintig schoolmeisjes en vier onderwijzers omkwamen. Ouders en hulpverleners werkten de hele nacht door om de lichamen van de kinderen uit het puin te halen. *'Charles Alford, een artillerist met verlof, kwam naar de school en zag hoe het ontzielde lichaam van zijn vierjarige dochtertje Brenda uit het puin werd weggedragen,'* las Thomas, geschokt door de zinloosheid van zulke jonge slachtoffers.

Bomexplosies waren hoogstens een verre echo in Ashton, maar zo nu en dan waren er wel huiselijke incidenten. Op een zaterdagochtend speelden twee jongens een fanatiek potje badminton in de Marmeren Hal, toen hun shuttle nogal hard de kroonluchter raakte. Het bleek de laatste druppel te zijn voor een lamp die al honderd jaar bezig was uit elkaar te vallen. Er klonk een onheilspellend gekraak. De jongens keken angstig omhoog en stoven vervolgens naar de kant toen de kroonluchter naar beneden kwam en uiteenspatte op de marmeren vloer. Het geluid van brekend glas klonk door het hele huis.

Thomas hoorde het kabaal en haastte zich om te kijken wat er was gebeurd. Geschokte kinderen verzamelden zich aan de rand van de hal en staarden naar een zee van verbrijzeld kristal. De glassplinters lagen tot in de verste hoeken. Thomas zag vanaf de andere kant Elizabeth komen aanlopen, gevolgd door Ruth.

Elizabeth nam de leiding en riep om bezems en emmers. Vanaf de galerij boven de hal staarden Anna en de anderen omlaag naar de blinkende scherven. Het karkas van de kroonluchter lag bewegingloos op de vloer. Gekleurde lichtjes glinsterden door de prisma's in een schouwspel van zinloze magie. Het glas knerpte als iemand eroverheen liep en rinkelde toen het werd weggeveegd.

Nog maanden daarna vonden de kinderen in alle hoeken en gaten van het huis glassplintertjes, die aan schoenzolen waren blijven plakken.

Ruth was van haar stuk gebracht door de kapotte kroonluchter; ze vatte het op als een teken. Hoe lang konden Thomas en zij doorgaan als minnaars voordat het hele wankele bouwsel van zijn leven instortte? Ze was bang voor Elizabeth en haar koude, harde blikken.

Nonsens, zei Thomas. Het was gewoon een oude kabel. Maar ook hij popelde om een weg naar voren te vinden. Hij was niet van zins Ruth te blijven verbergen als zijn maîtresse, maar hij wilde er eerst zeker van zijn dat ze echt met hem samen wilde zijn. Betekende hun lichamelijke gemeenschap het einde van een bevlieging of het begin van een diepere verbintenis? De maanden gingen voorbij en hij had het gevoel dat ze alleen maar verder naar elkaar toe groeiden.

Wel maakte hij zich nog steeds zorgen over hun leeftijdsverschil en het feit dat hij invalide was. Hij wist dat ze kinderen hoorde te krijgen en dat hij haar eigenlijk van zich af zou moeten stoten. Hij wilde niet dat ze uit eergevoel aan hem vast zou komen te zitten. Toch geloofde hij dat ongebruikelijke liefde, onverwachte liefde, soms een extra hechte band kon scheppen. Dat hield hij zichzelf in elk geval voor.

Vanuit het raam van de bibliotheek sloeg hij haar op een dag gade in de tuin. Ze liep met verende tred en ontspannen schouders, alsof ze een last van zich had afgeworpen.

Ruth had hem nog niet verteld dat ze over tijd was. Eerst had ze er geen aandacht aan geschonken, maar de dagen verstreken en haar borsten zwollen op en er kwam maar geen ontlading.

De volgende keer dat ze samen waren, merkte hij dat ze ergens over inzat en de angst welde in hem op dat ze van hem af wilde. Ze voelde aan wat hem dwarszat, dus flapte ze het eruit: ze was over tijd, misschien wel zwanger.

Ongerust keek ze hem aan, maar ze zag alleen spontane vreugde oplichten in zijn ogen.

'Dat is het geweldigste nieuws dat ik me ooit had durven wensen...'

'Ik dacht dat je je misschien zorgen zou maken over een schandaal.'

'Denk je dat iemand die dolgraag kinderen wil daar maling aan heeft? Het is wonderbáárlijk nieuws: een kind, met jou,' juichte hij. 'Ik had het niet durven dromen,' voegde hij eraan toe.

Als hij haar kinderen kon geven, dan konden ze bij elkaar blijven. Zo eenvoudig was het. Hij omhelsde haar voor het eerst met het gevoel dat hij haar een toekomst kon bieden: ze kon nu zijn vrouw worden. Hij kon zijn geluk niet op toen hij haar kuste.

Ruth ging naar het ziekenhuis in York, waar haar zwangerschap werd bevestigd. Thomas voelde nu een overweldigende drang om zich vrij te maken voor haar, voordat er iets te zien was. Maar hij zag verschrikkelijk op tegen het gesprek dat hij met Elizabeth moest voeren. In gedachten bereidde hij het eindeloos voor. Het juiste moment leek nooit te komen. De dagen tikten weg totdat hij het niet langer kon uitstellen.

Op een lentemiddag in 1943 vroeg hij zijn vrouw om naar zijn studeerkamer te komen. Ze wist dat er iets mis was toen ze naar binnen liep en hij haar vroeg de deur te sluiten. Hij reed op haar af en probeerde haar aan te kijken.

'Ik moet het ergens met je over hebben.'

'Ga je gang,' zei ze, afwachtend.

'Ik heb dit gesprek voortdurend uitgesteld omdat ik niemand ongelukkig wilde maken. Maar Elizabeth, ik denk dat het moment is gekomen om te proberen... uit elkaar te gaan.'

'Wat bedoel je precies?'

'Ik wil graag scheiden.'

'Maar waarom?'

'Omdat ons huwelijk op een... op een dood spoor zit en we allebei nog genoeg tijd hebben om... om opnieuw te beginnen en iemand anders te vinden.'

'Hoe kom je hier opeens bij?'

'Ik denk gewoon dat het tijd is om onze onderlinge verschillen onder ogen te zien.'

'Je bent niet eerlijk. Je bedoelt dat jíj vrij wilt zijn. Ik hoef dat niet zo nodig.'

'Natuurlijk wel.'

'Nee, echt niet.'

'Je zou je opgelucht voelen als je niet langer opgesloten zat in een relatie met mij.'

'Allemaal smoesjes, Thomas.'

Ze wachtte op een antwoord, maar toen er geen kwam drong ze verder aan.

'Je hebt iemand anders, hè? Vooruit, geef het maar toe.'

Hij was verbaasd. Ze wist het.

'En wat dan nog?'

'Denk je dat ik je niet heb zien staren naar je schooljuffrouwtje? Die zielenpiet?'

Hij negeerde de provocatie en bood weerstand aan de verleiding Pawel te noemen. Hij wilde gewoon zijn vrijheid, met zo veel mogelijk waardigheid voor hen beiden.

'De omstandigheden doen er niet toe. Ik wil gewoon een scheiding.'

'Die geef ik je niet.'

'Waarom niet?'

'Omdat je mijn man bent en ik van je houd.' Ze zei het op zwaar sarcastische toon, maar hij wist dat het gek genoeg nog waar was ook.

'Dan vraag ik je om je hulp,' zei hij. 'We zijn geen van tweeën gelukkig.'

'Ga je me vertellen dat je verliefd bent? Alsof ze je zou willen. De mensen zullen je uitlachen. De kreupele Thomas Ashton en zijn kleine meisje.'

'Ik wil Ruth hier graag buiten laten.'

'Ruth? Aha, er wordt dus al getutoyeerd? Heb je haar al geprobeerd te zoenen?' Ze lachte.

'Alsjeblieft, Elizabeth...'

'Ze houdt je alleen maar aan het lijntje. Die wil een man van haar eigen leeftijd, en kinderen, niet een man van middelbare leeftijd in een rolstoel die al opgezadeld zit met een wraakzuchtige vrouw.'

Elizabeth keek hem hooghartig aan. Heel even verachtte hij haar.

'Die kinderen krijgt ze anders toch wel,' zei hij rustig.

Elizabeth keek hem scherp aan.

'Hoezo krijgt ze kinderen?' vroeg ze. 'Wat bedoel je daarmee? "Die kinderen krijgt ze anders toch wel"? Zeg op! Is ze zwanger? Nou? Zeg op!'

Thomas hield haar blik vast, met zijn ogen tot spleetjes geknepen.

'Ja,' zei hij en hij zag een schaduw van pijn en ontzetting over haar gezicht glijden. Onmiddellijk had hij spijt van zijn botheid, maar het was al te laat. Elizabeths houding verslapte alsof er iets in haar was geknakt. In één klap was haar band met haar man, zijn huis en hun leven verbroken. *Hij had een erfgenaam.*

'Dat soort dingen gebeurt nu eenmaal,' zei Thomas op verzoenende toon, om zijn toevlucht te nemen tot een gemeenplaats.

'Ik wilde een kind!'

In een flits zag hij hoe diep haar verdriet zat. Ze was niet zozeer jaloers op Ruth, of zelfs op hem – ze ging gebukt onder een tragisch onvervuld verlangen naar haar eigen kind.

'Het spijt me, Elizabeth. Het spijt me heel erg.'

Ze huilde. Hij wachtte tot ze haar tranen droogde, maar de minuten gingen voorbij en ze weigerde hem aan te kijken.

Hij wist dat het verkeerd was, maar hij werd steeds ongeduldiger. Enerzijds wilde hij haar geen pijn doen, anderzijds wilde hij vrij zijn – en snel ook. Ze keek op en eindelijk ving hij haar blik.

'Nee,' zei ze. 'Nee, ik laat je niet gaan.' En daarmee verliet ze de kamer.

Thomas bleef waar hij was en hield zichzelf voor dat dit nog maar de eerste stap was. Hij bereidde zich geestelijk voor op een tweede gesprek, als ze wat gekalmeerd was.

Hij had Ruth nog niet eens verteld dat hij die middag met Elizabeth ging praten, maar ze hadden later die dag afgesproken en dan zou hij haar waarschuwen uit de buurt van zijn vrouw te blijven.

* * *

Het was Thomas ontgaan dat Elizabeth nu in de greep was van zo'n intense haat dat ze gedreven leek door duistere krachten. Ze wachtte ongeduldig tot Ruth klaar was met haar laatste middagles en sprak haar toen op bitse toon aan in de onderwijzerskamer met het verzoek mee te rijden naar het dorp.

'We moeten een lading nieuwe dekens ophalen,' zei ze, zonder op antwoord te wachten. Haar gezicht stond ijzig. De jongere vrouw volgde haar verwonderd, maar gedwee.

Ze stapten in de auto. Elizabeth zat zo vol opgekropte woede dat ze niet eens naar Ruth kon kijken. Zwánger. Dit meisje droeg Thomas' kind. Ze walgde van het idee.

Ze zette de auto in zijn achteruit, keerde en reed door de poort van het voorhof. Het grind raspte snerpend onder haar wielen. Ruth bespeurde haar bitterheid en was onmiddellijk bang. Hoeveel wist ze?

Elizabeth trapte het gaspedaal in en de auto kwam op snelheid op de lange witte oprijlaan. Ze zei niets, maar klemde het stuur vast en keek voor zich uit naar de palen aan weerszijden van het veerooster verderop in de weg.

Op het moment dat ze het pedaal indrukte had Elizabeth al spijt van haar keuze, maar hun vaart was niet meer te stuiten. Ruth zag het moment komen, maar was verstomd van angst.

Alsjeblieft, rem af, alsjeblieft. De bomen schoten voorbij en de hemel stormde op haar af, totdat de auto frontaal op een van de gietijzeren palen botste. Elizabeth knalde tegen het stuur aan, brak haar nek en was op slag dood. Ruth werd door de voorruit de weg op geslingerd. Haar frisse gezicht werd opengereten door gebroken glas: zij en haar ongeboren kind stierven op het moment dat ze het betonnen wegdek raakte.

Verderop in het huis hoorde Thomas de klap. Iets zei hem dat dit het geluid was van Elizabeths razernij en hij voelde zich misselijk worden. Hij reed naar de Marmeren Hal en allerlei mensen renden de oprijlaan op. Schijnbaar eindeloze minuten lang wachtte hij op het nieuws. Hij hoopte vurig dat Ruth zou verschijnen, maar ze was waarschijnlijk boven in haar kamer en had niets gehoord. Straks zou hij een van de meisjes sturen om haar te halen.

Het was meneer Stewart die met een spierwit gezicht aan kwam rennen om hem te vertellen dat Elizabeth een auto-ongeluk had gehad: zijn vrouw was dood.

Bijna terloops voegde hij eraan toe dat Ruth Weir bij haar in de auto had gezeten.

'Is alles goed met haar?' vroeg Thomas in paniek.

'Zij is helaas ook omgekomen.'

Thomas' hart kromp ineen en zijn adem werd afgesneden. Hij keek op, volledig in shock.

'Ik wil hen zien,' zei hij. 'Wilt u me erheen rijden?'

En dus reed Jock Stewart Thomas de oprijlaan op. De wielen van de rolstoel maakten een schurend geluid op het stenige wegdek. Ze kwamen bij het veerooster, waar de twee lichamen languit op het gras waren gelegd. De auto was veranderd in een onherkenbaar wrak van verwrongen metaal en gebroken glas. Iemand had eraan gedacht dekens uit het huis te halen om de dode vrouwen mee te bedekken. Thomas vroeg of hij ze mocht zien en ze sloegen de deken opzij waaronder zijn vrouw lag.

Elizabeths kaak was gekneusd en haar haar hing los, maar de uitdrukking op haar gezicht was gesloten en afstandelijk. Alsof ze sliep.

Hij keek naar haar en voelde tranen opwellen, omdat hij eigenlijk het andere lichaam wilde zien.

'Mag ik Ruth ook zien?' Hij zei haar naam. Hij kon haar niet juffrouw Weir noemen: hij moest haar voornaam gebruiken.

Zijn stoel werd dichterbij geduwd en iemand haalde de deken weg. Ruths gezicht was kapot en gezwollen. Het had geen uitdrukking, daarvoor was het te gehavend: het licht in haar ogen was gedoofd. Waar was ze, de ziel die hij zo innig lief had gehad?

Elk stukje van hem werd verscheurd in een innerlijke kreet van pijn. Zij had het niet mogen zijn. Hoe kon ze weg zijn? En het kind dat in haar groeide – hun kind, dat al het verdriet dat hij ooit had gekend zou tenietdoen en dat hun beiden nu was afgenomen.

Hij zat op de oprijlaan van Ashton Park, ineengedoken in zijn stoel. Zijn liefde was dood en dat kwam alleen door hem. Hij voelde niets voor Elizabeth – geen woede, geen bitterheid, alleen leegte. Al zijn tederheid was verteerd door het verdriet om deze jonge vrouw die nog zou hebben geleefd als ze hem nooit had leren kennen.

Ik had je nooit van me moeten laten houden, dacht hij. Dan zou je er nog zijn en was je vrij geweest om je leven te leiden.

Ze lieten hem daar zitten, met zijn hoofd in zijn handen.

* * *

De middag werd avond. Thomas vroeg om met rust te worden gelaten in zijn studeerkamer en negeerde de gebruikelijke schoolroutines zoals de kerkdienst en het avondeten. Meneer Stewart probeerde hem wat eten te brengen, maar hij was te overstuur om een hap door zijn keel te kunnen krijgen. De begrafenisondernemers hadden de stoffelijke overschotten weggehaald en de volgende ochtend moesten er afspraken worden gemaakt over de begrafenis. Tot die tijd wilde Thomas niemand zien.

Om een uur of negen, toen de kinderen boven in bed lagen, ging Thomas naar de salon om wat afleiding te zoeken achter de piano.

De nacht viel en hij speelde maar door, zonder gevoel in zijn aanslag. Chopin, Schubert. Een groot deel van de tijd zat hij daar maar, verdoofd van verdriet, en dronk hij de whisky die hij had meegenomen.

Hij zat in het donker, maar er viel een beetje licht naar binnen vanuit de Marmeren Hal. Soms dommelde hij in en als hij dan weer wakker werd, beroerden zijn vingers opnieuw de toetsen van de piano. Zijn fles raakte steeds leger. Hij was halfdronken.

Midden in de nacht ging de salondeur zachtjes open en in de deuropening verscheen een kind. Haar silhouet stak donker af tegen het licht van de hal. Het was een bibberende Anna Sands. Ze deed aarzelend een stap naar voren.

'Hallo.'

'Hoor jij niet in bed te liggen?'

'Ik kan niet slapen.'

'Ik ook niet.'

Ze kwam naar hem toe en hurkte verlegen aan zijn voeten. Zo zaten ze daar in stilte, totdat Anna begon te huilen.

'Ik vind het toch zo erg voor u,' mompelde ze. Thomas was volslagen uitgeput, maar herinnerde zich dat de moeder van dit kind onlangs was overleden en ondanks zijn eigen verdriet was hij ontroerd.

'Maak jij je nu maar geen zorgen,' zei hij en hij strekte zijn arm naar haar uit in het schemerlicht.

Voor hij het wist had ze zijn hand vastgepakt en zich opgetrokken, en zat ze opgekruld op zijn knie met haar gezicht tegen zijn schouder gedrukt. Zijn armen, waar hij eerst besluiteloos mee wapperde, vonden hun weg en hielden haar troostend vast. In een oogwenk waren hun ledematen verstrengeld in een stille vorm van wederzijds medeleven.

Er werd geen woord gezegd. Het meisje huilde geluidloos, om haar moeder en haar onderwijzeres. Zelfs om mevrouw Ashton.

Het contact met een andere persoon brak iets open in Thomas en ook bij hem vloeiden de tranen. Lange tijd zaten ze met schokkende schouders in het donker en klemden ze zich aan elkaar vast. In zijn aangeschoten toestand had Thomas het vreemde idee dat dit meisje zijn gedachten kon lezen.

'Ik hield van haar, weet je,' mompelde hij. Anna zei niets; ze was slaperig en uitgeput na haar huilbui en zonk nog dieper weg tegen Thomas' schouder.

'Ik hield van haar zoals ik nooit eerder van iemand heb gehouden,' ging hij verder. 'Ik weet niet of ik zonder haar kan leven.' In het donker, in de stilte, voelde hij de ademhaling van het meisje regelmatiger worden tegen zijn borst, tot ze was ingedommeld. Het kalme ritme soesde hem ook in slaap.

Pas om drie uur werd Thomas wakker. Hij had vreselijke dorst en voelde zich diep bedroefd. Ook had hij opeens het onaangename beeld voor ogen van rondsnuffelende mensen in Ruths kamer. Het meisje lag nog steeds tegen zijn schouder genesteld. Nerveus maakte hij haar wakker.

'Anna, Anna. Wil je alsjeblieft iets voor me doen?' vroeg hij haar op vriendelijke toon. 'Ga naar haar kamer en zoek voor mij naar alle brieven, alle dagboeken, alle persoonlijke papieren die ze maar had.'

Ben ik gek geworden? vroeg hij zich af.

'Waar? Bij wie?' zei een geschrokken Anna, die in zijn armen met haar ogen zat te knipperen.

'Op de kamer van juffrouw Weir, je onderwijzeres.'

Anna was nog daas van de slaap, maar net alert genoeg om te doen of ze van niets wist. Ze liet zich uit zijn armen glijden en vertrok op een drafje naar de bovenste verdieping, midden in de nacht, zonder precies te weten waarnaar ze op zoek was.

Ze was ademloos en duizelig toen ze de kamer van juffrouw Weir bereikte. Ze sloot zachtjes de deur voordat ze de lamp aandeed. Door het felle licht was ze in één klap wakker. De kamer was keurig opgeruimd.

Ze opende alle laden en vond kleren, zakdoeken en gevouwen ondergoed. Ze keek naar de netjes geordende boeken in de kast. Maar ze kon niet één brief vinden.

Toen kwam ze op het idee de matras van juffrouw Weir op te tillen. En daar, tussen de ijzeren spiralen van de bedbodem, zag ze een boek waar een bundeltje papier uitstak. Ze pakte het. De brieven waren allemaal in het handschrift van meneer Ashton. Ze haalde ze uit het boek, dat ze dichtsloeg en op de plank zette.

Beneden zat Thomas in het donker op haar te wachten, vlak achter de salondeur. Anna gaf hem het stapeltje papier en zag het wit van zijn ogen glanzen. De nacht liep nu op zijn einde en ze konden net elkaars gezichten ontwaren, als vreemde bleke maskers.

'Ze lagen onder haar matras,' zei ze met een klein stemmetje.

'Dank je,' zei hij. 'Heel erg bedankt, Anna. Ga nu maar gauw naar bed. En laten we dit als ons geheim bewaren.' Hij fluisterde in een lege kamer. Anna knikte en glimlachte. Ze had geholpen. Ze was niet zomaar een doodgewoon kind zonder moeder: ze was de oogappel van meneer Ashton. Ze hadden een geheim en ze zou het voor altijd bewaren.

Anna sleepte zich naar haar slaapzaal en viel meteen in een diepe slaap. Toen ze wakker werd van de bel, wist ze nauwelijks of haar vreemde nacht een droom was geweest of niet. Toen ze in de rij voor de wasbakken stond, voelde ze zich duizelig, bijna alsof ze zweefde, omringd door geesten. Ze had haar moeder verloren – en nu waren juffrouw Weir en mevrouw Ashton ook weg.

Toch leek het alsof dode mensen gewoon doorleefden in je hoofd: je kon tegen ze praten. Ze liep roffelend de stenen trap af om te ontbijten, en elk geluid weergalmde in haar oren, alsof het van binnenuit kwam.

Ze voelde zich de hele ochtend moe en versuft, maar iets trok haar opnieuw naar de ordelijke stilte van de kamer van juffrouw Weir. Na de lunch sloop ze er weer naartoe en pakte ze het boek dat ze onder de matras had gevonden uit de kast. Het was een versleten blauwe dichtbundel van 'Alfred, Lord Tennyson', met een linnen band en dun, teer papier. Ze zag voorin iets geschreven staan: 'Ruth Weir, Oxford 1938'. Anna stak het boek onder haar vest en nam het mee naar haar slaapzaal, waar ze het verstopte tussen de spiralen van haar ijzeren ledikant, onder haar eigen matras.

46

In de maanden die op de begrafenissen volgden, vervreemd-de Thomas zich van de andere volwassenen in Ashton Park. Niemand wist wat er in hem omging. Hij was beleefd, maar nauwelijks meer dan dat, en hij verviel weer in de stijve gere-serveerdheid die altijd zijn diplomatieke masker was geweest.

Tegelijkertijd was er een stilzwijgende band ontstaan tussen Anna en hem. De dood van haar moeder had hem een soort vaderlijke rol gegeven en hij had haar min of meer onder zijn hoede genomen. Hij riep haar vaak bij zich aan het eind van de les om een bepaald punt te verduidelijken. En soms moedigde hij haar aan om tussen de boeken in zijn studeer-kamer te neuzen. Geen van beiden kwam ooit nog terug op hun vreemde nacht van gedeeld verdriet, maar de herinnering eraan had iets intiems en versterkte hun vertrouwelijke band. Ze gedroeg zich altijd respectvol tegenover hem, en nooit te familiair, en andersom gold hetzelfde.

Thomas koos boeken voor haar uit om te lezen en prees haar inzichten als ze verslag uitbracht. Het was een tedere, troostrijke relatie, waarin ze allebei op elkaar steunden, als vader en kind, of mentor en leerling. Wellicht onbewust be-gon Anna zich emotioneel veilig te voelen omdat ze was uit-verkoren. En voor Thomas was er het privilege van een kleine dagelijkse uitlaatklep voor zijn aangeboren vriendelijkheid.

Het was een verbond waar ze allebei afhankelijk van wer-den, zonder dat er verder over werd gesproken. Het was dus een schok toen Anna's omstandigheden plotseling verander-den en het moment kwam dat ze Ashton ging verlaten.

Aan het eind van de zomer van 1943 kreeg ze een brief van haar vader in Afrika. Hij stelde haar meteen gerust dat hij veilig was, maar hij was wel gewond geraakt aan zijn lin-kerbeen toen hij met zijn jeep op een mijn was gereden en daarom werd hij van het front naar huis gestuurd en ging hij werken op een militair opleidingsinstituut in de regio Londen.

'Nu de bombardementen verleden tijd zijn,' schreef hij, 'wil ik jou ook naar huis halen.'

Anna was zo opgewonden dat het eerst niet in haar opkwam dat Ashton nu misschien haar nieuwe thuis was en dat ze haar vrienden en onderwijzers zou missen. Vooral meneer Ashton.

De dag van haar vertrek naderde en ze dacht aan niets anders dan haar slaapkamer thuis en al het fijns dat haar bij haar vader te wachten stond. Ze was nu twaalf en had hem in geen vier jaar gezien. Ze snakte naar een gezinsleven en de kans om over haar moeder te praten.

Maar de dag voordat haar vader haar kwam halen, zat ze in de Engelse les bij meneer Ashton, toen ze onverwachts werd overvallen door treurigheid. Ze beantwoordde een vraag en hij keek met zo'n geamuseerde vertedering naar haar dat ze opeens moest slikken bij het idee dat ze hem ging verlaten. Hij was als een vader voor haar geweest en toch was hij niet haar vader. Haar gevoelens lagen volledig overhoop.

De volgende dag werd haar opwinding overschaduwd door een merkwaardige heimwee die haar zwaar op het hart lag. Terwijl ze in de Marmeren Hal zat te wachten, werd ze verscheurd door verlangen en spijt. Keer op keer keek ze uit het raam, maar wie er ook kwam, niet haar vader. Uiteindelijk hield ze op met kijken en ging ze op de grond een boek zitten lezen, met een misselijk gevoel in haar maag.

Vlak na de lunch hoorde ze de grote deuren opengaan en met een golf van vreugde zag ze haar vader op haar af komen. Hij liep een beetje mank en zijn gezicht zag er ouder en magerder uit dan ze zich herinnerde. Ze rende naar hem toe zodat hij wist dat zij het was.

'Papa!'

'Anna, lieve schat van me.'

Hij strekte zijn armen naar haar uit, vertrouwde armen die haar stevig vast konden houden. Hij keek haar stralend aan, hoofdschuddend, vol verbazing over hoe groot ze al was. Hij tilde haar op en zwaaide haar in de rondte en er ging een scheut van verrukking door haar heen terwijl de kamer om haar heen tolde. Toen hij haar neerzette was ze duizelig en ook een beetje verlegen, omdat ze niet precies wist wat ze hierna moesten doen.

'Dit is de Marmeren Hal,' zei ze, plotseling ernstig nu ze hem een rondleiding door het huis ging geven. Er kwamen kinderen langs, die stil bleven staan om kennis te maken met haar vader, en ze hield zijn hand stevig vast: hij was alleen van haar.

Lewis kon zijn tranen nauwelijks bedwingen.

Haar koffer was gepakt, dezelfde waarmee ze in 1939 was aangekomen. In haar trance van geluk was Anna niet vergeten dat er een etiquette was die in acht moest worden genomen en dat ze afscheid moest nemen van mensen. Haar vriendinnen, Beth en Mary: ze omhelsde hen allebei tegelijk en beloofde dat ze hun zou schrijven. Meneer Stewart, ondoorgrondelijk maar zorgzaam, gaf haar een hand en liet haar vader weten dat ze een bijzonder veelbelovende leerlinge was. Mevrouw Robson, de dienstbode, omhelsde haar hartelijk.

Nu moest ze nog afscheid nemen van meneer Ashton. Anna popelde om hem te vinden. Ze hoopte dat hij onder de indruk zou zijn van haar beleefde en knappe vader. Maar toen ze voor de deur van zijn studeerkamer stonden, besefte ze met een onplezierige schok dat dit de laatste keer was dat ze haar leraar zou zien, dat ze bijna bij hem weg was.

De deur ging open en meneer Ashton nodigde hen binnen. Hij was charmant en beleefd tegen Lewis, die aanvankelijk nogal verbaasd was over de rol die deze invalide man blijkbaar speelde in het leven van zijn dochter. Het viel hem op dat Anna doodstil bleef staan in zijn studeerkamer, oplettend maar een tikje buiten adem. Meneer Ashton was intussen vol lof over haar.

'U moet wel heel trots zijn op uw dochter, meneer Sands.'

'Natuurlijk. Dank u wel dat ze hier heeft mogen verblijven. Ik kan wel zien dat er goed voor haar is gezorgd.'

'Het was ons een waar genoegen. Ze is een van onze beste leerlingen. Ik hoop dat ze goed haar best blijft doen op school, want alle wegen staan in principe voor haar open. Elke universiteit zal haar willen hebben, denk ik.'

'Echt waar?'

'Absoluut.'

Lewis keek naar zijn dochter, die bloosde van trots en blijdschap. Meneer Ashton wendde zich tot haar en stak zijn hand uit.

'Dag, lieve kind,' zei hij.

Anna stapte naar voren. Haar ogen waren wijd opengesperd van liefdevolle bezorgdheid. Ze schudde zijn hand en keek in het warme, glimlachende gezicht van deze man die ongemerkt tot in haar hart en ziel was doorgedrongen.

'Dag, meneer,' zei ze, haar woorden inslikkend.

'Het was een voorrecht,' zei hij en glimlachend hield hij haar blik vast. Zijn ogen waren vochtig van ontroering.

'Dank u,' zei ze. Ze keek hem maar half aan. 'Dank u wel voor alles.'

Geen van beiden kon iets betekenisvollers bedenken om tegen de ander te zeggen, hoewel de handdruk die ze elkaar gaven stevig en vol gevoel was.

Lewis wachtte tot Anna zich had omgedraaid voordat hij meneer Ashton opnieuw bedankte en nam toen zijn dochter mee op de lange reis terug naar Londen.

Anna keek niet om toen ze de oprijlaan afreden, maar was in gedachten verzonken.

Thomas reed terug naar zijn bureau en ging verder met het nakijken van het huiswerk van de andere kinderen. Hij vroeg zich af wat er van Anna Sands zou worden en wenste haar in gedachten alle goeds. Een heel lief meisje, dacht hij bij zichzelf.

Er waren al meer evacués terug naar huis en er kwamen steeds minder nieuwe kinderen voor in de plaats. De Duitse dreiging nam af en de geallieerden wonnen terrein. Maar hij wilde geen Ashton House zonder kinderen. Hij vatte het plan op om te proberen het huis permanent in een school te veranderen.

Dit was nu zijn voornaamste troost, het geluid van kinderen om hem heen in het huis.

47

Na hun terugkeer in Fulham deden Lewis en Anna hun best om samen hun draai te vinden. Alles in huis was bedekt onder een laag stof en vuil en de eerste nacht moesten ze min of meer schuilen voor de bedroevende chaos om hen heen. Maar de troep gaf hun iets om samen de schouders onder te zetten en de volgende dag stoften en schrobden ze het huis net zo lang tot het weer een beetje als hun thuis voelde.

Lewis had het meerdere malen per dag te kwaad bij de gedachte aan zijn vrouw die er niet meer was, hoewel hij niets aan zijn dochter liet merken. Op een middag ging hij naar Anna's kamer en trof haar ineengedoken op bed aan, waar ze zat te huilen met haar moeders foto in haar hand en haar oude teddybeer tegen zich aan gedrukt. Hij ging naast haar zitten en nam haar in zijn armen, terwijl hij zijn eigen tranen terugdrong.

'Dit zou je bespaard moeten blijven,' zei hij. 'Ik vind het heel erg voor je. Je hebt geen idee hoe erg ik het vind.'

Terwijl Anna zat te snikken in zijn armen, bedacht hij dat zijn eigen verdriet om Roberta niets was vergeleken bij de pijn die het hem deed dat Anna haar moeder had verloren. In Ashton Park waren ze duidelijk heel aardig voor haar geweest, maar dat kon nooit genoeg zijn geweest. Zijn kind was veel te lang alleen gelaten. Hij wilde dat hij Anna kon troosten en helpen, maar hij wist dat ze eigenlijk haar moeder nodig had. En de gestolen jaren van haar kindertijd.

Lewis was van nature niet alleen geduldig, maar ook efficiënt. Hij zocht de dichtstbijzijnde school die open was en schreef Anna in. Vervolgens zorgde hij voor flexibele werktijden bij zijn nieuwe baan aan het militaire opleidingsinstituut in Wimbledon, zodat hij 's avonds vaak samen met haar kon eten. Hij waste hun kleren, zorgde voor het huis en stond vroeg op om voor hen beiden een ontbijt klaar te maken.

Hij hield van zijn dochter. Praktische zorg verlenen was zijn manier om zijn liefde te uiten.

Anna was verbaasd over de gevoelens die haar thuis bekropen. De pijn van haar moeders afwezigheid werd versterkt door de vreemde stilte die in huis hing, omdat er nauwelijks werd gepraat of gelachen. Haar vader was vriendelijk, maar zwijgzaam.

Daarbij kwam dat ze nooit had gedacht dat ze Ashton Park zo erg zou missen. Ze schreef brieven aan haar vriendinnen, verlangend naar nieuws, maar vond hun korte antwoorden onbevredigend. Pas na een tijdje durfde ze voorzichtig aan zichzelf toe te geven dat ze vooral uit was op nieuws over meneer Ashton. Want hij was degene die ze miste.

Natuurlijk wist ze wel dat hij haar graag had gemogen en haar zelfs had verwend. Maar nu zij weg was, was vast een ander kind zijn oogappel geworden. Bij die gedachte kromp ze ineen van jaloezie.

Op een middag kwam Lewis uit zijn werk en trof hij haar als een hoopje ellende in de keuken aan. Hij vroeg haar wat er aan de hand was, maar ze wilde niets zeggen: ze kon haar gevoelens met niemand delen en al helemaal niet met haar vader. Dus nam hij aan – zoals altijd – dat het kwam doordat hij tekortschoot als vader en het meisje naar haar moeder verlangde.

Op een zondagochtend besloot Anna dat het geen kwaad kon om een brief aan meneer Ashton te schrijven: hij hoefde niet te antwoorden als hij niet wilde. Ze was drie dagen bezig met het schrijven en herschrijven van haar brief. Toen deed ze hem op de post en keek vol verwachting uit naar een reactie.

Niet lang erna kwam er een antwoord. Het was kort en beleefd, maar ook hartelijk en vol grapjes over de streken van een nieuwe schoolhond die Harold heette. Onderaan stond: 'Met vriendelijke groet'. Anna schreef een brief terug waarin ze haar huis en haar nieuwe school beschreef en veel lieve

dingen over haar vader zei. In navolging van haar leraar ondertekende zij ook 'met vriendelijke groet'. Hij antwoordde
tien dagen later, dit keer met een langere brief, die inging op
de barstjes die hem waren opgevallen in haar opgewekte verslag van haar schoolleven. Hij wilde haar vooral op het hart
drukken in haar eigen kunnen te geloven en veel te blijven
lezen. Hij ondertekende met 'veel liefs'. Anna bleef de brief
nog dagenlang herlezen om uit te vinden of dat 'liefs' nu iets
bijzonders betekende of niet.

Maar ze beantwoordde zijn brief niet, omdat ze niet wist
hoe. Ze liet hem ook niet aan haar vader lezen. Het was een
liefdevolle brief, maar hij had iets definitiefs: meneer Ashton
had haar verder niets te melden en gaf ook geen enkele indi-
catie dat hij een antwoord verwachtte. Dus koesterde ze de
brief, maar accepteerde ze dat hij het einde markeerde van
haar relatie met meneer Ashton. Daarna dácht ze alleen maar
aan hem en putte er stiekem troost uit dat hij misschien om
haar gaf, ook al zagen ze elkaar nooit.

Haar nieuwe leven thuis kreeg eindelijk vorm en ze begon
zich meer op haar gemak te voelen bij haar vader. Hij vertelde
haar verhalen over zijn maanden in de Westelijke Woestijn. Dat
het er zo heet was dat ze eieren konden bakken op de motor-
kappen van de jeeps. Dat hij helemaal verliefd was op de ver-
dwijnende horizon van de woestijn en de met sterren bezaaide
fluweelzwarte nachthemels. Dat hij nooit zijn ritten over de
kustweg zou vergeten, of de dag waarop hij over een gloeiend
heet zandstrand een zee in was gerend die zo blauw, zo helder,
zo volmaakt was dat hij het uitjubelde van puur genot.

Hij liet de enge verhalen achterwege. Over de konvooien
waarin ze hotsend en botsend over kilometers dorre woestijn-
grond reden, zonder te weten wanneer ze op een mijnenveld
zouden stuiten. Over de achtergelaten tanks die ze vonden,
met lijken die vergeven waren van de vliegen. Over de jongensachtige Duitse soldaat die hij dood had aangetroffen naast
een gebombardeerde jeep, met nog steeds een foto van zijn

glimlachende baby tussen zijn vingers geklemd. Over de dag waarop zijn eigen jeep van een duin af was gestort en hij met een verbrijzeld been op hulp had moeten wachten, jammerend van de pijn.

Het leek allemaal deel uit te maken van een andere wereld. Nu waren ze weer in Londen, een stad die doorlopend van gedaante veranderde: al heel veel gebouwen en mensen waren spoorloos verdwenen.

Toen in de zomer van 1944 de VI's, Hitlers dodelijke vliegende bommen, werden gelanceerd, vroeg Lewis zich af of hij zijn dochter weer moest evacueren, maar Anna smeekte hem om haar te laten blijven. Geen familiescheidingen meer. Dus gebruikten ze de schuilkelder en zetten ze hun nieuwe leven voort. Samen ontbijten, daarna school voor haar en werk voor hem en 's avonds naar de radio luisteren.

Eén keer per jaar legden vader en dochter bloemen op het graf van Roberta in Putney Vale. Dan stonden ze een paar minuten met ernstige gezichten naast elkaar op de stille begraafplaats. Soms moest Anna huilen als ze haar moeders naam op de steen las.

Goedbedoelende mensen zeiden soms tegen Anna dat haar moeder wel gestorven was, maar dat ze er altijd voor haar zou zijn, als een ster aan het firmament. Maar als Anna opkeek naar de nachtelijke hemel zag ze alleen maar lege ruimte – een oneindigheid die alle hoop op contact of enige vorm van nabijheid in de kiem smoorde. Hier stond jij en daar was het universum, en die twee zouden nooit samenkomen. Al die schoolliederen over zingende sterren of de muziek der sferen zeiden haar weinig meer. Er was alleen een koude, donkere ruimte die zich eindeloos uitstrekte, doorkliefd door het onheilspellende gefluit van Hitlers bommen.

Totdat ook dat wegstierf en in plaats daarvan eindelijk het gebeier klonk van de Londense kerkklokken: Berlijn was gevallen en de oorlog was afgelopen. Anna en miljoenen anderen konden verder met de rest van hun leven.

48

In april 1945 verliet lady Norton de Britse ambassade in Bern en reed ze door Zwitserland naar de Duitse grens, op weg naar het concentratiekamp dat bekendstond als Dachau. Ze bestuurde een vrachtwagen vol medische hulpgoederen die ze had afgetroggeld van verschillende Zwitserse farmaceutische bedrijven. In de buurt van München had ze moeite om aan nieuwe benzine te komen, maar algauw kreeg ze een paar Amerikaanse soldaten zo ver dat ze haar tank vulden.

Het jaar ervoor waren Joodse vluchtelingen naar Zwitserland ontsnapt met schokkende verhalen over Duitse kampen die bestemd waren voor systematische genocide. Ze hadden zich op de ambassade tot haar man gewend, die rapporten naar Londen stuurde met het dringende verzoek om geallieerde vliegtuigen in elk geval de spoorlijnen naar de kampen te laten bombarderen. Norton kreeg echter te horen dat Churchill weliswaar positief stond tegenover zijn rapporten, maar dat de bevelhebbers van de luchtmacht zijn verzoek weigerden in te willigen, omdat ze van mening waren dat ze zich niet meer verliezen onder hun piloten konden veroorloven.

Peter deelde de frustratie van haar man over de nalatigheid van de geallieerden, maar met de Duitse overgave deed zich de gelegenheid voor hulp te bieden aan de kampen waarover dit soort verhalen de ronde deden. Na de oorlog te hebben doorgebracht in het merkwaardig comfortabele Zwitserland, zette ze zich schrap voor wat ze aan de andere kant van de grens te zien zou krijgen.

Twee uur voordat ze Dachau bereikte, hadden de eerste Amerikaanse soldaten het kamp bevrijd met een haastige reeks illegale executies, die later berucht zouden worden. De jonge Amerikanen waren kennelijk zo verbijsterd door wat ze hadden aangetroffen dat ze hun machinegeweren hadden gepakt en meer dan driehonderd ss-bewakers hadden neergemaaid. Toen Peter in haar vrachtwagen kwam aanrijden, heerste er chaos in het kamp.

Ondanks alle geruchten over de kampen kon niets haar voorbereiden op de schok die ze bij aankomst kreeg. Er hing een walgelijke stank bij de spoorweg, waar een massagraf boordevol rottende lijken lag, met skeletachtige ledematen die naar alle kanten uitstaken. Toen ze vervolgens de poort binnen ging, werd ze geconfronteerd met de eerste hartverscheurende aanblik van uitgemergelde figuren die meer dood dan levend op haar af kwamen strompelen.

Peter stortte zich verbeten op haar taak en laadde zonder op of om te kijken haar hulpgoederen uit. Ze probeerde zich nuttig te maken, maar raakte algauw overweldigd door al het gruwelijks om haar heen. Het was een stinkende vuilnisbelt van lijken, en de hologige wandelende skeletten die zich nog aan het leven vastklampten hadden nauwelijks meer iets menselijks. De hulpverleners raakten in een toestand van verdoving, een verdedigingsmechanisme tegen de onvoorstelbare gruwelen die deze gevangenen waren aangedaan.

Toch maakte niet de wreedheid van de bewakers, maar het vermogen tot lijden van de slachtoffers de diepste indruk op Peter. De laatste druppel was voor haar het verdriet van een stervende moeder die haar volledig uitgemergelde kind, dat allang dood was, bleef strelen.

Peter ontvluchtte de fladderende hand van de vrouw en trok zich terug in haar vrachtwagencabine om even tot zichzelf te komen. Maar zodra ze alleen was barstte ze in snikken uit. Ze huilde omdat ze te laat waren om nog hulp te bieden aan deze mensen die als zinloze, onbeweende hoopjes ellende aan hun voeten lagen. Woedend huilde ze omdat niemand naar de oproepen van haar man had geluisterd. Ze huilde omdat ze geen geloof had dat vorm of zin zou kunnen geven aan de verschrikkingen van dit kamp.

Haar hele leven had ze voor en door de kunst geleefd, maar alle kunst die ze ooit had gezien kon het leed dat op deze plek was geschied niet verzachten. De pijn en ellende hier waren onbeschrijflijk, zonder hoop op verlichting.

Ze veegde haar wangen droog en haalde diep adem. Toen liep ze weer naar de achterkant van de vrachtwagen voor de volgende lading medicijnen. Stukje bij beetje deed ze wat ze kon om zich nuttig te maken voor diegenen die er nog bovenop konden komen. Beter iets dan niets: aan die gedachte klampte ze zich maar vast.

Na drie dagen was haar voorraad op, hadden alle overlevenden verzorging gekregen en waren de doden geborgen. Dus reed ze in haar lege vrachtwagen terug naar de ambassade in Bern, waar ze de draad weer oppakte van het zorgvuldig verdoofde bestaan dat doorging voor haar leven.

Ze probeerde haar man te vertellen over wat ze had gezien, maar ze kon de waarheid van wat ze had gevoeld niet goed onder woorden brengen.

In de loop van de maanden pakten zij en haar man hun routines van voor de oorlog weer op en hervond ze haar sprankelende enthousiasme voor het gewone leven. Maar af en toe herinnerde ze zich plotseling de stank van dat kamp. En dan stond ze weer even stil bij wat die plek haar had geleerd over het eindeloze vermogen van de mens tot lijden. En de angst greep haar dan weer bij de keel dat willekeurig maar afgrijselijk leed iedereen zomaar kon overkomen en dat haar eigen montere levenshouding slechts een pantser was van ijdele hoop, een illusie die ze puur uit zelfbescherming koesterde.

Terug naar het oude huis

1946-2006

49

Kort na de oorlog, toen de opslagruimtes van de Britse ambassade in Warschau weer opengingen, ontdekte iemand een verzameling schilderijen van Peter Norton, die ze had achtergelaten toen ze in 1939 voor de nazi's was gevlucht. Er zaten doeken bij van Kandinsky, Klee, Duchamp en Ernst, allemaal uit Peters collectie die voor de oorlog in haar galerie in Londen had gehangen.

'Laat de Polen ze maar in hun musea hangen – ze zijn verder alles kwijt,' drong ze aan, met haar gebruikelijke gulheid.

Zij en haar man hadden onlangs al hun bezittingen weer ingepakt, omdat sir Clifford was overgeplaatst naar een nieuwe brandhaard, Griekenland, waar een burgeroorlog het land verder verwoestte nadat de nazi's er al hadden huisgehouden. Maar in 1948 begon de gestage stroom van de Amerikaanse dollars van het Marshallplan de economie aan te zwengelen, zodat de Nortons konden genieten van hun naoorlogse leven in Athene.

Peter bleef zich inzetten voor de moderne kunst, hoewel haar enthousiasme voor jonge kunstenaars niet altijd goed samenging met de waardigheid van het diplomatieke leven. Tijdens de kerstdagen verstopte ze een keer twee jonge schilders – John Craxton en Lucian Freud – in de garage van de ambassade, waar ze zich schuilhielden voor sir Clifford, totdat generaal Montgomery op bezoek kwam en het tweetal betrapte.

Beter te spreken was haar man over de grote Atheense tentoonstelling van het werk van Henry Moore, die Peter in 1951 samen met de kunstenaar organiseerde en waar ze internationale lof mee oogstten. Norton was er ook trots op dat de Grieken al zo snel zo veel waardering hadden voor het onverdroten liefdadigheidswerk van zijn vrouw. Tijdens de burgeroorlog maakte ze talloze tochten de bergen in, met ezels die pakketten voedsel en kleding vervoerden naar kampen vol wezen en vluchtelingen, dakloos als gevolg van de strijd. Als blijk van waardering voor haar onvermoeibare initiatieven om de armoede te bestrijden in afgelegen Griekse dorpen, werd haar het ereburgerschap van Athene toegekend – 'een zeldzame onderscheiding', zoals Norton tegen vrienden zei die op bezoek kwamen.

Toen de Nortons uiteindelijk terugkeerden naar Chelsea, bleef Peter nieuwe en onontdekte talenten financieren. Ze steunde de prille carrières van vele schilders, van Francis Bacon tot Yves Klein, en vele anderen wier werk later uit het zicht zou verdwijnen.

Ze bracht ook een groot deel van haar tijd door in Parijs, op zoek naar Franse avant-gardekunstenaars. Daar, aan de Rive Gauche, liep ze in 1955 op een feestje Pawel Bielinski tegen het lijf. Hij woonde er al sinds de oorlog, vertelde hij haar, en maakte nu deel uit van een kring van Joodse kunstenaars en schrijvers, onder wie Avigdor Arikha en Paul Celan.

De volgende ochtend liep Peter de vele trappen op naar Pawels studio en daar stonden, tegen de muur aan geleund, verschillende schilderijen van een naakte vrouw met lang haar, weerspiegeld in een drieluik van spiegels.

'Ik heb gehoord over de dood van Elizabeth,' zei hij tegen haar, anticiperend op het moment van herkenning. 'Hoe gaat het met Thomas?'

Peter haalde haar schouders op en zei dat je het bij Thomas nooit goed wist. Hij was vreselijk op zichzelf, altijd even beleefd. Maar het léék goed met hem te gaan. Ashton Park was nu een school en Thomas gaf er nog steeds les.

'Ik denk dat hij vast een heel goede leraar is,' voegde ze eraan toe, om positief te klinken.

'Hij was een bijzonder geduldige man, weet ik nog,' antwoordde Pawel. Peter drong verder niet aan, maar ze kocht wel een van de schilderijen van Elizabeth. En toen ze terug was in haar huis in Chelsea, hing ze het op in haar studeerkamer.

Haar man herkende het portret meteen en het ontroerde hem, hoewel hij nooit dol op Elizabeth was geweest.

'Laat het daar maar hangen,' zei hij, 'om ons aan het verleden te herinneren.' Ze zeiden niets tegen Thomas over het schilderij, omdat ze niet wisten hoe hij zou reageren.

De Nortons zagen hem niet vaak meer en dat gold voor al zijn oude vrienden, omdat hij na de oorlog nog maar zelden in Londen kwam. Zijn huis aan Regent's Park was gedeeltelijk verwoest tijdens de blitzkrieg, dus had hij het in 1946 aan een projectontwikkelaar verkocht, omdat hij het zelf niet kon opbrengen het op te knappen.

Naarmate Thomas ouder werd, raakte hij steeds meer verknocht aan Yorkshire en dus ging hij er definitief wonen. Hij bleef lesgeven aan Ashton Park, waar kort na de oorlog een meisjeskostschool was gevestigd.

Elk jaar in september zag hij een nieuwe groep achtjarigen arriveren in de Marmeren Hal, met hun sproeten en vlechtjes en hun schoolkisten, kinderen die vier jaar later de school weer zouden verlaten als bedachtzame meisjes die hun hoofd een beetje schuin hielden en licht fronsten voordat ze een vraag beantwoordden.

Ondanks alle kinderen die tegenwoordig voorbijkwamen in zijn leven, al die nieuwe lichtingen die elk jaar weer zijn ontroering wekten, dacht Thomas ook nog weleens aan de eerste kinderen die hij had gekend, degenen die tijdens de oorlog naar zijn huis waren geëvacueerd. Dan vroeg hij zich af wat er van hen was geworden. Te veel van hen waren uit zijn herinnering verdwenen, vervaagd als voetafdrukken in het zand.

50

Londen, 1957

Anna Sands liep de anonieme lobby in van een hotel in Holborn. Een koperen kroonluchter wierp een verontrustende gloed over de zachtgroene muren en ze was zich vaag bewust van de weerkaatste glans van een glimmende vloer, glinsteringen die haar uit haar evenwicht brachten.

Haar metgezel was dertig jaar ouder dan zij, een kalende man op leeftijd, met een buikje en een grijze baard. Drie weken eerder hadden ze elkaar ontmoet op de Frankfurter Buchmesse, waar ze allebei te gast waren op een wild feest in een barokke hotelbar. Het stond er bomvol uitgevers met sigaretten en wijnglazen, en toen een gezamenlijke collega hen aan elkaar voorstelde, moest ze haar naam tot twee maal toe herhalen door alle herrie. Hij was de sales manager van een van de grotere uitgeverijen – zelfverzekerd, nadrukkelijk niet-intellectueel – terwijl zij een beginnend redacteur was bij een literaire imprint.

Eerst praatte ze alleen maar uit beleefdheid met hem en luisterde ze nauwelijks naar zijn vragen. Hij was overrijp, met een lichaam dat zijn beste tijd had gehad. Een drinker en een roker. Zij was een frisblozende zesentwintigjarige, met een meisjesachtig gezicht, maar een vrouwelijk lichaam.

Ze wilde net weglopen, toen hij erop stond een drankje voor haar te halen. Op het moment dat hij haar het glas gaf, zag ze een flits van tederheid in zijn ogen en hij noemde haar 'lieve kind'. Ze wist genoeg: de klik was er.

Tien dagen later belde hij haar op kantoor en vroeg hij haar mee uit lunchen, in een Italiaans restaurantje in de buurt van het Brits Museum. Ze zaten aan een tafeltje in de hoek en speelden met hun eten, terwijl ze praatten over de boeken

van Graham Greene en zijn scherpe inzicht in ongebruikelijke liefdesrelaties.

Hij was al vijfentwintig jaar getrouwd, zij drie. Hij bestudeerde haar gezicht en ze voelde dat ze nat werd. Toen hij
zijn hand uitstak om de hare vast te pakken, was ze bang
om op te kijken voor het geval er tranen in haar ogen op-
welden.

Hij had het hotel al uitgekozen, op loopafstand van hun
lunchplek. Het regende en de stoepen waren glad. Iedereen
liep met zijn kraag op en het hoofd gebogen. Ze deelden zijn
paraplu en hij loodste haar in de goede richting.

Ze voelde zich ongemakkelijk bij het inchecken en de keurige brunette achter de balie ontweek zorgvuldig haar blik.
Anna wilde zeggen: ik ben een fatsoenlijke, hoogopgeleide
vrouw met een man thuis. Maar ze wilde ook niet weggaan.
Hij had minder moeite met de hele procedure.

Ze kwamen bij hun kamer en hij deed de deur achter hen
dicht.

Voor het eerst waren ze alleen. Het was een moment waarnaar ze hadden gehunkerd, al vanaf het moment dat ze zijn
uitnodiging voor de lunch had aangenomen.

Hij trok zijn jasje uit en glimlachte naar haar op een manier
die spottend en ironisch was, maar ook teder en kwetsbaar.
Ze bewogen hun lippen naar elkaar toe en keken elkaar diep
in de ogen. Toen klemde hij haar stevig in zijn armen.

Ze maakte zijn das los, en vervolgens zijn shirt. Ze zag
zijn grijze borstharen. Ze legde haar hoofd tegen hem aan en
voelde dat hij genoot van dat dociele gebaar.

Het ontbloten van haar borsten was een opwindend moment voor hem. Ze wist dat haar kleding hun omvang verhulde. 'Kijk nou toch eens!' zei hij en ze kroop weer weg in
zijn armen, eventjes verlegen, totdat hij haar naar het bed
leidde en hun liefdesspel begon.

Later, toen ze zich aankleedden, wisten ze geen van beiden of er een tweede keer zou komen. Bij het afscheid keek

hij haar met sentimentele vriendelijkheid aan en zei hij tegen haar dat ze heel lief was.

Ze had geen paraplu bij zich en tegen de tijd dat ze op kantoor aankwam, was haar kapsel volledig verregend. Het was al laat, te laat, en ze zoog een afspraak met een agent uit haar duim om een nieuwsgierige collega tevreden te stellen. Ze kon zich met geen mogelijkheid concentreren op de manuscripten die voor haar neus lagen.

Na het werk, toen ze de metro terug nam naar haar man, ging Anna op een leeg bankje zitten en probeerde ze op te houden met trillen. Wat was dit voor perverse neiging in haar? vroeg ze zich af. Ze was bang, ze stond op de rand van een zenuwinzinking en ze had geen flauw benul waar haar hang vandaan kwam naar intimiteit met mannen die oud genoeg waren om haar vader te zijn.

Ze hield van haar man Jamie, die donkerharig en aantrekkelijk was, en in alle opzichten succesvol: in zijn spontaniteit, in zijn vriendschappen en in zijn creatieve leven als radioproducent. Hij bruiste elk moment van de dag van jongensachtige vitaliteit. Of hij nu een sprint trok om de bus te halen of een receptioniste om zijn vinger wond, altijd was hij een en al zwier, glimlach en daadkracht, waarmee hij iedereen betoverde die hij tegenkwam.

Al twee jaar probeerden ze een kindje te krijgen, maar zonder succes. De dokter had gezegd dat er met geen van tweeën iets mis was. Ze moesten geduldig zijn en zich niet te druk maken, dan kwam die baby er vanzelf wel.

Maar Anna was bang dat het allemaal haar schuld was. In de beslotenheid van hun slaapkamer voelde ze de begeerte van haar man en toch beantwoordde haar eigen lichaam die niet met een orgasme. Ze begreep niet waarom en ze hadden het er ook nooit over.

Toen haar jonge, soepele echtgenoot die avond de liefde met haar bedreef, kwam ze echter wel klaar – maar alleen door haar ogen te sluiten en te denken aan de oudere sales manager met zijn kreukelige gezicht en grijze haren, en zijn sentimentele ogen.

'Ik hou van je, lieve schat,' zei Jamie na afloop, toen ze naast elkaar lagen. Hij streelde de binnenkant van haar dij, een plekje waar hij graag zijn hand legde.

'Ik ook van jou,' zei ze. En die woorden gaven haar een rilling van onbestemd schuldgevoel, die doortrilde tot in haar schoot.

51

Londen, 1964

Uiteindelijk waren er toch kinderen gekomen. Anna was nu moeder van een zoon en een dochter. Van vrijdag tot maandag bleef ze thuis, in Bayswater, en dan speelde ze met haar kinderen, hing ze hun gewassen luiers op aan een rek boven het bad en ging ze met hen wandelen in Hyde Park. Maar de rest van de week werkte ze nog steeds op haar oude uitgeverij in West End.

Op die dagen stapte ze uit bij metrostation Oxford Circus en liep ze door Soho in het volle besef dat ze een gelukkig en gezegend mens was – althans in de ogen van iedereen die haar zo met veerkrachtige tred over straat zag lopen, in haar rokje en kleurige regenjas boven een paar laarzen. Daar liep ze, een jonge vrouw in de bloei van haar leven, met kinderen thuis en een man bij de BBC, op weg naar haar werk, met een gezicht waarmee ze iedereen die ze op de stoep voorbijliep voor zich kon innemen.

Even voor halftien kwam ze aan bij het vroeg negentiende-eeuwse pand waar haar uitgeverij was gevestigd, een literaire imprint die was opgericht door een Weense emigrant. Het was haar taak om jonge stemmen te ontdekken die nieuwe emoties konden verwoorden voor het lezerspubliek. Elke woensdag hielden ze een redactievergadering waarin ze de meest recente aanwinsten bespraken.

Maar de laatste weken was er iets vreemds aan de hand met Anna: ze kon niet meer lezen. Haar postbak puilde uit van de ongelezen manuscripten, terwijl ze worstelde met haar geestelijke blokkade. De hele week had ze naar dezelfde stapels papier zitten staren en stiekem zitten huilen. Ze maakte wandelingetjes om de tranen te verbergen en keerde dan terug naar de stapel ongelezen romans, opnieuw geconfronteerd met haar woordblindheid.

Het leek alsof de verbinding tussen de woorden en hun betekenis op de een of andere manier wegviel, totdat ze alleen nog maar ordelijke rijtjes zwarte vlekken zag. Inkt, alleen inkt en niets dan de vorm van inkt. Ze zat achter haar bureau stilletjes paperclips aan elkaar te rijgen, zonder te weten hoe ze uit deze neerwaartse spiraal moest komen.

'Je luistert niet,' zei haar dochter, toen Anna thuis op de trap naar de muur staarde zonder haar vragen te horen. In plaats van met haar kinderen te spelen, sloeg ze hen bewegingloos gade. De wasmand stroomde over.

Wanneer Jamie thuiskwam, maakte ze op de automatische piloot een maaltijd klaar. Terwijl ze aan tafel met haar man zat te eten, klonk zijn stem alsof die uit een slecht afgestelde radio kwam.

Elke dag poetste ze haar tanden, zette ze de ontbijtspullen klaar en bracht ze de kinderen naar de crèche. Ze stopte geld in de automaat om haar metrokaartje te kopen en hoorde de munten kletterend door de gleuf vallen. Ze volgde veilige routines die haar op koers hielden, maar stiekem was ze verdwenen, vertrokken naar een stille plek zonder zwaartekracht, waar je alleen maar zweefde en rondkeek.

Ze begon dingen in hypnotische onderwaterkleuren te zien. De wereld deed zich aan haar voor als een flikkerend beeld van onsamenhangende details, regendruppels op een autodak, kauwgom op de stoep, een losse witte haar op een donkerblauwe herenjas, haar eigen rode handen vol kloofjes van het koude weer. Soms leek de wereld voor haar ogen uiteen te vallen, te verbrokkelen in een stortbui van deeltjes die niet aan elkaar pasten.

Er waren nog steeds momenten waarop de gezichten van haar kinderen tot haar doordrongen. Wanneer ze uit haar werk kwam en ze op haar af renden om haar te begroeten, was het onmogelijk om niet te reageren op die kleine handjes die zich naar haar uitstrekten, die elektrische stroom van liefde. Maar haar hulpeloosheid als ze hun verwachtingsvolle blikken zag werd haar soms te veel, zo bang was ze dat ze hen zou teleurstellen.

Ze kon niet slapen. Ze zag op tegen de nachten, waarin de duisternis haar claustrofobie alleen maar versterkte. Ze zat opgesloten in haar eigen hoofd, gevangen in eindeloze gedachtecirkeltjes, en de lege uren strekten zich uit terwijl ze probeerde stil te liggen en denkbeeldige spiralen te tekenen, of welk kalmerend patroon dan ook, om zichzelf weg te hyp-notiseren van haar eigen bewustzijn. Maar ze vond geen uit-weg uit de kaleidoscoop van haar eigen gedachten, die zich tot in het oneindige vermenigvuldigden.

Gedachten aan liefde. Aan haar onvermogen om van haar man te houden. Kon ze ooit iemand liefhebben of zelfs maar begeren? Zo lag ze daar maar, klaarwakker, terwijl Jamie naast haar diep in slaap verzonken lag. Jamie, die haar man was en haar vroeger aantrekkelijk vond en zelfs van haar hield. Hoe was het mogelijk dat hun huwelijk nu stukliep?

Toen ze nog verkering hadden, hadden ze wandelingen in het park gemaakt en elkaar innig aangestaard boven tafeltjes in Italiaanse restaurants. Ze hadden samen gelachen in de schouwburg en in de rij gestaan voor kaartjes voor de Proms. Ze hadden alle rituelen van een jong verliefd stel gedeeld en dus had ze gedacht: dit moet het wel zijn. Hij had haar ge-kozen en dus volgde ze zijn voorbeeld en hoopte ze dat haar ondergesneeuwde gevoelens binnenkort aan de oppervlakte zouden komen.

Maar diep in haar hart was ze altijd een beetje bang voor hem geweest. Soms sloeg ze hem gade als ze op straat liepen en dan wist ze opeens: Jamie is te goed voor mij, te knap, te perfect. De ene keer probeerde ze hun relatie op goed ver-trouwen te nemen voor wat die was, maar de andere keer voelde ze zich een bedrieger die elk moment door de mand kon vallen. Op zekere dag zou Jamie naar haar kijken en denken: wat doe ik met deze vrouw?

Hun huwelijk was in elk geval gezegend met kinderen. Soms, als ze haar zoontje en dochtertje uit bed ging halen voor het ontbijt, kon ze het niet over haar hart verkrijgen om ze wakker te maken en bleef ze een tijdje naar hun slapende gezichtjes staan kijken. Joe, met zijn armen achter zich op het kussen en zijn mond een beetje open. Amy, met haar roerloze oogleden en een blonde lok haar die over haar oor viel. En dan het wonder van hun ontwakende ogen – die onvoorwaardelijke liefde op hun gezicht, die zekerheid dat zij hun moeder was en dat ze van haar afhankelijk waren.

Waarom voel ik de grond onder mijn voeten wegzinken? vroeg ze zich af. Met zo veel zegeningen – haar kinderen, haar man, haar werk – zou ze gelukkig moeten zijn. Maar het was alsof een dieptebom van verdrongen verdriet alle fundamenten deed wankelen van de verdedigingsmuur die ze zorgvuldig om zich heen had opgetrokken, alsof ze werd omlaaggezogen in haar eigen drijfzand.

Ze was geobsedeerd door haar kindertijd en de absolute, onvoorwaardelijke adoratie die ze voor haar moeder had. Ze koesterde nog steeds haar herinneringen aan hun laatste dag samen in Londen, toen ze samen waren gaan winkelen en ijs hadden gegeten in het daktuincafé. Maar was hun scheiding in de oorlog noodzaak geweest of haar moeders eigen keus? Ze had af en toe een opgewekte brief gekregen en verder was er dat ene bezoek voor haar dood geweest. Ze kon het niet helpen dat ze het haar moeder kwalijk nam dat ze zo onvoorzichtig was geweest. Waarom was ze niet in een kelder gaan schuilen?

Als je je moeder zo jong verloor, beschadigde dat dan je vermogen tot liefhebben? Was het hare in de knop gebroken? Dergelijke gedachten hielden Anna in hun greep. Misschien had ze de pijn van haar jeugd te lang genegeerd en in een doosje weggestopt, maar ze begreep niet waarom dat hele vergeten leven nu opeens de kop opstak en haar uit balans bracht. Het was een vreemd soort zelfmedelijden, een retro-spectief verdriet omdat er niet van haar was gehouden zoals zij van haar kinderen hield. Daarbij kwam dat ze zich schul-dig voelde omdat haar eigen getob nu ook zijn weerslag had op Joe en Amy.

Soms viel ze pas om zes uur 's ochtends in slaap en als dan om zeven uur de wekker ging, was ze volslagen uitgeput. Ver-volgens moest ze glimlachend en opgewekt de kinderen op tijd klaar zien te krijgen voor de crèche en daarna zelf de deur uit naar haar werk, na haar man gedag te hebben gekust.

'Ik ben vanavond laat thuis,' zei hij op een dag.

'O,' zei ze, in de hoop dat het niet van haar gezicht was af te lezen dat ze wist waarom hij laat thuis zou zijn.

'Er wordt een nieuw stuk opgevoerd van een toneelschrij-ver die we misschien een contract willen aanbieden. Ik zou je hebben meegevraagd, maar de kinderen vinden het zo verve-lend als we allebei weg zijn...'

'Geen probleem, ga maar gerust,' zei ze.

Later, toen hij thuiskwam na de liefde te hebben bedreven met zijn BBC-researcher, trof hij zijn vrouw met haar hoofd op de keukentafel aan, naast een lege fles wijn. Hij bracht haar naar bed en ze bleef maar zeggen: 'Het spijt me, het spijt me, het spijt me.'

Ze leek het niet erg te vinden dat Jamie een minnares had. Maar waarom vond ze het niet erg? Het was haar een raad-sel. Ze begon nu elke avond te drinken, nadat de kinderen naar bed waren. Wanneer Jamie niet keek. De wijn schonk haar een milde vergetelheid, maar om drie uur 's nachts werd ze wakker en dan putte de slapeloosheid haar weer uit.

Op een keer wandelde ze tijdens de lunch naar Oxford Street, toen ze besefte dat ze langs Broadcasting House liep, het decor van haar moeders oorlogstijd. Achter het verkeer en de uitlaatgassen van Marylebone Road lokte Regent's Park haar met zijn weidse gazons en lege paden.

Maar de plotselinge rust van het park scherpte haar overspannen zintuigen alleen maar. Hoewel ze nauwelijks om zich heen keek, leek ze zich bewust van elk blad aan iedere boom en van elke nerf in ieder blad. Nerven als de aderen in haar hand en nek. De hemel voor haar was open en oneindig en ze dacht dat ze het gewicht van de sterren kon voelen, hoewel het klaarlichte dag was. Alles leek haar te verpletteren: de suizende wind en haar ruisende bloed en elk blaadje aan iedere boom dat om aandacht schreeuwde. *Genoeg, genoeg, genoeg.*

Ze deed haar ogen dicht, sloeg haar handen voor haar oren en zeeg neer onder een kastanjeboom, waar het gras schaars was en de lege bolsters van oude kastanjes half verzonken in de grond lagen. Daar zat ze ineengedoken te huilen tot haar lichaam ervan schokte, met haar gezicht tegen haar knieën geduwd.

Een gepensioneerde arts was zijn hond aan het uitlaten in het park, een pezige man die een beetje stijf liep van de artritis.

'Kan ik iets voor u doen?' vroeg hij, toen hij Anna zag.

Ze keek op.

'Nee, dank u.' Haar gezicht verdween weer achter haar knieën.

Hij ging vlak bij haar op een bankje zitten en gooide een stok voor zijn labrador. Anna voelde dat hij er nog was en keek weer op.

'Weet u zeker dat ik niets voor u kan doen?' vroeg hij. Toen stond hij op en bood haar een witte gevouwen zakdoek aan.

Op dat moment voelde Anna een pijn die zo diep vanbinnen zat dat hij twintig jaar terug in de tijd ging. De witte zakdoek voor een kind dat niet kon huilen. Meneer Ashtons zakdoek, tevoorschijn gehaald om haar te troosten op de dag dat ze haar moeder had verloren.

Ze keek op naar de vreemde en zag een doorgroefd gelaat, dun grijs haar en donkere, ernstige ogen.

'Dank u,' zei ze.

'Houd hem maar. Ik hoop dat het helpt,' zei hij, met een knikje. 'Ik heb er thuis een hele la vol van...'

Toen liep hij zijn hond achterna, met zijn hand ten afscheid opgestoken.

Ze bleef achter met de zakdoek, die ze keurig opvouwde. Toen raapte ze zichzelf bij elkaar en begon ze door het park te lopen, over paden en langs speeltuintjes.

Terwijl ze de herinnering aan Thomas Ashton boven liet komen, gebeurde er iets met haar. Ze besefte dat hij er altijd was geweest, ergens diep weggestopt. Ze had hem meer dan twintig jaar niet gezien – hij moest al over de zestig zijn. Maar langzaam maar zeker durfde ze aan zichzelf toe te geven dat ze – hoe absurd het ook leek – diep in haar hart nog steeds naar hem hunkerde. Dat niemand anders het gat in haar hart kon vullen, omdat het zich daar jaren geleden had gevormd toen ze afscheid van hem had genomen.

Ze wist niet eens of hij nog leefde en of hij haar zou willen ontvangen. Maar ze wilde in elk geval proberen hem op te zoeken. En in de dagen daarna begon ze de patronen van haar verleden te analyseren in het licht van deze latente gevoelens voor hem.

Ze herinnerde zich hoe hard ze had gewerkt om haar plekje in Oxford te veroveren. Was dat niet om aan zijn verwachtingen te voldoen? Ze was er aangekomen met een groene fiets en een nieuwe garderobe, klaar voor de liefde. Maar niemand leek haar te kunnen bereiken. Tegen het einde van haar eerste jaar had ze haar maagdelijkheid verloren aan een slungelige gladjanus die haar had ingepalmd met zijn geklets over Albert Camus en *L'Etranger*. Ze had zich nooit bij hem op haar gemak gevoeld en de relatie was uitgegaan als een nachtkaars.

Ze had het vreselijk moeilijk gevonden om een band op te bouwen met leeftijdsgenoten van het andere geslacht. Zelfs toen ze Jamie leerde kennen en met hem trouwde, had haar gebrek aan hartstocht haar verbaasd. Hij was zo aantrekkelijk en toch voelde ze zich zo ver van hem af staan. Ze verlangde ernaar om vastgehouden te worden, maar Jamie kon haar niet geven wat ze nodig had: hij was meer een vriend, een gelijke. Het leek wel de seksloze relatie tussen broer en zus. Dus als ze de liefde bedreven, deed ze haar ogen dicht en riep ze andere beelden voor de geest om haar lust op te wekken.

Ergens in haar achterhoofd zat altijd de gedachte aan Thomas Ashton. Ze herinnerde zich de bezorgde blik in zijn ogen en iets in haar wilde hem als een geliefde zien. Verboden gedachten, zelfs in de privacy van haar eigen hoofd. Maar de intensiteit van zijn gevoelens voor juffrouw Weir was haar niet ontgaan en het idee was bij haar blijven hangen dat niemand anders zo teder, zo gepassioneerd, zo standvastig in de liefde kon zijn als Thomas.

Ze herinnerde zich de heftige beroering van haar kinderhart. Maar had hij werkelijk ooit bijzondere genegenheid voor haar gekoesterd of was dat pure inbeelding van haar kant?

Ze moest voortdurend denken aan die ene nacht, toen juffrouw Weir net was omgekomen en hij haar dat onverwachte verzoek had gedaan om haar brieven te zoeken: hun geheim.

Het was alsof hun vreemde omhelzing die nacht regelrecht tot in haar onbewuste was doorgedrongen. Ze herinnerde zich dat ze zachtjes huilend op zijn knie had gezeten, dicht tegen hem aan gekropen. Ze voelde weer hoe haar tranen zijn geruite flannellen shirt doorweekten. Hij had zijn armen om haar heen geslagen en haar teder vastgehouden, met vriendelijke woorden, zachte woorden. 'Lieve kind,' noemde hij haar. Zijn borstkas was breed genoeg voor haar schokkende lijfje en ze smolt samen met zijn volwassen gestalte. Ze voelde zich volledig door hem omhuld. Toen ze in het donker opkeek naar het witte masker van zijn gezicht, kende ze hem van zo dichtbij als ze nooit iemand anders zou kennen. Zijn blik had haar in haar hart geraakt.

Het was echte intimiteit geweest, dacht ze nu. Telkens wanneer ze elkaar in de maanden erna hadden gezien, was er die fysieke band tussen hen geweest – onuitgesproken, maar toch.

Ze begon zich af te vragen of ze ooit over hem heen was gekomen. Ze geloofde nu dat ze sindsdien in elke omhelzing had geprobeerd die blik van tederheid in zijn ogen terug te halen. Misschien was het voor hem niet meer geweest dan een blik van vervlogen hoop, waarbij hij alleen het kind zag dat hij niet had. Maar voor haar was het een blik van liefde geweest, die tot in haar ziel was doorgedrongen en haar voor altijd vasthield in Ashton Park, in de zomer van 1943.

Thuis zocht ze de spullen op uit die periode van haar leven, die achter in haar bureaula lagen weggestopt. De witte zakdoek met zijn monogram: t.a.a. Zijn twee formele, hoffelijke brieven aan haar. De dichtbundel van Tennyson die ze uit de kamer van juffrouw Weir had meegenomen.

In een drieste bui belde ze op een dag Inlichtingen en wist ze het telefoonnummer te achterhalen van het administratiekantoor van Ashton Park. Een man van middelbare leeftijd beantwoordde de telefoon en bevestigde dat meneer Ashton nog leefde en in goede gezondheid verkeerde. Wel woonde hij nu in een ander, comfortabeler huis op het landgoed. Hij gaf haar het adres en ze herhaalde het hardop om zeker te weten dat ze de postcode goed had opgeschreven.

Toen ging Anna, echtgenote en moeder, drieëndertig jaar oud, aan haar bureau zitten om een formele brief te schrijven aan de leraar uit haar kindertijd, in de hoop dat hij haar op de een of andere manier kon helpen.

52

Ashton Park, 1964

Het was een milde lentemiddag en Thomas Ashton zat zoals gewoonlijk achter zijn bureau.

'Binnen,' zei hij toen er op zijn deur werd geklopt. Elke dag om vier uur verscheen zijn huishoudster met een blad thee en gemberkoekjes. Hij at de koekjes nooit op, maar ze legde ze er altijd bij, voor het geval dat.

Zijn huishoudster was nu al zes jaar bij hem. De eerste twee jaar noemde hij haar mevrouw Smithie, totdat ze de stoute schoenen had aangetrokken en hem had gevraagd haar Mary te noemen. Hij was zonder mankeren beleefd en attent tegenover haar en ze beschouwde hem als een echte heer, al was het wel moeilijk om hem te leren kennen.

Ze had al zijn oude foto's bestudeerd: het ingelijste huwelijksportret en latere foto's van hem met zijn vrouw. Toch wist ze maar een paar dingen over zijn verleden: dat hij als jongeman polio had overleefd en later zijn vrouw had verloren bij een auto-ongeluk. Dat hij sindsdien altijd alleen was gebleven en had besloten weg te gaan uit het grote huis, Ashton Park, nadat een brand een van de vleugels had verwoest.

Ze had verhalen gehoord van de mensen in het dorp over de nacht waarop Ashton House bijna in vlammen was opgegaan. Kortsluiting in een van dienstbodekamers, dacht men. De mensen in het huis waren allemaal op tijd geëvacueerd, maar de kostbaarheden binnen liepen gevaar. Het nieuws verspreidde zich in de kortste keren door het dorp en mensen haastten zich over de lange oprijlaan om te helpen, de hele nacht door. De mannen hadden een keten gevormd om de schilderijen en meubels naar buiten te dragen, naar het verzonken gazon, waar meneer Ashton in zijn rolstoel zat en de vlammen en rook uit zijn huis zag opstijgen. Gelukkig kwam de brandweer op tijd om het vuur te bedwingen en bleef de schade beperkt tot de uitgebrande vleugel.

Helaas bleek Ashton House onvoldoende verzekerd, zodat de restauratie van de oostvleugel financieel onhaalbaar was. Meneer Ashton voelde er daarna blijkbaar weinig meer voor om in het grote huis te wonen en had Ashton Park verhuurd aan een meisjeskostschool met een ondernemende directrice.

Hij was verhuisd naar deze oude personeelswoning diep in het park. Een aantal van de beste familiestukken was met hem meegekomen, maar eigenlijk pasten ze er niet: zijn nieuwe huis stond volgepropt met deftige tafels, dressoirs en bureaus die duidelijk in het grote huis thuishoorden. Toen ze de eerste keer kwam solliciteren, was Mary Smithie nogal geïntimideerd door de familieschilderijen aan de wanden, waarbij je als bezoeker in het niet leek te vallen. Maar ze was ook onder de indruk van het zachtaardige, gereserveerde optreden van meneer Ashton. Hij is een filosofisch ingestelde man, zei ze tegen haar vrienden. Nooit kritisch, nooit veeleisend.

Jarenlang was hij Latijn en Engels blijven geven aan de school in Ashton House, maar kortgeleden was hij met pensioen gegaan en nu bracht hij het grootste deel van zijn tijd door in zijn studeerkamer, waar hij in opdracht van een uitgeverij werkte aan een vertaling van Vergilius' *Georgica*. Zo nu en dan kreeg hij gasten uit Londen, 'oude vrienden uit mijn tijd bij Buitenlandse Zaken', zoals hij tegen mevrouw Smithie zei. Onder hen waren sir Clifford Norton en zijn energieke vrouw Peter, 'die in 1939 uit Warschau moesten vluchten voor de nazi's', en lord Vansittart, die lang en breedgebouwd was en wijdbeens voor de open haard stond – 'de enige Engelsman die de oorlog had kunnen tegenhouden, als er naar hem was geluisterd'.

Mevrouw Smithie was blij dat hij niet helemaal alleen was.

Op zichzelf, dat wel, maar niet zonder een paar oude vrienden. Als hij al ongelukkig of eenzaam was, merkte ze daar in elk geval niets van.

Op het moment dat ze het dienblad met de thee neerzette, sloeg de klok. Hij keek op om haar te bedanken, maar ze voelde aan dat hij geen behoefte had aan een praatje en verliet de kamer.

Ze deed de deur achter zich dicht zonder te weten dat dit een bijzondere dag was voor Thomas: dat dit de dag was waarop hij al die jaren geleden zijn vrouw, zijn geliefde en zijn ongeboren kind had verloren. Eenentwintig jaar zonder jou, en ik denk nog steeds aan je, schreef hij in zijn notitieboek.

De jaren waren verstreken en Thomas dacht nog steeds aan Ruth, week in week uit, dag in dag uit. Hij praatte in gedachten met haar en vroeg zich af wat zij zou hebben gedacht van de dingen die hij zag en de mensen die hij tegenkwam.

Hij kon haar niet laten gaan. Zijn herinneringen echoden in de lege huls van zijn huidige leven, als de kabbelende golven van een verloren zee.

Thomas was nu vierenzestig, maar hij zag Ruth nog steeds zoals ze was op de dag dat ze was overleden. Soms probeerde hij haar zich voor te stellen zoals ze nu zou zijn geweest: een moeder, met een voller figuur en de eerste ouderdomsverschijnselen. Hij had dat graag willen zien en elk nieuw lijntje in haar gezicht willen ontdekken. Lijntjes van de tijd die ze samen zouden hebben doorgebracht.

Niemand was ooit achter de ware aard van zijn verlies gekomen. Hij had nooit zijn verdriet met iemand gedeeld. Degenen die voor hem werkten stelden ongetwijfeld hun vragen bij de tegenspoed van zijn polio en de tragedie van de dood van zijn vrouw, maar niemand had enig idee van zijn in de knop gebroken liefde voor de jonge onderwijzeres die zijn kind droeg. Misschien dachten mensen dat hij Elizabeth miste, maar zij was volledig uit zijn hart verdwenen. Er restte alleen een schuldgevoel over het feit dat hij haar niet de kans had gegeven een nieuw leven te beginnen voordat het voor hen allemaal te laat was.

Hij geloofde niet dat Elizabeths ongeluk onvermijdelijk was geweest. Hij was ervan overtuigd dat ze het in een opwelling van woede had gedaan, in een vlaag van verstandsverbijstering die het gevolg was van haar blinde jaloezie. Een paar dagen later zou ze minder onherstelbare manieren hebben gevonden om hem pijn te doen. Misschien zou ze zelfs zo genadig zijn geweest hem en Ruth te laten gaan. Nee, het was de schuld geweest van zijn eigen trots: hij moest zo nodig opscheppen over Ruths zwangerschap tegen de vrouw die er het meest door gekwetst zou raken, en had haar daarmee tot het uiterste gedreven.

Berustende wroeging was alles wat hij nog voelde voor Elizabeth. De tederheid die nog steeds in hem opwelde gold alleen Ruth – een tederheid die zo intens was dat hij zich bij tijd en wijle achtervolgd waande. Als hij achter zijn bureau zat te werken, voelde hij soms opeens haar subtiele aanwezigheid, die hem van achteren besloop en geluidloos bezitnam van het ritme van zijn ademhaling. Totdat hij ophield met werken, zijn kalmte herwon en achter zich keek om te zien wat zich daar bevond.

Niets. Stof en lucht.

En toch voelde hij haar naast zijn schouder, naast zijn elleboog, plukkend aan zijn ziel. Het verdriet zou intussen moeten zijn gesleten, hield hij zichzelf voor, maar als hij 's ochtends wakker werd, was de herinnering aan haar soms nog zo levendig dat hij naast zich voelde of ze er lag.

Andere keren vroeg hij zich af of hij stilletjes gek was geworden. Daar zat hij dan in zijn vochtige huis in Yorkshire, een bejaarde invalide die dagelijks droomde van een dode vrouw. Niet in staat haar achterna te gaan, niet in staat iemand anders in zijn leven toe te laten, of zelfs maar in vertrouwen te nemen. Elk gesprek over Ruth zou alleen maar afbreuk doen aan haar herinnering, aan het elixer van haar aanwezigheid in zijn hart.

Hij was gewend geraakt aan zijn dubbelleven. Aan de oppervlakte was er de keurige alledaagse werkelijkheid en het beheer van zijn landgoed, en daarnaast was er zijn verborgen leven met Ruth. Zijn herinneringen aan alles wat ze ooit had gezegd, eindeloos opgerakeld in zijn hoofd om verloren sprankjes gevoel bloot te leggen. Aan de zachtheid van haar gezicht als ze elkaar kusten, de soepele glooiing van haar borsten, haar haar dat over haar wang viel en hoe het voelde om haar aan te raken.

Het verdriet ging maar niet weg en soms koesterde hij het zelfs. Het zweefde om hem heen als een trouwe geest. De wind door het raam, het blaadje dat plotseling neerdwarrelde uit een vaas bloemen, het laatste schijnsel van de schemering: alles sprak tot hem over het vreemde schaduwland van zijn hart.

Sterren! Sterren! En alle andere ogen dode kolen!

Hij zag nog steeds haar ogen voor zich – soms boorden ze zich dwars door hem heen, zoals de uitroep van herinnering in *Het wintersprookje* van Shakespeare.

Hij had geen foto van haar, alleen de troost van haar ene brief. Hij was verliefd op haar handschrift. Het vloeide naar voren en krulde in zichzelf terug. Het belichaamde haar intelligentie en passie, maar ook haar aarzelende bescheidenheid en haar zachtaardigheid. Het vertegenwoordigde haar – alles wat hij van haar had. Nu elk woord in zijn hoofd en hart gegrift stond, waren het de letters zelf die hem ontroerden. Hij had haar brief zo vaak geopend dat die nu verbleekt was, en letterlijk stukgelezen.

De brief lag voor hem terwijl hij in zijn notitieboek schreef en zijn ogen gleden over de vertrouwde vorm van haar schrift. Maar er was een zekere verdoving ingetreden en de woorden riepen geen nieuwe emoties op: vandaag was het slechts een dode brief waar het leven uit was weggevloeid.

Er werd op de deur geklopt en Mary kwam binnen om het dienblad weg te halen. Ze gaf hem een stijve witte envelop.

'Dit kwam met de post, meneer.'

Het was een persoonlijke brief, in een handschrift dat hij niet herkende. Hij legde hem op zijn bureau en wachtte tot hij alleen was. Waarschijnlijk iets uit de academische hoek. Soms kreeg hij brieven van collega-classici met nieuwe ideeën over een woord of zinsnede.

Toen Mary de deur achter zich had dichtgedaan, pakte hij de brief en sneed hem open.

Beste meneer Ashton,

Het is jaren geleden dat we elkaar voor het laatst hebben gezien, dus het zou me helemaal niet verbazen als u niet meer weet wie ik ben. Mijn naam is Anna Sands en ik ben in 1939 als evacuee in uw huis terechtgekomen. Ik heb erg genoten van mijn tijd in Ashton Park en ben met name dankbaar voor de opleiding die ik er heb genoten. Later heb ik in Oxford gestudeerd en nu ben ik redacteur fictie bij een uitgeverij. Het is een prettige baan die ik combineer met mijn gezinsleven: ik ben getrouwd en heb twee kinderen.

Onlangs heb ik met veel genoegen herinneringen opgehaald aan mijn oorlogsjaren. In het bijzonder herinnerde ik me uw vriendelijkheid en wat een uitstekende leraar u was. Ik ben in april in Yorkshire en vroeg me af of ik u misschien een bezoekje mag brengen? Ik zou het zelf vreselijk leuk vinden, maar ik begrijp het volkomen als u er weinig voor voelt om ex-evacués te ontmoeten. U krijgt vast wel vaker dit soort brieven.

Mocht u zo vriendelijk zijn mij te willen ontvangen, dan kunt u me bereiken op het bovenstaande adres of op Fremantle 2104.

Met vriendelijke groet,
Anna Sands

Thomas herinnerde zich haar meteen, het kind wier moeder was omgekomen tijdens de blitzkrieg. Hij kreeg een beeld voor ogen van een lachend meisje met een spleetje tussen haar tanden, dat haar hand opstak in de klas. Hij voelde een golf van blijdschap en stuurde per ommegaande een voor zijn doen ongewoon geestdriftig antwoord.

Lieve Anna,
Natuurlijk weet ik nog wie je bent. Het verheugde me bijzonder om van je te horen en het zal me een waar genoegen zijn je te ontvangen tijdens je volgende trip naar York. Ik ben blij te vernemen dat je je studie in Oxford hebt genoten – ook mijn vroegere universiteit – en dat je nu je eigen gezin hebt. Ik verheug me erop meer te horen.
De thee wordt hier elke dag om vier uur geserveerd, dus laat me maar weten wanneer je wilt langskomen.
Met vriendelijke groet,
Thomas Ashton

Er werd driftig heen en weer gebeld met de huishoudster. Anna durfde hem kennelijk niet persoonlijk te woord te staan. Op 25 april zou ze op de thee komen.

53

Ashton Park, 1964

Op de dag van de afspraak kwam Anna aan bij de oude personeelswoning waar Thomas Ashton tegenwoordig woonde. Ze reed op een sober, rechthoekig vroeg-negentiende-eeuws gebouw af, dat ooit misschien als rentmeesterswoning had gediend. Het was behoorlijk groot, maar ze wist dat het niet te vergelijken was met het soort huizen waarin hij vroeger had gewoond. De bloembedden in de voortuin lagen er verpieterd en onverzorgd bij.

Ze parkeerde haar auto en checkte in de zijspiegel haar gezicht en kapsel. Toen ze aanbelde liet een huishoudster met een gesloten gezicht haar binnen.

Schutterig bleef ze in zijn lege hal staan. Het was duidelijk een vrijgezellenhuis, merkte ze op. Het ontbeerde alle kenmerken van een gezinsleven en maakte een beetje een liefdeloze indruk. De ramen in de gang zaten vol vieze strepen die zich in de loop van meerdere seizoenen hadden verzameld en bij de open haard lag een slordige stapel kranten, alsof in het hele huis de lethargie had toegeslagen.

Terwijl Anna stond te wachten, probeerde ze rustig adem te halen en te wennen aan de duidelijke daling van Thomas' levensstandaard.

Er ging een andere deur open en plotseling kwam hij op haar af rijden, met zijn rechterhand uitgestoken om haar te begroeten en een verwelkomende, verwachtingsvolle glimlach op zijn gezicht.

'Anna! Wat ontzettend leuk je weer te zien.'

Met een schok van plezier en opluchting constateerde ze dat hij er nog hetzelfde uitzag. Ouder, maar hetzelfde. Zijn enkels waren iets dikker en zijn schouders wat smaller, en

hij had een beetje een buikje gekregen. Maar zijn gezicht...
Dat had dezelfde opvallende puurheid. Misschien was het nu
zelfs nog markanter, doorgroefd als het was met karakter-
volle lijnen. Ook had hij nog steeds die volle haardos, in een
golf naar achteren gekamd, alleen nu ietsje grijzer. Als je in
zijn ogen keek, was zijn ziel bijna tastbaar. Precies zoals ze
het zich herinnerde.

Anna werd prompt overspoeld door een golf van liefde
voor hem. Hier was de man in haar hoofd, haar hart en haar
ziel, de enige man die kon doordringen tot de lege ruimtes in
haar binnenste.

Hij leunde naar haar over, misschien voor een kus, maar ze
stond zo onhandig te stuntelen dat hij de beweging omzette
in een stevige handdruk.

'Je ziet er zo anders uit en toch zou ik je meteen herkennen,' zei hij, met een verwonderde glimlach. Met een vertrouwd gebaar van galanterie trok hij zijn hand terug.

'Hoe oud was je toen ik je voor het laatst zag? Elf? Twaalf?
Hoe dan ook, je ziet er fantastisch uit.'

'Ik vind het ook ontzettend leuk om u weer te zien,' zei ze.
'U bent niets veranderd.'

'Ach, schei toch uit,' zei hij meesmuilend. Toen draaide hij
met een geroutineerde handbeweging zijn rolstoel rond.

'Er staat thee voor ons klaar, als je met me meeloopt.'

Ze wist niet of ze zijn stoel moest duwen, maar hij reed er
met zo'n resolute behendigheid vandoor dat ze hem maar
gewoon volgde.

Ze liep een kamer met verschoten groen behang in. Meer
dan een vluchtige indruk kreeg ze niet: al haar aandacht was
op Thomas gericht. Er werden wat beleefdheden uitgewisseld
over wie waar moest zitten, gevolgd door het ritueel van het
inschenken van de thee, een taak die Anna op zich nam. Ze
noemde hem meneer Ashton en hij stak zijn hand op: 'Noem
me maar Thomas, hoor.'

De theekopjes hadden een gouden randje; bij een ervan was

er een stukje uit. Anna's hand trilde toen ze het dunne, breekbare schoteltje vasthield en de thee inschonk. Ze was bang dat ze het porselein zou laten vallen met haar bibberhanden.

Maar ze zette zijn kopje zonder te morsen neer en zodra ze allebei van thee waren voorzien, ging ze zitten en keken ze elkaar aan.

Thomas zag een opmerkelijk jeugdige vrouw voor zich: haar gezicht was rimpelloos en stralend, alsof het in een soort prepuberale fase was blijven steken (heel charmant, zij het een tikje verontrustend), met iets angstigs of teruggetrokkens in haar blik.

'Wat fijn om je weer te zien,' zei ze, stotterend van de banaliteit van haar opmerking.

'En wat aardig van jou om langs te komen,' zei hij. Hij liet zijn blik een moment op haar rusten en haar hart maakte een sprongetje.

Ze liet foto's zien van haar kinderen, die in een insteekmapje onder in haar handtas zaten. Ze ging gehurkt aan zijn zijde zitten, dichter bij hem, terwijl hij zich concentreerde op de gezichten, namen en leeftijden van de kinderen en zijn best deed over elk van beiden iets bijzonders te zeggen. Zijn blik bleef even rusten op een portret van haar dochtertje.

'Kijk nou toch,' zei hij. 'Ze lijkt hier sprekend op jou.' Hij wierp even een blik op haar, om zijn bewering te staven. Ze legde het mapje weg, ging weer op haar stoel zitten en pakte haar theekopje op.

Hij zweeg. Anna verschoof op haar stoel en staarde omlaag in haar kopje.

Het niets dat je zegt. Ze dacht: is er iets tussen ons, een onzichtbare draad, of is er uiteindelijk helemaal niets?

'Kost het beheer van je landgoed je veel tijd?'

'Ik heb het geluk dat ik een fantastische manager heb. Meneer Reynolds. Hij loopt over van energie en heeft een ware passie voor het park. Hij is geweldig.'

'En het huis?'

'Dat is nog steeds een school. Een meisjesschool, die het heel aardig doet. Ze hebben nu een echte gymzaal en een klein zwembad.'

'Het is een heerlijk huis voor kinderen...'

'Vind je, ja? Ik ben blij dat je er een goede herinnering aan hebt overgehouden.'

Hij glimlachte naar haar met onbevangen warmte en ze wilde zeggen: ik ben al heel mijn volwassen leven naar je op zoek – naar die blik in je ogen.

'Schijnt 's morgens de zon in deze kamer?'

'Ja, dat klopt, en we hebben heel veel winterzon gehad dit jaar.'

'Die hoge roederamen leveren vast een indrukwekkend lichtspel op.'

'Precies, heel mooi geformuleerd.'

Ze wilde niets liever dan haar arm uitstrekken en zijn hand strelen, maar in plaats daarvan zaten ze opgeprikt te praten over de opnames van Schubert die Thomas onlangs had aangeschaft, en over de nieuwe fictie die Anna uitgaf.

Was dat het dan? Thee en cake met een beschaafde man op leeftijd?

Ze snakte ernaar hem open te tornen en de herinnering aan hun verzwegen intimiteit bloot te leggen. Aarzelend rommelde ze in haar handtas en viste er de verbleekte blauwe dichtbundel van juffrouw Weir uit.

'Herinner je je die ene nacht nog, toen ik die brieven voor je ging halen?'

'Jazeker,' zei hij. 'Uiteraard.' En hij liet voor het eerst langdurig zijn blik op haar rusten. Eindelijk kwam hij voorzichtig uit zijn schulp.

'Ik heb het je nooit verteld, maar ik had je brieven gevonden in een dichtbundel van Tennyson en ik ben later teruggegaan om het boek te halen. Gewoon als aandenken aan... juffrouw Weir. En ik heb het vandaag voor je meegenomen, voor het geval het iets betekende. Er zit een soort briefje in.'

Haar mededeling schokte hem diep. Met trillende handen nam hij het boek van haar aan.

Hij bladerde door de droge, broze bladzijden en ergens middenin vond hij een dubbelgevouwen blaadje vergeeld papier. Thomas opende het, en daar lag, half verpulverd langs de vouw, een gedroogde bloem. Een vergeet-mij-nietje, met blauwgeaderde blaadjes zo dun als de vleugels van een vlinder, vergezeld van twee regeltjes in gevlekte inkt.

18 juni '41
Een vergeet-mij-nietje als aandenken aan jou.
Bedenk wat je voor me hebt betekend...

Het benam hem de adem. Het kwam door het handschrift, de vloeiende letters, die Ruths gezicht voor de geest riepen – haar ogen, haar ziel. Als een geest die werd bevrijd uit de bladzijden van een boek. Een boodschap voor hem, van meer dan twintig jaar geleden. Hij verschoof in zijn stoel en zijn stem trilde.

'Dank je. Dankjewel. Dit betekent heel veel voor me.'

Hij bleef maar staren naar het blaadje papier en kon niet opkijken. De emotie was van zijn gezicht af te lezen.

Anna keek toe met een groeiend gevoel van onbehagen, verscheurd door hete, blinde jaloezie. Hoe was het mogelijk dat ze niet had beseft hoe diep zijn gevoelens gingen? Ze had die poëzielessen bij hen gevolgd. Ze had zijn brieven voor hem gehaald. Ze had hen gehoord vanuit de klerenkast.

Hoe had ze kunnen denken dat het wel over zou zijn – alleen omdat juffrouw Weir al zo lang dood was? Hij zat te trillen van emotie om een stukje papier dat ze al die jaren had achtergehouden en intussen wilde zij maar één ding en dat was dat hij haar in zijn armen zou nemen.

Uiteindelijk keek hij op. Ze veegde een denkbeeldig stofje van haar rok om haar hand bezig te houden. Maar ze voelde zijn blik en keek terug.

Op dat moment drong het tot Thomas door dat hij niet de enige was die geobsedeerd was door zijn eigen fantomen. Hij voelde haar behoefte – om meer te zijn dan alleen een door-geefluik voor nieuwe herinneringen aan Ruth.

'Dankjewel hiervoor, lieve kind. Heel, heel erg bedankt. Maar is er, eh... Is er iets anders waar je over wilde praten?' vroeg hij vriendelijk, met zijn blik op haar gericht.

'Ja,' gaf ze toe.

'Zeg het maar gerust,' zei hij.

Hij wachtte en keek geduldig een andere kant op. Ze be-woog haar handen en maakte een rollend gebaar in de lucht alsof ze daarmee haar woorden in gang kon zetten.

'Ik wilde je zien omdat ik al die jaren aan je heb gedacht...'

Ze zweeg abrupt en hield haar hoofd schuin. Toen gooide ze het eruit.

'Ik heb nog steeds... bepaalde gevoelens voor je,' zei ze. Ik denk dat ik als kind misschien... verliefd op je ben geworden en dat ik de gedachte aan jou al die jaren diep in mijn hart heb meegedragen. Ik heb intimiteit gezocht met vreemden en dan wenste ik dat jij het was, omdat ik altijd alles aan jou, elk detail van jou heb liefgehad...'

Thomas staarde haar aan. Had ze die gevoelens al die tijd gekoesterd, terwijl ze elkaar nooit hadden gezien? Hij ver-trok geen spier, maar het was onthutsend.

'Dat was heel lang geleden,' antwoordde hij, aarzelend. 'Je bent uitgegroeid tot een prachtige vrouw met een man en twee kinderen.'

Anna was verrukt over het compliment. Ze had zich nog nooit prachtig gevoeld, maar op het moment dat hij het zei, hoopte ze dat hij haar echt zo zag.

Aangemoedigd dacht ze aan de brieven die hij haar destijds had geschreven. Jarenlang had ze die gekoesterd, onder haar kussen gelegd, tot ze bijna scheurden bij de vouwen.

'Toen je me al die jaren geleden schreef en ondertekende met "liefs", heb ik me avonden zitten afvragen of dat "liefs" iets te betekenen had of dat je dat altíjd onder je brieven zette.'

'Ik weet zeker dat het gemeend was – in de goede zin,' antwoordde hij behoedzaam, maar ze wilde meer.

'Ik herinner me wel dat ik je wilde helpen,' ging hij verder. 'Je was er ellendig aan toe nadat je je moeder had verloren. Je had iemand nodig die zich over je ontfermde.'

'Ja,' zei ze, nog voordat hij was uitgesproken.

Hij keek naar haar en zag een glad vrouwengezicht in plaats van het magere, sproeterige kind dat hij ooit had gekend. Maar haar ogen spraken rechtstreeks uit het verleden tot hem: die onderzoekende blik, die om onverklaarbare redenen toenadering tot hem zocht.

Ze wachtte, in de hoop dat hij meer zou zeggen, zich open zou stellen. Ze wilde dat hij naar haar keek en zou zeggen: ik heb al die jaren aan je gedacht en gewacht op het moment dat ik je kon vertellen hoeveel ik om je gaf. Natuurlijk deed hij dat niet en zou hij dat ook nooit doen. Hij kroop terug in zijn schulp, terwijl zij wegzakte in haar drijfzand.

'Die ene nacht, de nacht waarop ik je brieven heb gehaald, ben ik op je knie in slaap gevallen... en ik herinner me nog steeds de tederheid in je ogen toen ik wakker werd en opkeek...'

Ze wilde zeggen: ik heb sindsdien niets anders gedaan dan zoeken naar die blik in jouw ogen, maar ze kon geen woord meer uitbrengen. Ze huiverde, totdat uiteindelijk de tranen over haar wangen liepen.

Hij voelde zich opgelaten en wachtte zwijgend af. Maar terwijl haar tranen bleven stromen, werd hij getroffen door een verre herinnering aan het kind dat jaren geleden in zijn armen had zitten huilen.

Hij meende zich inderdaad te herinneren dat hij die vreselijke nacht omlaag had gekeken in de ogen van het meisje. Waar had hij op dat moment aan gedacht? Aan de vrouw die hij beminde en verloren had. Aan het kind dat hij verloren had. Toch moest dat het moment zijn geweest waarop hij Anna voor het leven aan zich had gebonden.

Hij was op de een of andere manier geraakt door het hartzeer van deze jonge vrouw, dat door de dikke muren van zijn eigen geheime verdriet sijpelde. Hij reed naar voren en terwijl zij naar hem opkeek, ontmoette hij haar blik. Toen strekte hij zijn armen naar haar uit en liet ze zich tegen zijn borst zakken. Hij sloeg zijn armen om haar heen en hield haar vast. Op een gegeven moment tilde ze nog een keer haar hoofd op om hem aan te kijken.

Hij zag de puurheid van haar liefde en keek naar haar met een tederheid waarvan hij niet wist dat hij die nog in zich had. Hij had haar niets gegeven, en toch... De lange jaren van haar wachten hadden iets in hem losgemaakt.

Hij wilde haar vrijlaten.

'Je betekende wel degelijk iets voor me,' zei hij. Terwijl hij het zei, wist hij niet zeker of hij het tegen Anna had of tegen de geest van Ruth, die op deze vreemde middag was herleefd dankzij een velletje papier en de verliefde ogen van een andere vrouw.

'Je betekende heel veel voor me en ik vond het vreselijk toen je wegging. Ik heb vaak aan je gedacht. En ik ben heel, heel blij je weer te zien.'

Er zijn vele manieren om vervulling te vinden in de wereld, realiseerde Anna zich later. Het kon door een brief gebeuren, of door een gesprek, of zelfs alleen door een blik. Hij zei alleen maar de woorden die ze wilde horen. En toen gaf hij haar een vederlichte kus op haar wang.

Ze keerde terug naar Londen in het besef dat er in zekere zin een deur was gesloten. Hun relatie was nu definieerbaar, voorzien van grenzen. En die grenzen had ze ook bereikt. Ze wist dat ze Thomas nu moest laten gaan.

54

In de maanden die volgden op Anna's onverwachte bezoek vroeg Thomas zich weleens af of hij haar had moeten vertellen wat een verschil ze had gemaakt voor zijn gemoedstoestand. Maar hij besloot dat hij het beter niet kon doen: omdat hij wist dat niet Anna, maar de toevallige boodschap van Ruth hem had doen heropleven.

Bedenk wat je voor me hebt betekend...

De herinnering aan haar hield hem nu gaande. Meer dan twintig jaar na haar dood was ze weer tot hem gekomen in de vorm van een stukje papier en had ze hem vrijgelaten in het heden. En dankzij een vreemde alchemie was hij zichzelf in een nieuw licht gaan zien, als iemand die door liefde aan het leven was verbonden.

Hij vergat Anna niet. Het verbaasde en verwonderde hem dat hij zonder het te weten zo lang in iemands hart of gedachten had kunnen leven, maar hij was ontroerd en vereerd dat ze de moed had gevonden met hem te praten. Haar bezoek had deze bijzondere en onverwachte verzoening in hem teweeggebracht.

Hij onderhield een gemoedelijke correspondentie met haar. Kerstkaarten en weloverwogen brieven over de boeken die ze hem soms stuurde en die hij aandachtig las. Bovendien begon hij op zondag voor haar te bidden, in zijn plaatselijke kerk. Wel vroeg hij zich soms af of hij meer voor haar had moeten doen, maar hij wist dat het beter was zo. Hij had haar te weinig te bieden, afgezien van gebeden op afstand. Hij hoopte maar dat zijn warmte haar op de een of andere manier zou bereiken.

Eén ademtocht is beter dan geen. Thomas herinnerde zich dat hij zichzelf met die mantra moed had ingesproken toen hij in het ziekenhuis lag om te herstellen van zijn polio, veertig jaar geleden.

Dat had hij toen willen geloven. Maar nu hij ouder was, voelde hij het ook echt zo. Elke ochtend was hij blij de hemel te zien. En elke keer als het weer lente werd, stond hij opnieuw versteld van de kersenboom die voor zijn raam bloeide, met een bleke lila bloesem die altijd lichter en overvloediger was dan hij zich herinnerde.

De jaren verstreken, maar de intensiteit van zijn gevoelens voor Ruth nam nooit af. Altijd wanneer de zon door de wolken brak of de wind de bomen beroerde, was daar haar gezicht, zelfs in de regen. En die gedachte maakte elke dag draaglijk, tot op het allerlaatst.

Hij is altijd zo sereen, zei Mary Smithie vaak tegen haar man. Ze wist nog dat ze hem het jaar voordat hij stierf met tegenzin alleen had achtergelaten op eerste kerstdag. Ze moest haar bejaarde moeder opzoeken in Harrogate. Het was niet ver weg, maar ze maakte zich zorgen dat hij zonder gezelschap te eenzaam zou zijn en bleef maar mensen noemen bij wie hij die dag op bezoek zou kunnen gaan.

'Alsjeblieft, Mary,' zei hij vriendelijk, 'je hoeft je echt geen zorgen om mij te maken.'

'Weet u zeker dat u zich niet gewoon groothoudt, meneer?'

'Heel zeker.'

'Maar Kerstmis is een gelegenheid om te vieren, samen met andere mensen...'

'Ik kom hier niets tekort, maak je nu maar geen zorgen.'

Ze had toen even gezwegen en hem bedenkelijk aangekeken. En op dat moment – ze wist het nog goed – had hij haar in vertrouwen genomen, voor het eerst in al hun jaren samen.

'Laat me je mijn geheim vertellen, Mary,' zei hij en hij hield zijn hoofd een beetje schuin. 'Toen ik jonger was, heb ik een geweldige vrouw ontmoet, de juiste vrouw, en ze hield van mij. We hielden van elkaar en dat wisten we allebei. Is dat niet wat iedereen wil, Mary? Wederzijdse liefde? De herinnering houdt me nog steeds gaande, elke dag weer. Dus ik mag dan in jouw ogen een oud wrak zijn, vanbinnen dans ik nog steeds, om het zo maar eens te zeggen.'

Op het moment dat hij het zei, wist ze dat hij het meende. Dat was dus het geheim van zijn ogen: ze straalden van een geheime vreugde, omdat hij ware liefde had ervaren met zijn vrouw. Ze voelde de tranen in haar ogen prikken en moest in haar handpalm knijpen om niet te huilen toen ze hem die dag alleen liet.

55

Thomas behield zijn plekje in Anna's hart, maar leidde daar jarenlang een sluimerend bestaan. Totdat ze op een ochtend zijn naam in een overlijdensbericht in *The Times* zag staan en al haar herinneringen in één klap werden opgerakeld.

De kleine advertentie meldde het overlijden – 'na een korte ziekte' – van Thomas Arthur Ashton op 29 december 1979. Vanwege de feestdagen stonden de dagbladen vol nieuwjaarspuzzels en er waren maar twee kwaliteitskranten die in memoriams plaatsten. Het waren oppervlakkige schetsen van zijn carrière bij Buitenlandse Zaken en flarden informatie die Anna tegelijk opwonden en treurig stemden: het kleine beetje dat ze van zijn leven had geweten. Thomas Ashton stond bekend om zijn werk als jonge diplomaat in 'sir Robert Vansittarts groep tegenstanders van de verzoeningspolitiek' in de jaren dertig. In *The Telegraph* werd hij herdacht als vooraanstaand classicus en als de laatste vertegenwoordiger van een bepaald type Engelsman, hoewel de schrijver van het stuk niet echt duidelijk maakte waarom. De school in Ashton Park werd genoemd, en ook zijn vrouw.

Hij en zijn geliefde vrouw Elizabeth waren kinderloos, maar bij het uitbreken van de oorlog stelden ze Ashton Park open als tehuis voor evacués. Tragisch genoeg kwam Elizabeth om bij een auto-ongeluk, maar haar man was vastbesloten het werk van zijn vrouw voort te zetten en na de oorlog bleef Ashton Park functioneren als meisjeskostschool. Leerlingen hebben dierbare herinneringen aan Ashtons beminnelijkheid als docent en hij was bijzonder trots op de school.

Anna las de necrologieën meerdere malen en stopte ze toen in een la. Wie had deze oppervlakkige verzinsels over hem geschreven? Niets van wat er werd gezegd gaf zijn essentie weer. Haar definitieve buitensluiting uit zijn leven trof haar als een klap in het gezicht. Het contact tussen hen was op het laatst nog maar beperkt tot de jaarlijkse kerstkaart. Ze wist niet eens de datum van zijn begrafenis en evenmin was er sprake van een herdenkingsdienst. Ze wist niet aan wie ze moest schrijven, maar veronderstelde, met een steek in haar hart, dat de naaste familieleden wel voor het afscheid zouden zorgen.

Wat Anna niet kon bevroeden, was dat er geen familieleden waren. Geen kinderen, geen broers of zussen, geen neven of nichten. Alleen beleefde vriendschappen. Sir Clifford Norton was aan een rolstoel gekluisterd sinds hij beide heupen had gebroken. Hij was broos en bang om te reizen, dus bleef hij thuis in Chelsea, in de hoop dat anderen in zijn plaats naar Thomas' begrafenis zouden gaan. Hij dacht de hele dag aan zijn oude vriend en over hoe het toch mogelijk was dat hij zo volledig uit zijn leven was verdwenen. Zijn vrouw Peter was een aantal jaren geleden al overleden, als gevolg van complicaties na een val op het vliegveld Orly. Sinds zij er niet meer was, waagde Norton zich nooit ver van Carlyle Square.

Het kwam neer op Thomas' huishoudster, Mary Smithie, om ervoor te zorgen dat hem enig respect werd betoond bij zijn overlijden. Zij was degene die hem opzocht in het ziekenhuis toen hij longontsteking kreeg. En toen de dokter opbelde om te zeggen dat hij was overleden, was zij degene die om hem huilde en zich druk maakte om zijn begrafenisbloemen. Ze ruimde de papieren op zijn bureau op en opende de brieven die nog voor hem kwamen. Ze legde zijn pen en inkt weg, maar nam ze toen alsnog mee naar huis als aandenken aan de man die ze twintig jaar lang had zien werken aan zijn vertalingen.

Twee maanden na de begrafenis kwam de dochter van een volle neef van Thomas vanuit Zuid-Afrika om haar erfenis in ogenschouw te nemen. Mevrouw De Groot was opgegroeid in Kaapstad en haar bezoek aan Ashton Park was haar eerste reis naar Europa. Haar kinderen vonden het maar niets dat ze zo ver weg ging en smeekten haar snel terug te komen.

'Ik ben over tien dagen weer thuis,' beloofde ze op het vliegveld.

Ze kwam op een regenachtige middag in York aan en had de grootste moeite een taxi naar Ashton Park te vinden. De chauffeur zette haar af bij de portiersloge naast de toegangspoort, dus moest ze lopend in de regen de schijnbaar eindeloze weg naar het huis afleggen. Toen ze eindelijk bij de grote voordeur aankwam, was ze buiten adem en doorweekt.

Meneer Tyler, al sinds jaar en dag de opzichter, liet haar binnen, maar was te verlegen om haar de hand te schudden of haar aan te kijken. Van deze onbeholpen gids kreeg mevrouw De Groot een snelle rondleiding door het huis. Ze begonnen in de stenen hal en liepen toen door de met linoleum bedekte gangen die naar lege klaslokalen leidden. Toen ze eventjes stopten bij de oude schooltoiletten, was ze geschokt door het primitieve sanitair.

Daarna liepen ze een rondje over de bovenste verdiepingen en kwamen door verlaten slaapzalen met ijzeren ledikanten en paardenharen matrassen die vol vlekken zaten. Er waren wastafels met ouderwetse lampetkannen en ongezoomde gordijnen die schots en scheef aan kapotte haakjes hingen. De meisjeskostschool was na jaren van teruglopende aanmeldingen uiteindelijk gesloten, maar het verouderde interieur was er nog.

Het hele huis galmde van leegheid. Terwijl het buiten donkerder werd, sloeg het mevrouw De Groot kil om het hart bij deze onderdompeling in het verleden van andere mensen. Het huis zweemde naar geesten en verloren geschiedenis, en de stoffige portretten van haar onbekende neven en nichten beklemden haar.

Onder de kale tl-buizen van de keuken maakte ze kennis met de echtgenote van meneer Tyler, een struise vrouw met een opgewekt gezicht dat ontsierd werd door een schrikbarend slecht gebit. Mevrouw Tyler had een eenvoudige maaltijd met worst voor haar klaargemaakt, die werd opgediend in de oude zitkamer, een ruimte waar voor de gelegenheid een vuur was aangemaakt. Na het eten werd ze naar de oude slaapkamer van de Ashtons gebracht om daar de nacht door te brengen.

Er stonden een imposant hemelbed en een kaptafel met een wazige tripelspiegel. De Tylers vertelden haar niet van wie de kamer was geweest en ze vroeg er ook niet naar. Toen ze 's ochtends stijf en verkleumd wakker werd, besloot ze zo snel mogelijk terug te keren naar de zwembaden, zon en hygiënische sanitaire voorzieningen van Constantia.

Ze voelde zich hier een indringer. Het was geen rendabel huis, dat zag ze meteen, en ze was bang dat haar huwelijk eronder zou lijden. Dus toen de gretige curatoren van de National Trust langskwamen, nam ze met beide handen hun voorstel aan om Ashton House over te nemen in ruil voor kwijtschelding van de successierechten. Ze stelde haar vertrek tien dagen uit en probeerde zo snel en doortastend mogelijk af te komen van dit enorme vervallen gebouw met zijn slechte weer. Ze sprak met advocaten en taxateurs van Christie's en tekende zo veel mogelijk papieren om het landgoed te ontdoen van zijn meer waardevolle activa. Het huis en zijn aandenkens liet ze over aan de erfgoedinstelling.

Toen ze uiteindelijk de geduchte mevrouw Smithie ontmoette en Thomas Ashtons persoonlijke bezittingen in de oude personeelswoning inspecteerde, kreeg ze een wat intiemere indruk van de Ashtons. Ze pakte een foto op van Thomas en was meteen getroffen door zijn gezicht. Mevrouw Smithie stelde voor – of liever gezegd: benadrukte met klem – dat hij een eminent en erudiet man was geweest, wiens boekencollectie hoorde terug te keren naar de bibliotheek in

Ashton House. Mevrouw De Groot was onder de indruk van haar vastberaden toewijding en gaf de advocaten van het landgoed opdracht de adviezen van mevrouw Smithie te volgen inzake de boeken, schilderijen en meubelstukken die moesten worden overgebracht naar het grote huis. Ze begon haar haastige aftocht te rechtvaardigen als niet meer dan een respectvolle wens om de familiegeschiedenis van de Ashtons intact te houden voor de National Trust.

Daarna vertrok mevrouw De Groot per taxi over de lange oprijlaan, om pas jaren later nog eens terug te keren naar het landgoed, toen Ashton Park inmiddels was gerestaureerd en als negentiende-eeuws landhuis was geopend voor het publiek. Een prijswinnend dagje uit in Yorkshire en een triomf voor de National Trust.

56

Begin 2006 dacht Anna Sands dat ze haar moeder op tv zag. Ze keek op een avond naar een programma over de blitzkrieg en de documentaire begon met vredige beelden van het vooroorlogse Londen: mannen met bolhoeden op die op weg waren naar hun werk, en vrouwen die kinderwagens voortduwden in het park. Maar toen kwam er een abrupte overgang naar kleurenbeelden van Londen in oorlogstijd, en daar liep – zo leek het – Anna's moeder op straat, op hoge hakken en met een dophoedje op.

Ze flitste zo snel voorbij dat Anna zich afvroeg of ze een geest had gezien. Haar moeder was maar een paar seconden in beeld geweest, als een visioen, tijdens een reeks fragmentarische opnames van brandende gebouwen. De volgende dag belde Anna de BBC om de oorsprong van de archiefbeelden te achterhalen. Wekenlang volgde ze een spoor van telefoongesprekken en voicemailberichten, tot ze uiteindelijk terechtkwam in een bijgebouw van het oorlogsmuseum, met een aanvraagformulier om naar de bewuste opname te mogen kijken. Een spraakzame filmarchivaris nam haar mee naar een montagekamer, gewapend met een blik 16mm-film.

'Het is een van onze populairste filmspoelen,' liet hij haar weten. 'Onze enige amateurkleurenbeelden van de blitzkrieg. Gefilmd door een vrouw, op een eenvoudige opwindbare Bolex, dus hier en daar krijg je een slow-motioneffect, waardoor Londen er onwerkelijk uitziet, als in een droom.'

De film liep nu en spoelde door een montageapparaat met een klein scherm dat een hoop lawaai maakte. Anna installeerde zich en bekeek de onsamenhangende beelden van Londen in oorlogstijd, met de heldere, eenvoudige kleuren van oude films. Er liepen mensen voorbij die naar de camera lachten. Werklui dronken thee en aten boterhammen, allemaal achteloos nonchalant tegen een achtergrond van verwoeste gebouwen en straten vol bomkraters. Gedurende een minuut of tien zag Anna alleen maar vreemden langsflitsen, tot ze haar opeens ontdekte: daar liep haar moeder op de stoep, merkwaardig onaangedaan in haar mantelpakje en met haar hoedje op, ondanks al het puin om haar heen op straat. Anna slaakte een kreet. De jongeman stopte de machine en spoelde een stukje terug.

Het shot duurde negen seconden. Dat was alles. Eén lange blik op haar moeder die door een straat liep, voordat het beeld versprong naar een heel andere plek.

De archivaris heette Robin. Hij liet Anna zien hoe ze de film moest terugspoelen en liet haar toen achter om keer op keer naar haar moeder te kijken, terwijl hij wegging om een telefoontje te plegen. 'Officieel mag het niet,' vertrouwde hij haar toe, 'maar ik kan wel zien dat u wat tijd nodig hebt om dit goed te kunnen bekijken.'

Anna speelde de scène talloze malen af en zag telkens weer haar moeder voorbijglijden, ogenschijnlijk volmaakt zorgeloos. Ze was tergend herkenbaar, hoewel er geen oogcontact was met de camera. Was ze het eigenlijk wel?

Het was meer dan zestig jaar geleden dat Anna haar voor het laatst had gezien. En nu zat ze als oude vrouw te kijken naar haar moeder in de bloei van haar leven. Maar terwijl ze het shot keer op keer terugspoelde, begon de ziel van haar moeder uit de beelden te verdwijnen. Alsof Roberta bevrijd was doordat Anna haar zonder de inbreng van haar verbeeldingskracht had zien lopen.

Haar moeder had haar eigen leven gehad, en meer viel er niet over te zeggen. Ze was Roberta Sands, die van hen allemaal wegliep om haar eigen dingen te doen, totdat ze, door puur toeval, een van de vele slachtoffers van de oorlog zou worden.

Anna had al die jaren nooit afscheid genomen van haar moeder. Als kind had ze de begrafenis niet kunnen bijwonen en haar moeder was haar leven lang als een denkbeeldige toeschouwer over haar schouder blijven meekijken. Het had haar soms een schuldgevoel bezorgd. Maar nu zag ze dat haar moeder een zelfstandig individu was geweest, iemand die over straat liep op weg naar vergaderingen waar Anna helemaal niets vanaf wist. Ze kon haar nu laten gaan en dat zou ze ook doen als ze eenmaal over de schok van de herkenning heen was.

Het duurde een paar maanden voordat Anna haar evenwicht had hervonden. Ze was inmiddels met pensioen en woonde alleen, maar met genoeg bezoek van haar kinderen en kleinkinderen.

Haar huwelijk was al vele jaren eerder stukgelopen.

'Ik wilde samen met jou een reis door het leven maken,' had Jamie tegen haar gezegd, toen ze uit elkaar gingen. 'Maar je wilde niet mee. Je was altijd ergens anders.' Het was waar: na afloop van haar bezoek aan Thomas Ashton had Anna steeds meer afstand genomen van haar man. Ze had hem nooit geprobeerd te vertellen over haar merkwaardige retrospectieve liefde voor haar onderwijzer; Jamie zou haar voor gek hebben versleten.

Toen hij bij haar wegging, was het in sommige opzichten een opluchting geweest. Ze kon nu van de kinderen genieten zonder zich zorgen te maken over haar tekortkomingen als echtgenote. Met Jamie had ze zich altijd een emotionele fraudeur gevoeld. En altijd als ze hem weer zag, bedacht ze hoe knap hij was en verbaasde ze zich erover dat ze ooit met zo'n man had samengeleefd. Van zijn kant verklaarde Jamie hun mislukte huwelijk altijd door te zeggen dat Anna was beschadigd door haar ongelukkige oorlogsjeugd.

Na de scheiding was ze met de kinderen verhuisd naar een vervallen negentiende-eeuws huis in Clerkenwell, dat ze stukje bij beetje opknapte. Het bleek een langdurig proces te zijn om de oude leidingen te restaureren, de kroonlijsten schoon te maken en de open haarden en luiken in hun oude staat te herstellen. Ze had zelfs het behang losgestoomd om verschillende oudere lagen bloot te leggen, helemaal tot op het oorspronkelijke regencybehang.

'Het is alsof je de bladzijden van de geschiedenis van het huis omslaat en het verleden afpelt om zijn geesten te bevrijden,' legde ze uit aan nieuwsgierige bezoekers. Haar kinderen vonden haar wel een beetje excentriek, maar genoten evengoed van hun uitjes naar uitdragerijen vol bouwmaterialen.

Na haar eigen ontheemde jeugd had Anna zo'n troost geput uit het moederschap dat ze het nooit erg vond om alleenstaand te zijn. Ze had haar vrienden; dat was voor haar voldoende.

Intussen had ze haar leven teruggebracht tot het hoogstnoodzakelijke: boeken en muziek, en een eenvoudig ingericht huis. En de drie dunne dichtbundeltjes die ze in de loop der jaren had geschreven: de zorgvuldige distillaten van een heel leven. Bundels die destijds respectvol waren besproken, hoewel ze inmiddels geen van alle nog in de handel waren. Maar onlangs had de impuls om woorden voor gevoelens te vinden haar in de steek gelaten en dat zei wel genoeg over haar huidige innerlijke vrede en onafhankelijkheid. Ze was misschien een beetje een kluizenaar, maar op goede dagen wist ze de alledaagse schoonheid van het leven naar waarde te schatten. Een instelling die ze destijds had geleerd van Thomas Ashton, bedacht ze soms.

Op een zondag tijdens de lunch, vlak na haar vijfenzeventigste verjaardag, had een van haar kleinzoons haar gevraagd of ze als kind rijk was geweest. De vraag verwonderde haar.

'Hoe kom je daar zo bij?'

'Omdat je een gedicht hebt geschreven over een huis met lange gangen, dus je moet wel zijn opgegroeid in een supergroot huis,' zei hij. Ze lachte en legde uit dat ze tijdens de oorlog naar een landhuis was geëvacueerd.

'Dát was het huis met de gangen, iemand anders' huis.'

Een herinnering aan handstandjes op een zonovergoten gazon schoot door haar heen. Later, toen ze weer thuis was, zocht ze het gedicht op in haar boekenkast en las het voor ze naar bed ging hardop aan zichzelf voor.

Terug naar het Oude Huis

Laten we teruggaan naar het oude huis
Het huis dat we ooit kenden
De bekende deur
De ruime kamers
Het licht op de trap
Altijd nog ergens in je achterhoofd

En al is het niet precies zo groot
Als het huis dat je ooit kende,
En ook minder licht, en leger,
Je hoeft niet weg te gaan;
Want een plek is ook een tijd,
En je bent ouder nu,
En allang verdwenen
Uit je eigen verleden.

Laten we teruggaan naar het oude huis
Het huis dat we ooit kenden, ook al
Is het nu iemand anders' huis,
Met ramen die blind voor je zijn,
En lange, kleurloze gangen,
Zonder weet van hoe het was.

Het oude huis – de afscheidstoon was aanstekelijk. Hoewel Anna nu zelf oud was, was ze nog steeds een kind dat door de lange gangen van Ashton House rende. Haar herinnering aan de buitenkant van het huis was als een maquette: ze zag het gebouw voor zich alsof het vanuit de verte was gefotografeerd. Toch leek het vanbinnen eindeloos groot, met onverwachte gangen en lange trappen, verrassende overlopen en hoge, lege kamers.

Ze was in haar leven op vele plekken geweest, maar in haar ziel strekten zich nog steeds de contouren van Ashton Park uit: de lange witte oprijlaan, het licht dat weerkaatste op zandstenen muren, het uitzicht elke ochtend over het lege parklandschap. Soms zat ze in een kamer en kon ze nog steeds naar binnen worden gezogen in zichzelf, naar de lange schemerige gangen van Ashton en het geluid van kinderen buiten op het gras. Het was een helende plek, dacht ze, terwijl ze het boek weglegde.

Ze werd de volgende ochtend vroeg wakker van het geluid van een trage trein, een zacht kaboem-kaboem dat haar meelokte in een dagdroom. Het geluid drong diep in haar door en voerde haar terug naar vroeger tijden, verdwenen plekken en regenachtige dagen van lang geleden. Ze bevond zich weer in het landschap van haar jeugd: een grijsgroen park onder een weidse hemel, Ashton in de zachte gloed van het laatste avondlicht. Alles was tot volmaakte rust gekomen in de oneindige kalmte van de omgeving – de serene glooiingen, ver van alles vandaan. Het licht van de hemel straalde onuitsprekelijke vreugde uit.

Terwijl ze het gras nog onder haar voeten voelde, begon de droom te vervagen. Ze deed haar uiterste best om de lijn van de horizon vast te houden, maar hij ontglipte haar als een ongrijpbare melodie. Daar ging hij. Weg was hij. Toen ze kwam bovendrijven in het hier en nu, was ze diep teleurgesteld dat ze niet dáár was, rennend over de gazons, door het bos, de heuvel af naar de rivier. Het landschap was vervaagd, het licht weggestorven en haar innerlijke vervoering vervluchtigd in stille, kleurloze lucht.

Ze lag in bed, klaarwakker nu, en gaf zich over aan het effect van haar droom. Het was al jaren geleden dat ze voor het laatst naar Ashton Park was geweest, en toch droeg ze het landgoed altijd mee in haar herinnering. Ze werd geprikkeld door een nieuw verlangen om terug te keren naar de plek waar ze als kind had gewoond. Want voor haar had het als thuis gevoeld, ook al was ze er feitelijk nooit meer dan een gast geweest. Ze moest er weer naartoe.

En dus nam ze de volgende ochtend vroeg een trein. Het station in York had nog dezelfde bocht in het perron. Daar nam ze een bus naar het dorpje Ashton.

Toen ze bij de ingang van het park aankwam, sloeg de twijfel toe. Hier was het: haar plek, haar verleden. Alleen was het nu open voor het publiek en stond er een gebouwtje waar bezoekers een kaartje moesten kopen om het park te mogen betreden.

Maar nieuwsgierigheid en opwinding dreven haar nu voort. Ze kocht een kaartje, 'tuin + huis', en wandelde de oprijlaan op: een vrouw van vijfenzeventig met stramme gewrichten en lood in haar botten, die langzaam liep om niet buiten adem te raken.

Ze kwam langs dezelfde bomen, onder dezelfde hemel. Distels in de berm: die herkende ze ook. De geur van wilde knoflook. Het vermolmde gevaarte van een omgevallen eik waar ze als kind overheen was geklauterd, al die jaren geleden.

Ze volgde de bocht in de oprijlaan en daar rees eindelijk Ashton House voor haar op, met zijn gebogen vleugels. Ze bleef even stilstaan om de indrukwekkende façade te bekijken en er ging een golf van droefheid door haar heen. Waar kwam die vandaan? Was het de weemoed van een oude vrouw om haar eigen kindertijd? Ze wist het niet.

De leeuw en de eenhoorn flankeerden nog steeds het hek, bedekt onder een dikkere laag vuil dan ze zich herinnerde. Ze waren ook kleiner. Ongenaakbaar keken ze voor zich uit en sloten haar buiten uit hun gedeelde verleden, steen zonder geheugen. Een mengeling van herinnering en verlangen doorstroomde haar nu, hoewel ze niet kon zeggen of ze zich bedroefd of opgetogen voelde. Ze wist alleen maar dat deze plek sedimenten loswoelde van oude emoties die haar hart pijn deden.

Ze draaide zich om en overzag het schuin oplopende veld voor het huis, een uitzicht dat haar als kind met grote hoop had vervuld. Ze herinnerde zich haar eerste weken hier: herfst in Ashton Park, de hoge, vlammend gele eiken en de koperrode zon die via haar vingertopjes doordrong tot in de sluimerende ruimten van haar binnenste.

Vandaag was de hemel wit en stil en waren de oktoberkleuren gedempt. In de komende weken zou de winter zijn intrede doen en het aflopende tij van het wegstervende jaar langzaam aan haar hartslag trekken. Ze was net op tijd gekomen om Ashton Park in al zijn sobere herfstglorie te zien – dus waarom raakte het tafereel dat ze voor zich zag haar dan niet?

... Maar zie die boom – van vele, één –
Een enkel veld, mijn uitzicht van voorheen,
Beide getuigen van iets van lang geleên...

Misschien was het leven één lang verhaal van gescheiden zijn, precies zoals Wordsworth had gezegd. Gescheiden van mensen, van plekken en van het verleden dat je altijd ontging, ook al leefde je erin.

Maar ze wilde het nog niet opgeven. Ze keerde zich om naar het huis en liep de trap op naar de hoge mahoniehouten deuren die nog steeds moeilijk opengingen. Toen stapte ze de Marmeren Hal in. Ze herinnerde zich nog dat ze daar had zitten wachten op de komst van haar vader, vele jaren geleden. En alle uren die ze had doorgebracht met badminton spelen op die geblokte vloer, met op de achtergrond het geluid van Thomas die pianospeelde in de salon.

Nu zat er een vrouw uit het dorp kaarten te verkopen achter een tafeltje en goedbedoelde informatie te verstrekken over de classicistische details van het huis.

'Daar in de koepel speelt Apollo op zijn lier en daar, boven de stenen haarden, ziet u griffioenen...'

Anna liep van haar vandaan en ging midden in de Marmeren Hal staan. Er kwamen stemmen op haar af, uit een ver verleden. Hillary Trevor die de namen oplas van kinderen met post, terwijl ze allemaal om haar heen dromden, snakkend naar nieuws van thuis. *Maltby – Bailey – Peet – Rothery – Todd – Russell.* En daar was de plek waar de kerstboom stond. Ze herinnerde zich nog dat ze hem gezamenlijk optuigden en hun spontane vreugde bij het vooruitzicht van Kerstmis, die frisse, ongecompliceerde blijdschap van kinderen. *Tyler – Dixon – Burnham – Peake.*

Ze liep naar de stenen trap, langs de deur van Thomas' slaapkamer. *Is daar iemand?* Het wemelde hier van de fantomen uit het verleden, dood of uit het oog verloren. Herinneringen aan Thomas en het winterlicht in zijn ogen.

'Neem me niet kwalijk, mevrouw...' Een man in een tweedjasje hield haar tegen en legde uit dat ze niet zomaar kon rondlopen, maar dat ze een van de rondleidingen door het huis moest volgen. Dus sloot ze zich bij een groep aan en zag ze de eetzaal en de salon en al haar oude vertrouwde plekjes, die tegenwoordig waren heringericht in een overdadige vroeg-twintigste-eeuwse stijl. Het zag er allemaal heel anders uit dan de haveloze school uit haar tijd, met zijn lessenaars en slaapzalen.

Maar toen ze in de bibliotheek kwam, constateerde ze opgelucht dat daar niets was veranderd: het was nog steeds dezelfde kamer met zijn galerij en wanden vol prachtige oude boeken.

'Wijlen Thomas Ashton was classicus en hij heeft vele gerenommeerde vertalingen gemaakt,' zei de gids met al het enthousiasme dat dergelijke informatie verdiende. 'Daarboven op de galerij bevindt zich nog zijn verzameling oude Griekse en Latijnse boeken.'

Anna keek omhoog. Ze zag waar de gids naar wees en herinnerde zich de dag waarop Thomas haar de geheime deur naar de galerij had laten zien. Toen de groep verderliep, bleef ze in een opwelling van rebelsheid stiekem achter.

Ze vond het verborgen hendeltje, en de klik van de deur klonk precies zoals in haar herinnering. Moest je haar nu zien: een oude vrouw die een steile bibliotheektrap op glipte op zoek naar... Ja, waarnaar eigenlijk? Ze durfde het niet te zeggen. Ze stond voor Thomas' boeken en liet haar hand over de ruggen glijden.

Haar vingers bleven haken bij een smalle band die uitstak. Haar hart maakte een sprongetje, want ze wist het meteen: dit was Ruth Weirs exemplaar van Tennyson, de bundel die ze jaren geleden had meegenomen voor Thomas. Ze trok het boek van de plank en opende het. Daar lag het gevouwen blaadje met de gedroogde bloem. Maar er zat nog een brief in – in Thomas' handschrift.

Er keek niemand, dus stopte ze het boek in haar handtas. Daarna sloop ze de galerijtrap af en liep met een fladderend hart de tuin in.

Ze stond even stil bij de zonnewijzer in de rozentuin, merkwaardig opgetogen dat ze het boek van Ruth Weir had gevonden. Ze zocht een rustig plekje om te zitten en koos een bankje onder de rode beuk die, zoals ze wist, was geplant ter gelegenheid van de doop van Thomas. Voorzichtig liet ze zich neerzakken en sloeg toen het boek open. Daar was de nieuwe brief, in Thomas' handschrift. Hij was gedateerd uit het jaar dat ze hem had opgezocht. Maar de envelop was geadresseerd aan Ruth. Een niet-verzonden brief aan een dode vrouw.

Mei 1964
Mijn liefste,
Van de talloze mensen die we in ons leven ontmoeten, is het vreemd dat zovelen van ons in de ban blijven van één persoon in het bijzonder. Als we dat gezicht een-maal hebben gezien, treedt er spontaan een ongenees-

lijk hartzeer in. Alle wonderen van deze wereld komen
tot uiting in die ene persoon, en daarna is er geen weg
meer terug, want dit soort liefde kent geen einde, al-
thans niet tot aan de dood.

De gelukkigen onder ons zien deze liefde beant-
woord. Maar voor zo veel anderen, overal en waar dan
ook, volgt er een eindeloze pijn van onvervuld verlan-
gen. Ongeneeslijke liefde maakt arm en rijk gelijk. Toch
geloof ik dat deze bitterzoete liefde vele malen beter is
dan de wanhoop die hen teistert wier hart dood is.

Jij bent de vrouw die ik heb liefgehad, Ruth. Ik ben
je al vele jaren kwijt, maar ik geloof en vind rust in
de gedachte dat we samen onze tijd van liefde hebben
gehad. Het was heel bijzonder en ik koester de herin-
nering eraan.

Vandaag was een schitterende dag. Het avondlicht
zette de bomen in zo'n stralend groene gloed dat ik het
leven van ieder blaadje voelde. Het schouwspel riep een
zeldzame vreugde in me op. Ik zat bij het raam en mijn
ziel strekte zich uit tot de velden buiten, totdat ik geze-
gend werd met dit besef: dat alles beschenen werd door
het ondersteunende licht dat jij me ooit hebt gegeven.
Al ben je er zelf niet meer, je hebt me liefde geschonken
en je hebt mijn ogen geopend voor het dagelijkse won-
der van de wereld om me heen. Op goede dagen zie ik
je nog steeds overal. Het is een zegen van onschatbare
waarde, waarvoor ik je dank, mijn allerliefste schat.

Anna las de woorden en voelde haar hart doorboord worden.
Alle leven vloeide uit haar weg. Ze probeerde haar evenwicht
te hervinden en zat zachtjes wiegend op het bankje, diep in-
en uitademend.

Het was een verpletterende brief. Een verklaring van absolute liefde, niets minder dan dat. De liefde die Thomas al die
jaren voor Ruth Weir had gevoeld. De liefde die ze als kind

door de deur van de klerenkast had gehoord, maar zelf nooit had gekend.

Wat was dit voor pijn die haar doorkliefde? Jaloezie? Ontzag? Zijn brief gaf uiting aan de enige liefde waarnaar ze had gehunkerd en toch was die bestemd voor iemand anders: iemand die onbereikbaar was in de dode tijd. En zijzelf was altijd uitgesloten geweest van dergelijke liefde en zou dat ook altijd blijven.

Destijds was ze getuige geweest van de onvoorwaardelijke liefde van iemand anders. En wat ze nu, al die jaren later, in Thomas' brief las, was het grenzeloze geduld van zijn liefde.

De liefde verdraagt alles, gelooft alles, hoopt alles, in alles volhardt ze. De liefde zal nooit vergaan...

De woorden uit Korinthiërs welden in haar op, maar ze herkende er ook haar eigen toewijding in. Zijn liefde was een verloren liefde. Haar liefde was liefde die nooit ten volle was gekend. Zo lang na de dood van Ruth bespeurde ze in die brief nog steeds de vervulling van zijn liefde: zelfs in de blaadjes van een boom kon hij vrede vinden voor zichzelf. Maar van dergelijke dingen zou zij altijd verstoken blijven: ze kon in Ashton Park gaan staan en naar de gazons van haar stralende kindertijd kijken, maar alles wat ze zag was een leven dat buiten haar bereik lag.

Hoe was ze hier beland, aan het einde van haar leven, nog steeds verliefd op iemand die allang dood was? Hoe had dat kunnen gebeuren? Na alle mensen die ze had leren kennen, alle plekken waar ze was geweest? Je zou toch gedacht hebben dat er wel iemand haar hart zou stelen en in één klap haar adoratie zou wegvagen voor deze man die ze als kind had leren kennen? Maar toch zat ze hier weer in Ashton Park, nog steeds gevangen in haar eerste liefde, nog steeds vol van de herinnering aan zijn ogen.

Alles deed haar nu pijn en ze was buiten adem, alsof een

bankschroef haar hart samenperste. Ze begon te huilen. De droge ogen van de ouderdom vulden zich en liepen over tot ze uiteindelijk geen tranen meer overhad en geleidelijk aan kalmeerde. Ze ademde nu dieper en werd rustiger.

Ze keek opnieuw naar Thomas' nooit verzonden brief. *Het licht van de liefde.* Zo lang na de dood van Ruth had hij nog steeds momenten waarop hij de omvang van dat wonder ervoer. Gold dat niet ook voor haarzelf? Ze had Thomas graag willen vertellen dat het een dagelijks wonder was geweest om over straat te lopen en gebouwen, bomen en mensen – of welk detail waarvan dan ook – te zien, dankzij de liefde die hij lang geleden in haar had doen ontvlammen.

Haar leven stroomde aan haar voorbij, in een reeks korte flitsen: momenten van tederheid, momenten van contact – haar moeder die met haar danste, haar dochter die thuiskwam van haar eerste schooldag, met die blik van liefdevolle afhankelijkheid op haar gezicht.

Misschien was het genoeg dat ze van Thomas had gehouden. Misschien was alleen dat al genoeg: om te hebben liefgehad, om deze wereld te hebben gezien en gekend door de ogen van de liefde.

Anna hijgde een beetje en voelde haar eigen hartslag. Toen ze om zich heen keek, leek het park nog eenmaal voor haar te bloeien, als van bovenaf gezegend – straks zou het beeld weer vervliegen, wist ze, maar nu kwam Ashton Park voor haar ogen opnieuw tot leven...

Later, toen Anna dood op het bankje werd aangetroffen, wist niemand wie ze was of waarom ze daar zat, of wat het betekende dat ze in elkaar was gezakt onder deze rode beuk.

Een van de gidsen van het landhuis, Rufus, was net klaar met zijn rondleiding, toen een bezoeker de salon in rende om alarm te slaan.

Hij had nooit eerder een dode gezien, maar zodra hij aankwam bij de oude vrouw, zei haar roerloze lichaam genoeg. Hij belde het administratiekantoor om hen op de hoogte te stellen.

'Er is hier een bezoeker van het huis die haar heeft gevonden. Volgens hem had hij haar eerder al in de rozentuin gezien. Nee, toen leek er nog niets met haar aan de hand.'

Het viel Rufus op dat het gezicht van zijn leidinggevende spierwit van ontsteltenis was toen ze op de ambulance wachtten. Maar tot zijn schande betrapte hij zichzelf erop dat hij stiekem op zijn horloge keek, omdat hij niet te laat wilde zijn voor zijn afspraakje die avond. Hij wijdde wel een vluchtige gedachte aan de familie van de vrouw, maar tegelijkertijd vroeg hij zich af welk shirt hij zou aantrekken en wanneer het ambulancepersoneel nou eens kwam. Ze was tenslotte al oud, dacht hij bij zichzelf.

'Een bejaarde vrouw die op een dagje uit door een beroerte is getroffen,' zei hij en daarmee zette hij haar uit zijn gedachten.

De ambulance was allang weg toen de opzichter Ashton House afsloot voor de nacht. Hij deed de ramen dicht en de tuindeuren op slot en vergewiste zich ervan dat er niemand was achtergebleven in een van de gangen. Het laatste avondlicht weerkaatste nog steeds ongezien in de antieke spiegels van de salon, maar toen de opzichter kwam om de houten luiken te sluiten en de deur op slot te draaien, werd het ook daar helemaal donker.

Alleen de duisternis en de stilte zweefden nog rond in de lege zalen, totdat het huis er uiteindelijk bewegingloos bij lag, als een foto, klaar voor de bezoekers van de volgende dag.

Een aantal jaren geleden gaf mijn vader me een stapel papieren die van zijn neef waren geweest, een diplomaat die sir Clifford Norton heette. Het voelde heel vreemd om de brieven en rapporten te lezen die hij vanuit de ambassade in Warschau had verzonden en die hij vlak voor en na de invasie van de nazi's in 1939 had geschreven. Rond dezelfde tijd bracht ik een bezoek aan een prachtig huis in Cornwall, dat geopend is voor het publiek. Bij de rondleiding werd ook een bijzonder ontroerend archief getoond van kinderen die tijdens de Tweede Wereldoorlog naar dat huis waren geëvacueerd.

Toen ik de dagboeken las die mijn neef in Warschau had geschreven en de foto's zag van de evacués in Cornwall, sloeg er bij mij een vonk over. Ik was getroffen door de onverwachte gevolgen van de oorlog, die helemaal tot in de landhuizen van Engeland reikten, waar beduusde kindertjes naartoe werden gestuurd, om vaak jarenlang hun ouders niet meer te zien.

Clifford Norton en zijn vrouw 'Peter' (haar verwarrende bijnaam) zijn de enige 'echte' personages in deze roman. Zij blijven aan de zijlijn van het verhaal staan en functioneren als een koor in een toneelspel, dat af en toe commentaar geeft op de wijdere wereld buiten Ashton Park. Als stel hadden ze er een talent voor om op te duiken op bepalende momenten in de geschiedenis van hun eeuw. Clifford, die in Oxford klassieke talen had gestudeerd, had de loopgraven van Gallipoli overleefd en was daarna in dienst getreden bij het ministerie van Buitenlandse Zaken. Tijdens de jaren dertig was hij privé-secretaris van sir Robert Vansittart, het charismatische hoofd van Buitenlandse Zaken, wiens verwoede pogingen om de dreiging van Hitler aan te pakken herhaaldelijk werden genegeerd en gedwarsboomd, eerst door Baldwin en later door Chamberlain. Norton speelde een centrale rol in Vansittarts groep 'anti-appeasers', de tegenstanders van de verzoeningspolitiek. Toen hij een aanstelling in Warschau kreeg, deed hij wat hij kon om de steun van zijn regering aan de Polen te vergroten. Als ambassadeur in Zwitserland tijdens de oorlog was Norton degene die Churchill rapporten stuurde over de dodenkampen, hoewel zijn pleidooi om de spoorlijnen naar de kampen te bombarderen geen gehoor vond. Maar de meeste invloed heeft hij uitgeoefend tijdens zijn jaren als ambassadeur in Athene. Omdat hij besefte dat de Griekse burgeroorlog de deur kon openzetten voor een snelle uitbreiding van de Sovjet-Unie en dat Groot-Brittannië niet in staat was de benodigde ondersteuning te bieden, voerde hij in achterkamertjes een verbeten campagne om de Amerikanen over te halen in te grijpen in Europa met de Truman Doctrine. Zijn necrologieën schetsten hem als een discrete, maar vasthoudende diplomaat die op de achtergrond een sleutelrol speelde bij het binnenhalen van de Marshallhulp in Europa.

Zijn vrouw Peter was een flamboyanter type, een vrouw met een aanstekelijke energie en levenslust. Als jonge medewerkster van een reclamebureau raakte ze in de ban van de Bauhausgroep en werd ze een goede vriendin en steunpilaar van Gropius, Klee en Kandinsky. Tijdens de jaren dertig vatte ze belangstelling op voor het surrealisme en in 1936 opende ze de eerste avantgardegalerie in Groot-Brittannië (de London Gallery geheten), samen met Roland Penrose. Ze geloofde hartstochtelijk in het vermogen van kunst om de levens van mensen te veranderen en haar galerie in Cork Street werd op slag een centrum voor nieuwe kunst in Londen. Toen de Nortons werden overgeplaatst naar Warschau, deed ze de galerie over aan Penrose en E.L.T. Mesens, maar ze bleef haar hele leven aanstormend artistiek talent ondersteunen en was medeoprichter van het Londense Instituut voor Moderne Kunst. Een archief van haar documenten is te vinden in het Tate Museum.

Peter stond ook bekend om haar onvermoeibare liefdadigheidswerk. Ze heeft heel wat afgereden door Europa met vrachtwagens vol hulpgoederen, en na de invasie van de nazi's in Polen stortte ze zich op haar werk voor Poolse vluchtelingen en zette ze een kamp voor hen op in Schotland. Tijdens de Griekse burgeroorlog werd ze onderscheiden voor de zware inspanningen die ze zich had getroost om hulp te bieden aan oorlogsslachtoffers, met name weeskinderen. Er zijn talloze anekdotes in omloop over Peters goede daden.

Tussen de documenten van Peter Norton bevonden zich verschillende oorlogsverhalen van Poolse vluchtelingen, waarvan ik enkele details heb gebruikt voor Pawels ontsnapping uit Polen.

Ik ben de vrienden die me hebben aangemoedigd tijdens de verschillende fasen van dit boek heel dankbaar, met name Katy Emck en Stephen Wall, die het geduld hebben opgebracht meerdere versies door te lezen. Bijzondere dank ben ik verschuldigd aan Anna Webber, Elisabetta Minervini, Alessandro Gallenzi, Mike Stocks en het hele team van Alma. En uit de grond van mijn hart dank ik Tim, Lucy en Daisy.

Ruk door uw macht... p. 80. Uit *Psalm 69 vers 6*, berijming van 1773

Wat uit stof is... p. 80. Uit *Psalm 102 vers 15*, berijming van 1773

We zijn ver uit de koers... p. 154. Uit Vergilius, *Het verhaal van Aeneas* (Boek III, 200), vertaling van M. d'Haene Scheltema, uitgeverij Athenaeum – Polak & Van Gennep (2000)

De zon valt... p. 195. Uit *Het gedicht van de oude zeeman* in *Wordsworth en Coleridge, Lyrische balladen*, vertaling van Jabik Veenbaas, uitgeverij Athenaeum – Polak & Van Gennep (2010)

Geeft d'eer aan 't eeuwig Opperwezen... p. 227. Uit *Psalm 96 vers 5*, berijming van 1773

ergens waar 'k nooit gereisd heb... p. 240. Uit e.e. cummings, *Jouw ogen hebben hun stilte*, vertaling van Peter Verstegen, uitgeverij Prometheus (1996)

Alle overige citaten zijn vertaald door Boukje Verheij